米軍新基地建設が強行される名護市辺野古大浦湾の海。米国環境NGOが保全すべき日本初の「ホープスポット(希望の海)」に認定。海洋生物5300種、絶滅危惧種263種が生息する「生物多様性の海」が埋め立ての危機に瀕している。(撮影・牧志治)→94頁

©沖縄ドローンプロジェクト

米軍新基地の埋め立てで自然破壊が進む辺野古大浦湾海域。政府は軟弱地盤の改良工事で沖縄県に設計変更を申請しているが、工事は困難視され、さらに大規模な自然破壊が懸念されている。→81頁

国境の島・与那国島に設置された自衛隊基地の弾薬庫。奄美ー与那国の南西諸島の島々に自衛隊ミサイル部隊が配備され、対中国戦争を想定する最前線基地として日米の軍備・訓練強化が進んでいる。→118頁

沖縄の6月23日「慰霊の日」。糸満市の平和祈念公園内の「平和の礎」には敵味方の別なく沖縄戦の全戦没者24万人余が刻銘され、訪れる多くの県民が戦没者を悼んで手を合わせ恒久平和の祈りを込める。→239頁

2014年9月、国連「先住民族世界会議」での日本政府との会合。琉装の糸数慶子参議院議員らは「沖縄の基地負担の軽減」や構造的差別をなくし、「先住民族としての権利の保障」を訴えた。→173頁

スコットランド王国のメアリー・スチュアート女王(1542－1587)。波乱の人生はイングランドで幽閉後に処刑され“悲劇の女王”と言われる。→128頁

スコットランド議会議場。スコットランド議会は1707年のイングランド・スコットランド合併で廃止。1997年9月、地方分権の是非を問うスコットランドの住民投票で議会・行政の新設が決まり、議会は292年ぶりに復活した。→128頁

中国福建省に修復、復元された「福州府文廟」で開催された「礼楽文化展」に展示された歴史的な装束など。→220頁

自然豊かで風光明媚なセイシェルの海岸と夕陽。セイシェルは小国ながら国連総会で大国と同等の1票を持つ。世界は「超国境」的な協力と平和安定の道筋が問われている。→142頁

＊『沖縄を平和の要石に』の創刊に当たって

鳩山友紀夫

私は武力によって真に平和な世界を築くことはできないと信じている。それは信念に近いものだ。そんな私に対して、リアルポリティックスを知らない奴だ、政治はそんな甘いものではないとの批判があることも存じている。確かに、軍事的な抑止力を利用して、一時的に戦争のない状態を作ることは可能かもしれない。しかしその均衡状態は決して安定的なものではない。ふとした弾みで軍事衝突を招きかねない不安定なものだ。

平和を壊すのは何も武力に限らない。現在も私たちはコロナ禍の中で、いつ自分にも新型コロナウィルスが襲ってくるか、戦々恐々としながらマスクをして日々を暮らしている。こういう時こそ、近隣諸国と協力しながら、情報を交換してお互いの得意分野を持ち寄って、一日も早くワクチンの製造などコロナウィルスへの正しい対処法に漕ぎつけるべきではないか。それが喫緊の課題であるにも拘らず、日本は中国や韓国など近隣諸国との間に政治が壁を設けてしまい、十分な協力がままならない状況にある。安倍政権は終わったものの、菅内閣は外交においてはとくに前政権の負の遺産をそのまま継承しており、コロナ禍による経済の停滞は深刻さを増すばかりである。このような状況において、例えば「東アジア防疫共同体」が形成されていれば、東アジアの叡智を結集して意味のあるコロナ対策を打ち出せていたかもしれない。それができずに多くの命が失われてしまっている状態は、政治の貧困がもたらしたものと言えなくもない。

在沖縄米軍基地の現状も、政治の貧困がもたらしたものである。沖縄に集中している米軍は順次撤退させていかなければならない。私はそのスタートとして危険な米軍普天間飛行場を最低でも県外に移設させようと思った。だが、力不足で辺野古に戻してしまう誤りを犯してしまった。自民党政権に戻ったあとは、辺野古が唯一の解決策と主張するばかりで、美しい海の埋め立てを強行している。中距離ミサイルの開発・配備によって固定化された基地の意味が揺らいでいるにもかかわらず、米軍と議論しようとさえしていない。また、海兵隊の多くはグアム、テニアンに移設することになっており、基本的には海兵隊はローテーションで各地を転々としているので、辺野古のような基地の必要性は低下している。しかも辺野古の工事で軟弱地盤が見つかり、あと十数年かかる難工事に１〜２兆円かかると試算されている。「沖縄を平和の要石に」するための第一歩は辺野古の基地建設を諦めさせることにある。それは沖縄の民意でもある。沖縄の民意を無視した政権が続いていることは誠に遺憾である。

ヨハン・ガルトゥング博士は、単に戦争がない状態を平和と言って満足するのではなく、戦争の原因となる貧困や抑圧や差別などを除去して真の平和を創り出すことが重要で、それを「積極的平和主義」と名付けた。安倍前首相は米国と連携して、軍事的な協力に重きを置いて国際社会の平和と安定に貢献することを積極的平和主義と述べたが、これは「積極的平和主義」の誤用である。

「積極的平和主義」への一つの具体的な道筋として、私は総理時代から一貫して「東アジア共同体構想」を掲げてきた。東アジアを二度と戦争の起こることのない、不戦共同体にすることが私の夢である。この夢に対してもお花畑だとの批判を頂戴しているが、未来のあるべき姿として、お花畑を描くことは重要なことであると思うのだ。

今日、EUはBREXITなど難問を抱えながらも、敵国同士であったドイツとフランスが仲直りして不戦共同体となっている。そのEUの理念の土台となったパン・ヨーロッパ運動の提唱者クーデンホーフ・カレルギーもお花畑扱いされていた。

総理を辞した後、2013年に夢の実現のために「東アジア共同体研究所」を設立した。そして、その翌年に研究所の下に那覇に「琉球・沖縄センター」を構えた。その目的は言うまでもない。「沖縄を平和の要石に」したいからである。現在の沖縄は平和の要石どころではない。日本にある米軍専用施設の７割が集中する、軍事の要石となってしまっている。かつて琉球の時代、沖縄は軽武装に徹して東アジアの交流の拠点として栄えていた。その歴史を振り返り、沖縄を軍事の要石ではなく、再び平和の要石に戻すのだ。そのために、沖縄を東アジア共同体の拠点とするのである。

この度、そのタイトルを冠とする雑誌を琉球・沖縄センターが刊行することとなった。この雑誌において、「沖縄を平和の要石に」するために、どんな発想が必要であり、どんな行動が求められるかを、徹底的に議論していただきたい。そして、少部数ではあるが、沖縄の方々ばかりではなく、本土の方々にも、とくに平和を求める心ある方々にぜひお読みいただきたいと願う。皆さんのお知恵と情熱によって、東アジアを不戦共同体に育てる道が拓かれることを祈念している。

沖縄を平和の要石に *1* 地域連合が国境を拓く　目次

＊『沖縄を平和の要石に』の創刊に当たって　鳩山友紀夫　*1*

❖ 積極的平和と友愛

鼎談　**国際平和の処方箋**　*8*

平和学者　**ヨハン・ガルトゥング**
東アジア共同体研究所理事長　**鳩山友紀夫**
《司会》前鹿児島大学教授　**木村　朗**

✺揺れ動く朝鮮半島情勢／✺北朝鮮の３つの主張／✺米国は248回軍事介入している／✺沖縄問題は日本問題／✺積極的平和＝暴力の予防／✺将と昭（将軍の将と昭和の昭）／✺際立つ日本の孤立／✺戦争をなくすことに成功した国家間連合

講演　**朝鮮半島の非核化とアメリカの役割**
シカゴ大学教授　**ブルース・カミングス**　*38*

解題　**東アジアの和解プロセスと平和構築に向けて**
前鹿児島大学教授　**木村　朗**　*44*

沖縄県民への提言
普天間米軍基地返還と辺野古米軍基地建設中止を目指して
東アジア共同体研究所所長　**孫崎　享**　*56*

１．主要論点／２．沖縄を巡る環境の変化／３．普天間米軍基地の撤退を要求する方策の模索

❖ 辺野古、南西諸島での基地建設問題

対談 **問題だらけの設計変更** *68*

―軟弱地盤・活断層に揺らぐ辺野古新基地を土木工学、環境の専門家が暴く

沖縄平和市民連絡会 **北上田 毅**

沖縄大学名誉教授 **桜井 国俊**

《司会》東アジア共同体研究所 琉球・沖縄センター長 **緒方 修**

✺地盤沈下は避けられず／✺中小規模の地震対応レベル／✺想像絶する難工事／✺オスプレイ隠しの辺野古アセス／✺ジュゴンはどこへ―説明なし／✺土砂県内調達―山の破壊進む／✺防護膜から汚濁ダダもれ／✺サンゴ78,000群体を移植／✺先行盛り土―護岸開け土砂投入／✺350万立方m²の海砂採取／✺断層の上に辺野古弾薬庫／✺強度不足―護岸崩壊も／✺地球が生んだ「奇跡の海」

辺野古・大浦湾一帯のホープスポット認定が意味すること
―環境リアリズムの視点から

琉球大学非常勤講師 **吉川 秀樹** *81*

はじめに／1．沖縄の米軍基地への視点：環境リアリズム／2．ホープスポット（希望の海）認定の意味／3．二つのリアリズムの関連性／おわりに

Sea Still Shivering : The Big Problems Of Henoko New Military Base Construction

「海は怒りに震えている―辺野古新軍事基地建設の大きな問題」 *94*

講演 **「中国脅威論」を煽って南西諸島進駐を果たした自衛隊**

―2020年９月19日那覇「不屈館」での講演―

東アジア共同体研究所理事 **高野 孟** *100*

1．50年前の著作で自衛隊の南進への懸念を指摘／2．海上保安庁HPの中国公船出没のデータ／3．領海、接続水域、暫定措置水域、中間水域……／4．「防空識別圏」というのはまた別の話／5．尖閣をめぐって起きていることの真実／6．元々は「北朝鮮の武装難民が押し寄せる」はずだった

奄美、宮古、石垣、与那国—各島の自衛隊基地建設の現状 112

《奄美大島》 奄美・陸上自衛隊基地配備の経緯 城村典文
《宮 古 島》 南西陸自配備の現状 下地 茜
《石 垣 島》 島のどこにもミサイル基地はいらない 藤井幸子
《与那国島》 国境の島を「軍事」から「平和の緩衝地帯」に 猪股 哲

❖ 国境を越える社会を造ろう

スコットランド独立の夢はかなうのか

琉球大学名誉教授 **江上 能義** 128

1．スコットランド独立運動の背景と歴史／2．スコットランド国民党(SNP)の結成とスコットランド議会の再生／3．2014年スコットランド独立レファレンダム／4．独立レファレンダム以後—キャメロン首相の“裏切り”と独立の夢の再燃／5．2015年英国下院総選挙とスコットランド国民党の勝利／6．英国のEU離脱とスコットランドの最新動向／おわりに

「超国境平和安定社会」への道筋
国家がグローバル社会の「地方自治体」になる日

同志社大学名誉教授 **渡辺 武達** 142

1．議論の前提／2．超大国米中をつないだ「ピンポン」外交／3．教育に果せられる役割〜OECD教育調査団来日から／4．超ミニ国家「セイシェル」との交流の意味／5．これからの「民際」交流とグローバル社会

沖縄の社会思想と東アジア共同体論
川満信一と琉球共和社会憲法の生成

成城大学教授 **西原 和久** 156

序 川満の出発点 国家それ自体を問う思想／1．「社会憲法」成立前史としての国家と天皇制への問い／2．資本の論理と民衆——アジアと共生への模索／3．もうひとつの契機としての仏教思想と「社会憲法」における国家論／4．「東アジア幻想共同体」という思想／結びに代えて——川満思想の立ち位置

琉球・沖縄の自立、国際的視野から見た沖縄問題
先住民族ネットワーク、琉球・沖縄との連携
AIPP（アジア先住民族機構）理事 **当真 嗣清** *173*
1．はじめに—先住民族とは／2．世界の先住民族／3．国連と先住民族／4．アジアの先住民族／5．日本の先住民族／6．琉球・沖縄と先住民族／7．先住民族の今後

アジア地域の無形文化遺産と民族文化
国家の文化政策と少数民族のアイデンティティのはざまで
沖縄大学准教授 **須藤 義人** *209*
序　アジア地域のフォークロアへの視線／1．「フォークロア」とは何か／2．フォークロアの現在的展開

迎接第44届世遗大会 福州文庙更新陈列展陈 **林 立 杰** *220*
第44回世界遺産大会を迎え、福州文廟リニューアル展示（王志英訳）

❖ 東アジア共同体研究所 琉球・沖縄センターの活動報告

「ウィークリー沖縄」配信の記録 *230*
映像コンテンツと動画サイトによる基地問題等の情報発信活動 *236*
Pray for the victims in the Battle of Okinawa（沖縄戦犠牲者への祈り） *237*
哀しきメモリアルデー「6.23」
東アジア共同体研究所 琉球・沖縄センター地域研究員 **奥住 英二** *239*
辺野古埋め立てに関する沖縄県への意見表明 *253*
辺野古新基地建設事業・公有水面埋立変更承認申請に係る意見書（渋沢信幸）
埋立地用途変更（普天間飛行場代替施設建設事業）に係る利害関係人の意見書（VFP-ROCK）

書評エッセイ　小林よしのり、ケネス・ルオフ著『天皇論「日米激突」』
緒方 修 *259*

執筆者紹介 *264*
編集後記 *266*

❖ 積極的平和と友愛

鼎談

国際平和の処方箋

平和学者 **ヨハン・ガルトゥング**
平東アジア共同体研究所理事長 **鳩山友紀夫**
《司会》鹿児島大学名誉教授 **木村　朗**

木村　本日は、構造的暴力や積極的平和という概念でも著名な、「平和学の父」とも言われているヨハン・ガルトゥング先生と、日本で東アジア共同体構想を打ち出し、首相を辞められた後、東アジア共同体研究所を創設された鳩山友紀夫先生との対談の司会をさせていただきます、木村と申します。どうぞよろしくお願いいたします。

本日の対談の大きなテーマについて2018年の６月にお二人が重要な本を出されております。ヨハン・ガルトゥング先生は『日本人のための平和論』(ダイヤモンド社)、鳩山先生も『脱大日本主義』(平凡社新書）を出されました。非常に重なる点、共通点が多く、すばらしい内容で感銘を受けたしだいです。

ガルトゥング先生は、『日本人のための平和論』の中で、鳩山先生について、「クリエイティブな発想をする政治家だ」と高く評価されておられます。今、朝鮮半島情勢、沖縄問題について対談をしていただいたら、非常に意義のあるものになるのではないかと考えました。

対談は大きく４つの柱を立てております。一番目が揺れ動く朝鮮半島情勢をどう見るか。二番目は、沖縄問題とは何か。いまだ占領下にある日本について。三番目は、なぜ日本はみずから進んで国際社会から孤立しようとしているのか。なぜいつまで経っても、対米従属をやめられないのかという点です。最後に、東アジアの平和と繁栄、今後、どうなるのかという問題を、東アジア共同体構想、あるいは北東アジア共同構想に関連して、また沖縄の視座と役割を重視する形で、お話をさせていただきたいと思います。

✺ 揺れ動く朝鮮半島情勢

木村　つい昨日のこと（2018年5月24日）ですが、トランプ大統領が、6月12日に予定されていた米朝首脳会談を延期するという発表をして世界中に大きなショックを与えています。その問題に入る前に、これまでの朝鮮半島情勢をどう見るか、お話をお二人にお伺いしたい。

ここ数年、北朝鮮が核開発、ミサイル開発を急速に進めて、その能力をかなり高める中で、とりわけ米朝間を中心に緊張が高まっていた。それが今年になってから、南北が首脳会談を行ない、米朝も首脳会談を行なう運びになるなど、急速に緊張から和解に動いていきました。その流れをどう見るかというところから、入らせていただきたい。

ガルトゥング　この問題については、1952年まで遡って考える必要があります。まる3年続いた朝鮮戦争の時、300万の北朝鮮の人たちが殺されたと言われているんですけども。北側としては、50万人多い350万人が殺されたと言っています。そういう事実を、念頭に置く必要がある。

北朝鮮のリーダーとしては、キム・イルソン（金日成）以降、二度と再びこういうことは繰り返させることはできない。そういう決意のもとで、着々と防御を固めていった。一つのストラテジーとしては、山岳地帯を切り開いて、防空壕ではないが、そういう施設をいっぱいつくっていった。その勢いで、ただ首都を保護するだけじゃなくて、核施設までそこにつくることを考えて、着々と進めていた。

それで究極的に行きつくところとしては、アメリカにまで届くミサイルの核攻撃施設をつくるところの近くまで来ていた。朝鮮戦争が始まった1952年以降、今に至るまでの過程を見て、判断するべきです。

木村　鳩山先生は、北朝鮮が長距離弾道ミサイルを成功させた前後に、朝鮮半島情勢、これは解決する好機でもあるという発言をされたんですが、その真意も含めて、どのように見られてきましたか。

鳩山　今、博士のおっしゃるように、なぜ北朝鮮が、核ミサイルの開発を続けなければならなかったかという原点に遡ることが必要だと思います。

朝鮮戦争は休戦協定だけで、戦争が終わったわけではありません。そして一方のアメリカは、強大な、大変強い強力な核ミサイル技術を持っていま

ヨハン・ガルトゥング

鳩山友紀夫

す。そして現実に朝鮮戦争のとき、一時、南に韓国と米国・米軍が追い込まれたときに、マッカーサー司令官などが核の使用を訴えた経緯もあります。さらに朝鮮半島、特に韓国の中に米国の核が持ち込まれた。したがって、北朝鮮は常にアメリカの核、あるいは核ミサイルに怯えていたという事実があります。

北朝鮮側から見れば、アメリカとの戦争を完全にやめて、平和条約を結ぶためには、自分たちが一方的に核ミサイルの脅威に脅かされるだけでは、不利な状況になってしまう、ならば、自分たちも核ミサイルを開発せざるを得ないという状況に追い込まれた。それでキム・ジョンウン（金正恩）委員長の祖父キム・イルソンのときから、核ミサイルを開発しようという結論を出した。

それが昨年2017年の11月に「火星」と呼ばれた弾道ミサイルがアメリカまでの到達能力を持ちえたとキム・ジョンウン委員長は考えた。核実験もそれなりに成功してきた。これならば、アメリカとのあいだで、十分な交渉する余地が出てきたと判断したのではないでしょうか。

木村　そのように北朝鮮は核ミサイル実験で能力を高めつつあり、それに対してアメリカなどは圧力、制裁を強めて、緊張が高まっていたのが、ある時点で、急速に和解というか、平和の方向に転換していった。これは韓国が、あるいは中国が、ロシアがと言う方もいますけれども、北朝鮮なのか、アメリカなのか、どこがイニシアチブをとって、今の緊張緩和の方向にチェンジさせていったのか。ガルトゥング先生、いかがでしょうか。

✺ 北朝鮮の３つの主張

ガルトゥング　北朝鮮としては、従来から３つの視点から彼らが考える平和政策というものを持っていました。

まず第一点が、休戦条約から平和条約に転換する必要があります。これを主張してきました。二つ目は、外交関係の正常化、対米、対日、対中、ことに南との外交関係の正常化。三つ目が、核を北が持たないだけではなくて、朝鮮半島の非核化を主張してきました。だから南に配備されているアメリカの核兵器も撤廃する。アメリカはそれを宣言するだけじゃなくて、ちゃんとした国際的な査察によって、非核となった証明が必要である。この点は、今でも彼らの主張は変わっていないと思います。
ことに大事なことは、停戦協定から平和条約。この平和条約という点で、非常に重要なのは、対日、対中、対米、すべてが平等な立場にいなければならないということです。
国連の制裁とか、それで厳しく締め上げられたから、もう究極の地点に行かされて、キム・ジョンウンがやっと平和条約に持っていこうとしたと評論家たちがよく言うんですけれども、私はそうじゃないと思います。
主体思想ということが、キム・イルソンのころから言われていますけれども、それによるレジリアンス（底力・心のしなやかさ）を非常に低い評価しかしていない人たちが言うことであって、北朝鮮は制裁の結果、もうお手上げで、弱腰になった、それは間違っていると思います。非常に耐え忍ぶ力がある。今は、平和条約の締結とははるか離れている状況にあります。
木村　鳩山先生は、再び悪化している現状ではなく、戦争の瀬戸際だったところから、緊張緩和、平和が来る兆になった要素をどういうふうに見ておられますか。
鳩山　アメリカと北朝鮮が対等に平和条約を結ぶためには、それなりの条件整理が必要で、北朝鮮とすれば、核ミサイルを持つことが一つの条件のように感じた。それが正しいかどうかは別として、彼らはそういう判断をした。それでアメリカにも届く核ミサイルをつくった、これで対等に交渉ができると確信した。その瞬間に、平和に向けて交渉を開始しよう、自分たちの体制が、これで保証されるのであるならば、別に核ミサイルを持つ必要はないわけですから、核を捨ててもいいんだというような判断までできたのではないか。そこは大きな、私は転機になったというふうに考えます。
木村　ただ、その場合、米朝が接近していくキッカケをつくったのは、韓国、ムン・ジェイン（文在寅）大統領なのか、仲介役をしていた中国、習近平さんなのか？
鳩山　私は習近平さんではないと思います。
当時、北朝鮮は当時キム・ジョンイル（金正日）ですね。金大中大統領が彼に会うために２年半近くかかった。残りの２年半では、あまりにも時間がなさすぎて、残念ながら南北首脳会談はしたけれども、そのあと大した成果を得ることができなかった。ムン・ジェイン大統領はその失敗を繰り返したくなかった。だから彼は１年以内に、なんとしても南北首脳会談を開きたかった。そこに強い意志が働いていたことは、2018年３月に訪れたときに、韓国の首相から伺いました。それがドライビングフォースになったと思いますが、当然、それに合わせて北朝鮮側から、話をしたい、それが最初はピョンチャン（平昌）のオリンピックでした。それがあったことは事実です。

木村　鳩山先生から、米朝の橋渡し的な役割を、韓国のムン・ジェイン大統領が果たされたのではないかというお話が出ましたが、南北首脳会談をこれまで行なったキム・デジュン（金大中）政権、そしてノ・ムヒョン（盧武鉉）政権、そして今のムン・ジェイン政権、それぞれの対応、役割、評価について、ガルトゥング先生はどのように見ておられますか。

ガルトゥング　今の南のムン・ジェインさんも、北のキム・ジョンウンさんも、心から和解をしようという心構えがあったと思う。それもどっちが上になるか、どっちが下になるじゃなくて、非常に対等な関係で、いい関係をつくろうとされた。

だからあのとき、非常に平和的な雰囲気が漂った。しかし、それは必ずしもアメリカにとって、受け入れることのできる状況ではなかった。つい最近顕著になったのは、米韓の軍事演習で、非常に不必要な力を、空軍が演習でデモンストレーションした。それに対するキム・ジョンウンさんの反応も理解できる。

ですから、この３人（の大統領）に共通して、一所懸命されたことはよくわかる。キム・デジュン大統領は個人的にも数回、お目にかかったことがあって、よく理解している。あれはパク・チョンヒ（朴正熙）政権のときでした。キム・デジュンが自宅監禁されているときにお会いしました。大統領になられてからもお会いして。非常に尊敬しています。

しかしアメリカは、それが気に食わなかった。ですから、妨害的なことをした。南は自分たちにとって、非常に大事な駒だとアメリカは思っていた。だから南北が平和になるのは、アメリカにとって非常に不都合であった。駒を失うことになるから。だからこの年次軍事演習は、その一つのデモンストレーションの大切な場であったのです。

木村　朗

木村　ただ、韓国が今回、イニシアチブを取って、北朝鮮の態度を軟化させて、米朝会談の橋渡しをしたという経緯があった。今回、最大のポイントは、アメリカの対応であって、これまでの二度の南北首脳会談が潰れ、今回に限って、南北首脳会談から米朝首脳会談の流れに乗ったのはアメリカであって、今、トランプ政権なんですが、アメリカの対応をどう見ればいいのでしょうか。

✹米国は248回軍事介入している

ガルトゥング　これはトランプさんの人格とか、性格に関係している。アメリカの状況よりも、むしろトランプさん個人の素養が非常に関係している。彼の一つの特色は、非常に自己中心的で、しかも自己を高く評価する。そういう傾向が非常に強い方だと思う。北朝鮮を敵として見ている。それからイランも同じ尺度で敵だと認識している。そういう点では、いろんな国が、みんな敵に見えてくる。

実はトランプさんの個人の性格とか、キャラクターと、アメリカ自体の国民性、政治的な文化、そこに共通点、同型が見られる。それはアメリカが自己陶酔的だというんじゃなくて、むしろアメリカは特別な例外的な国、国民であるという見方をする。だから平気で、例えば国連の総会に出てきて、アメリカの大統領、レーガンにしても、あるいはオバマにしても、自分たちが特別の例外的な国であるということを、平気で堂々と演説する。しかも、そのバックグラウンドには、1801年以来、アメリカは248回ですか、各国で軍事介入している。道理でアメリカから見れば、世界のほとんどの国が敵に見えるのも、しかたがないだろう。ですから、相似性という点では、アメリカにとって、トランプさんほどピッタリの人物はいないかもわからない。過半数がトランプさんをサポートした。

木村　ただ、そのトランプさんが、米朝首脳会談にいったんは乗ったというところを、どういうふうに見ますか。

鳩山　今、博士のお話を伺って、トランプ大統領はナルシストだから、キム・ジョンウンから、交渉をしたいと、米朝会談の申し出があったときに、これで自分が、二期やらなきゃいけない、二期目をやらない人間は、大統領として認められないわけですから、そのためには、中間選挙に勝たなきゃいけない。ひょっとして米朝がうまくいけば、ノーベル平和賞、貰えるんじゃないか、ナルシスト的に考えると、貰ったら、これは絶対、自分は勝って、二期目、できるなと思ったのではないか。

ところが、彼自身の考えが、常にツイッター中心の人だから、スパッと、最初ははっきりと言えたんだけども、だんだんと米朝首脳会談が成功してしまうことを好まない軍産複合体の人たちとか、先ほど248回、軍事介入とおっしゃったけど、平和になることを決して望まない人たちが周りにそうとう多くいて、その人たちの中で、例えばリビア方式(*)を取れとか、強引なことを言って、敢えて北朝鮮を怒らせて、会談を中止に持っていったのではないか。

ですから、最初は、まさにナルシスト的な発想で、自分がノーベル平和賞を貰えたら、これは大したもの。絶対8年できるなという判断が、最初にあったと思います。

*リビア方式／2003年にリビアの指導者カダフィ大佐は核兵器の放棄に同意した。その後2011年には殺害されている。北朝鮮の非核化についてボルトン大統領補佐官がリビア方式に言及したため北朝鮮は懸念を強めた。

木村　トランプ大統領は、大統領選の最中から、北朝鮮問題については、話し合いで俺が直接乗り込んでいって、解決する、軍事的選択肢もありうることを強調していた、ほかの候補とは際立って違っていたという印象があります。実際、今回の問題も軍事的な圧力も強く掛けながらではありましたが、最初から対話を模索していた。だから今回の北朝鮮側が反発する中の声明でも、むしろ、おまえたちから話し合いをもちかけてきたじゃないか、と言っているんです。僕は水面下で、そういう動きもあったんだろうと思いますので、トランプさん自身は、軍事介入は最初から考えていなかった。そういう方向に持っていこうという意志が一貫してあったにもかかわらず、トランプ氏を囲む人びと、ネオコン的な人びと、マクマスター（元国家安全保障問題担当大統領補佐官）もいましたけれども、それは辞め、今はジョン・ボルトンが入って、ケリー、ペンス副大統領という強硬派がいる。彼らが朝鮮半島を平和にすることに反対していて、足を引っ張って、今の状況になっているんじゃないでしょうか。

ガルトゥング　少し違った見方をしています。

トランプさんが大統領選挙中に、キム・ジョンウンと会ってもいいということを発言されました。確かにそう思っていた。しかし、トランプさんがキム・ジョンウンに言おうとしたことは、非核化せよ。核武装を解除しろ。それは今も昔も変わらない。

しかもアメリカとしては、トランプさんがもし大統領になったら、選挙中で考えたことも、アメリカの大統領になってからも同じことで、北が非核化することと同時に、南から米軍が撤退する、しかし、配備されている核兵器が撤去されるということは、言ってないし、思ってもいなかった。

かてて加えて、トランプ大統領の周りを取り囲んだ人たちは、配備されている核兵器の撤廃なんか、もともと考えていない。しかも北がたとえ仮に非核化したとしても、南から核兵器が撤去されていなかったら、決して平和な状態になるはずがない。あまりにもアシンメトリック（非対称的）な、いびつな力関係になるわけですから。

鳩山　そこで最初から気になっていたのは、まさに博士がおっしゃったように、アメリカや日本が考えているのは、北朝鮮の非核化であって、自分たちの非核化は触れてない。一方で、キム・ジョンウンや、あるいは中国、ロシアなどが主張しているのは、朝鮮半島全体の非核化。

私は米朝首脳会談が、もし成功するとすれば、この違いの溝がだんだん埋まっていく、すなわち段階的に北も少しずつ非核化をしていく、それに合わせて、韓国における核とか、米軍の撤退が行なわれて、より平和な方向に、朝鮮半島が段階的に、数年かけて、非核化されていくのではないかと期待はしていました。今、まさにガルトゥング博士がおっしゃったように、南のほうの非核化というのは非常に難しくて、周辺の海域に核ミサイルを積んだ船がいることも禁止されるようなことは、アメリカは絶対に呑めない話だと思っていたものですから、北の非核化と朝鮮半島の非核化の整合性を図るのは、非常に難しいことだなと考えていました。

ガルトゥング　もう一つ、申し上げたいのはアメリカの軍事戦略を考える場合に、核兵器だけを考えるべきじゃない。

北朝鮮にとっては、核兵器を使わなくても、通常兵器で、南の800万人ぐらい、いっぺんに殺すことは、難しいことじゃない。しかも、こういう兵器は、いわゆる北朝鮮ができた当初から非常に力を入れて装備してきた。山岳地帯などにたくさんあるわけです。もちろんそれに私は賛成するわけじゃなくて、非常に醜い戦略だとは思うんですけれども。ことにソウルというのは、すぐ国境を越えたところですから、何百万人も住んでいる。ソウル近郊も加えれば、800万人ぐらいいっぺんに殺すことができる、核兵器を使わないで。だから通常兵器も含めて考える必要がある。

アメリカとしては、北朝鮮とちゃんと正面向かって、もっと具体的にどういう点を実際、この三点(*)として望んでいるのかということを詳細に書いてくれ、説明してくれと要請することが賢明だと思う。ダイアローグ

（対話）が大事。サミットトークじゃなくて。

＊三点／休戦条約から平和条約へ、外交関係の正常化、朝鮮半島全体の非核化

過去のことに対してだけ話し合う。それでは意味がない。過去はどうだった、こうだったという。そうじゃなくて、三点、望むところがあるとしたら、具体的にどういう実行の可能性があるかということを話し合うことが、より大事。

いつも言っていることだが、将来に向かっての平和的なビジョンを持つ、その線に沿って、どういうことが考えられるか。

北朝鮮は、はっきり明確な三つのビジョンを持っている、それに対してアメリカは何らビジョンを持っていない。南側はいくらか持っているけど、まだはっきりしていない。

木村　それで、蚊帳の外に置かれた感のある日本の位置、役割の問題について。

この間、日本はアメリカ以上に強硬姿勢を一貫して取っていて、対話のための対話も無駄。制裁、圧力しか選択肢がないかのような主張を繰り返してきました。また非核化の問題も、北朝鮮の非核化だけを強調してきた。

お二人のお話にもあるように、朝鮮半島の非核化も困難でもありますけど、それを実現させていく必要がある。この間、日中韓首脳会議があったときに、日本側は抵抗したんですが、最終的には朝鮮半島の非核化という文言があの声明の中に入った。それは韓国と中国などが強く主張した。けれども、日本がアメリカと一体になって、アメリカ以上に、アメリカの強硬派と同じような形で、朝鮮半島の問題に後ろ向きの対応を続け続けている、この問題について、鳩山先生お願いします。

鳩山　安倍首相が北朝鮮に対して、対話の時代は終わった、これからは制裁しかないということを話されたのは、明らかに誤り。制裁を加える必要があったとしても、それはあくまでも、交渉しようという対話に転じるために、もし必要ならば、ありうることであって、もう対話の時代が終わったと言えば、そのあとは武力行使しかないわけですから、そのような言葉を、ときの首相が話すべきではなかったと、まず申し上げます。

私が申し上げたいのは、安倍首相が人気を博したのは、拉致問題に対して、常に大きなテーマと捉えてきたからです。拉致問題が安倍首相にとってみれば、核やミサイル問題以上に、日本にとっては大きな問題だと考えていたんです。ですから、私は確かに北朝鮮のかつての政府が行なった拉

致は、大変けしからんことであるけれども、今、北朝鮮が前向きになったときに、すなわち核ミサイルを廃棄してもいいというような方向に向かっているときに、あらためて拉致の問題ばかりに固執して、制裁しかないぞと唱えることによって、キム・ジョンウンの心を開かせようと考えたのではないかと推測します。しかしそれは逆効果でした。

もう一つ申し上げたいのは、安倍首相は私とは逆に、大日本主義、特に軍事的に強い日本をつくりたい。そして集団的自衛権を行使して、アメリカにも協力して、自衛隊を世界に派遣していこうというマインドを持った首相です。軍事的な大国を作るためには、どっかに敵をつくって、その敵に対して、自分たちは身を守らなければならない。だから日米同盟も強化して、さらに自衛隊の能力もアップさせなきゃいけないという発想になっていく。そういう発想を展開していくために、北朝鮮を必要以上に脅威と見なしてきた。

木村　最後に今回、米朝首脳会談が6月12日に予定されたものが、この間の米韓の軍事演習や、ジョン・ボルトン氏や、ペンス副大統領のベンガジ（リビア）方式を持ち出した強硬発言などによって、北朝鮮が反発し、それをトランプ氏が受けて、中止という方向になりました。

ガルトゥング　もちろん私は近い将来に首脳会談が実現することを願うんですけれども、それは平和に向かっての会談であって、言い合いをするためとか、決裂するためではなく、あくまでも平和に向かっての、具体的なイメージを持った会談であることが望ましい。

北朝鮮としては、一つの交渉カードとして、いわゆる核の問題がある。例えば非核化のプロセスとして、施設を破壊するとか、何を骨抜きにするとか、いろいろストラテジーがある。あくまでも彼らとしては、北朝鮮がやるだけではなくて、非核化はアメリカも、そして南朝鮮（韓国）も同時に非核化の方向に向かう。それが平和への一つの道です。

先ほど話題になった自衛隊の集団的自衛権の問題ですけれども、集団的自衛権という、ごまかしたような言い方じゃなくて、集団的攻撃能力とか、攻撃、戦闘能力とか、言葉をはっきりするべきだと思います。

ホンジュラスとか、パラグアイで米軍は戦闘しています。もちろんほかのところでもやっていますけれども、もし額面どおりに、集団的自衛権の行使ということを考えたら、そういうところででも協力するのか、アメリカとスクラムを組んで、戦闘行為を。それはまったくクレイジーな考えだ。

もちろん絶対に日本はそんなことはしないと思う。しかしペーパー上は、今のような考え方が集団的自衛権で、やるべきことです。そこまで考えていますか。

これは決して平和的な平等の関係じゃなくて、アメリカから日本に命令された軍事行動です。安倍さんは多くの日本人が同意してくれないかもしれませんが、非常に政治的IQの高い方だと思うんです。しかし、そういう点までは考えておられない。そこまで見えておられるんだけれども、見えないふりをしておられるかもわからない。そういうIQの方だからわかっているんだけども、わからないようなポーカーフェイスをされる。それが非常にストレスになっておられるから、ますますストレスを受けたような表情になっておられるんじゃないか。お気の毒だと思いますけれども、政治的な寿命は縮まっておられる。そして例の加計問題とか、森友問題とか、ご苦労しておられる。

拉致問題について、ひと言申し上げます。けしからんこと、非常に野蛮なことだ。しかし日本の統治時代、併合時代のことも考えるべきだ。1910年から1945年までの35年間。状況はいろいろ違うんですけれども、朝鮮半島から日本に拉致されてきた人たちの人数を考えると、数字も非常に高くなってしまう。

それで（日本側が北朝鮮による最近の拉致問題を持ち出して）帳消しにしようとして考えて、こういうことを言っているわけじゃないんですけど、慰安婦のことに触れますと、彼女たちの中には、自主的というと、語弊がありますけれども、決して拉致されて売春婦になったわけじゃなくて、職業的な売春婦もいた、例えばソウルで売春をしているよりも、日本軍の慰安婦になったほうが、稼ぎがいいような計算をした人がいるわけです。だから非常に醜い言い方ですけれども、（拉致事件は北朝鮮の）リベンジ、仇討ちと言いますか。彼らの心理状況からは理解することもできる。

鳩山　非常に重要なことをおっしゃったね。米朝首脳会談が、このような形で延期・中止になったことは大変残念で、早く会談が開かれることを期待します。しかし、一度、中止になると、新たな会談の設定は、非常に難しくなってしまったのではないか。その理由は、先ほどからありますように、北朝鮮ははっきりとした朝鮮半島の非核化という意志を示しているけれども、それにアメリカ側はなかなか応えられない状況だと思います。

私としては、その条件が段階的にでもクリアされていけるように、先ほど、博士がおっしゃったように、サミットではなくて、まずダイアローグで、できるだけ対話を水面下で続けて、ある一定のところまで来たら、そこでサミットを開くというような環境をつくってほしいと願っています。

その環境は少なくとも北朝鮮側からは、核実験場を爆破したり、その前には三人のアメリカ人を開放していますから、彼らの誠意はかなり示してきている。むしろ私はアメリカ側が、誠意を示す番ではないかなという気がします。

木村　朝鮮問題の解決というのは、僕は非常にシンプルだと思っていまして、それはやはりこの間、北朝鮮側の姿勢が一貫していて、あくまでも体制保証を求める防衛的な措置として、核ミサイル能力をつけてきたということがあって、僕はキム・デジュンのときであろうが、ノ・ムヒョンのときであろうが、アメリカの対応がまともであれば、その時点で朝鮮半島の平和はもたらされたと思っているんです。

だから現時点でも、北朝鮮に一方的な譲歩を強いるのではなくて、むしろアメリカ側が歩み寄って、譲歩すべき責任がある。それと共に、日本が蚊帳の外に置かれるような状況を、自ら招くのではなくて、朝鮮半島の分断、植民地支配の後遺症と、朝鮮半島の戦争にも加担して、特需で戦後復興したという経緯も含めて、朝鮮半島の平和的統一に、日本こそが全面的に協力をする責任があるということを、自覚する必要があるのではないか。現在の安倍政権は真逆の対応をしているのが、非常に残念であり、それを改めるべきです。

✺ 沖縄問題は日本問題

木村　朝鮮半島問題とも密接な関係のある沖縄問題ですが、実はそれはアメリカ問題であり、日本問題ではないか。

今、沖縄で、いったい何が行なわれているのか、鳩山先生は従属国家の現実が可視化されているのが沖縄だという指摘もされていますので、この問題について、口火を切っていただければと思います。

鳩山　本来、日本が戦争に負けたあと、朝鮮戦争さえ起きていなければ、まったく違った様相になっていた、すなわち米軍基地は日本には存在しなかった可能性すらあるのではないか。本来、ポツダム宣言において、米軍基地は、日本がある意味で正常な行政機能・政治機能を果たすことができた暁には、連合軍の基地はすべて撤退することになっていましたが、それがいまだに続いている、それは日本がいまだに占領下にある何よりの証しではないか。

米軍基地は、最初は必ずしも沖縄に集中していたわけではありませんでした。サンフランシスコ講和条約のあとから、日本は独立したけれども、まだ沖縄は占領下にあった。そのときに、本土の多くの基地が沖縄に移ってしまった。

その意味で、沖縄はもともと日本が植民地にしたわけですけれども、いまだに本土から見ると、植民地のように扱われており、さらに日本全体がアメリカの植民地で、独立していないという状況から見ると、二重の意味で沖縄が植民地となっている。

本来、保守の思想であるならば、米軍基地があることは当たり前だと思うべきではないです。米軍基地がない日本をつくることが、本来の保守思想としての考えであるべきなのに、むしろ保守派の、例えば自民党政権が好んで、沖縄の米軍基地を正当化してしまっていることは、きわめて恥ずかしいことではないか。

木村　沖縄基地問題は、親米保守路線の恥部でもある。その主張とともに、鳩山先生も、辺野古は唯一の解ではない、そして海兵隊は抑止力ではないとも触れておられます。ガルトゥング先生も辺野古問題に関して、プランＡではなくて、プランＢの作成をという主張もされています。

ガルトゥング　プランＢを考えるうえで、まずプランＡから考えてみましょう。東京とワシントン、つまり日本の当局とアメリカの当局とのあいだの合意がどんなものか。

もし米中戦争が起こった場合、沖縄は、まず中国からの第一のターゲットになるということを、よく理解しているわけです。だから、ターゲットになるのはアメリカじゃなくて、日本。軍事基地の集中している沖縄になる。日本政府もそれに同意している。それでなるべく日本の本土から、あるいは首都から離れた沖縄が、都合がいい。シニカルな陰謀とも言いたいような考え方が彼らの脳裏にある。これは私が言っているだけじゃなくて、沖縄の方たちからも、そういう声を聞いています。

同様のことがドイツでも起こりました。ドイツの場合、米軍の軍事施設は、なるべく首府、ボンとか、今はベルリンですけど、そこから離れたところに位置づけられている。だからそういう意味では、海がないけれども、土地続きであっても、ドイツにも沖縄は存在する。ボンとか、ミュンヘン、フランクフルト、ベルリン、そういうのがターゲットにならないように、なるべく離れたところに、軍事基地が置かれている。

日本では、そういうことがオープンにディスカッションされないのですけれども、ドイツでは、結構堂々と議論されている。で、ラムシュタインが、沖縄の代名詞であるわけです、ドイツの場合。一番重要な米軍基地があるのは、ラムシュタイン(*)。これは堂々と、どちらかと言えば、左がかった人たちのグループなんかで議論されている。

*ラムシュタイン空軍基地／在欧アメリカ空軍およびNATO連合軍司令官のアメリカ空軍の本部として機能している。1988年、航空ショーの際、イタリア空軍の曲芸飛行で3機が墜落。70名が死亡、346名が重傷を負った。ドイツの航空法により、午後10時から午前6時まで原則として飛行が制限される。ラムシュタイン＝ミーゼンバッハ市長に対し、いつでも基地内に立ち入れる通行証が発給されている。

プランBはソリューション、解決策についてお話ししたい。今、沖縄は日本の県の一つです。しかし中国は、これは中国の一部だと言っています。中国は、例えば人民日報、環球時報なんかで堂々と、ここ十年近く、もともと中国の一部であった、と。

沖縄は、昔から軍事的なものをベースにしない、非常に平和な国家であったと言われている。ナポレオンが流刑の身になって、セントヘレナに流されたときに、そこを訪ねていった人があるんです（注・ベイジル・ホール)。その人がナポレオンに、琉球は軍事的なもので守られていない平和国家であったとナポレオンに言った。ナポレオンはショックを受けた。軍事力、軍人がいないで、どうやって戦争するんだ。つまり琉球人が戦争をしないということに驚いた。

日本の県のうちの一つであり、しかも中国の一部であると中国は思っている。そうしたら、ある意味では、その首都として、一番向いているんじゃないか、両国の首都として。

鳩山　両国の？

ガルトゥング　コミュニティの首都に向いているんじゃないか。例えばDCみたいな。

いま東南アジア諸国連合がある、同様に東北諸国連合も在り得る。ベトナムの外務大臣がチェアマンをしておられたときに、ジャカルタでアセアンの会議があった。そこで、たまたま私がいたんですけど、東南アジア諸国連合と（合わせて）東北諸国連合ができてもいいんじゃないかと言った。

そして私たちが一緒になって、東アジア共同体をつくってもいいんじゃないか、東南アジア全部です。そして世界中の地図の中で、その地域を考えてみたら、世界の中心にもなる。アメリカを右に起き、左にヨーロッパ。中国を中心にしたアジアを考えれば、地域的にも人口的にも非常に大きな固まりになる。それはあくまでもコミュニティであって、また国家連合のような形であるべきだ。

歴史的に考えたら、国家連合のような形、政治形態をつくった場合に、首府は、多くの場合、非常に小さな地域です。EUの場合はルクセンブルグが首都的な役割を果たしている、スイスの場合は、チューリッヒでもないし、ジュネーブでもない、小さなベルンが首府になっている。だから沖縄がアジア全体の国家連合の首都であるべきだ。

だからアメリカのDCみたいな、いいアイデアを貰って。アメリカを悪くばっかり言うんじゃなくて、DCのようなものが、沖縄にできたらいいんじゃないか。

鳩山 なんか今回の議論の答えみたいなものを示していただきましたね。

木村 プランBに触れている中で、今、東北アジア共同体とか、東アジア共同体の話も出たんですが、もっと沖縄の米軍基地問題に引き付けて、もう少しお話をお聞きしたい。

先ほどの北朝鮮をめぐる朝鮮半島情勢の中で、トランプ氏が韓国からの米軍撤退の意向を示して、それに対して、直ちに軍産複合体などからの反発が出てきたりしています。ただ、トランプ氏は大統領選の最中から、在韓米軍の撤退、あるいは沖縄にいる米軍の撤退をも匂わす発言をしていました。北朝鮮問題、朝鮮半島情勢が好転していけば、将来的な在韓米軍の撤退だけでなく、在日米軍の撤退が、特に沖縄から始まる可能性もあるということで、ある意味、チャンス。将来的には、東アジア共同体の構築にとっても、対米従属を続けてきた日本にとってのチャンスでもある。

そうした中で、鳩山先生が普天間問題の解決に尽力されて、国外移転、最低でも県外移転を主張され、背景には常時駐留なき安保という、理論的な裏付けもあっての提起でした。

鳩山 博士が先ほど、プランBのお話をされましたが、まさに今回の鼎談の、ある意味で結論のような部分をお話しくださったように思います。沖縄の役割も含めて、私が提唱している東アジア共同体の可能性というものに言及していただいたことは、大変、私にとっても勇気づけられる発言でした。
先ほどのご質問に答える形で申し上げますが、私は総理のときに、最低でも県外に移設しようという試みがうまくいかなくなってしまって、最終的に海兵隊に関して、抑止力のために必要だということを申してしまいました。実は海兵隊自身は抑止力としての存在ではない。ある意味で方便として、抑止力という言葉を使ってしまったことは誤りだったと、あらためて申し上げたい。方便といったことも叩かれましたが。
その抑止力ということ自体も、果たしてどのぐらいの意味があるのかということも、やはり考え直さなければいけない。すなわち一つの国が、相手に攻め込まれないように、抑止力だと言って、軍備を強くすれば、当然、そのことが相手に伝わって、相手も軍事力を高めようとする。抑止力のはずが、お互いに軍事的な高まりを強めるような方向に向かい、結果として、ちょっとしたことで大きな紛争、戦争になりかねない。すなわち抑止力のパラドクス（逆説）のようなものがある。
中国や、周辺諸国に対して、当然、自衛力としての軍隊というか、軍事力を持つことを、私は否定するものではありません。しかし、海兵隊の存在そのものが見直されるような状況です。既に半分以上はグァム、テニアンに移転されることになっている海兵隊を、辺野古に移設するという必要性は、もはやまったく見当たらない。特に北朝鮮、朝鮮半島がより平和に導かれていく方向にスタートしはじめた状況の中で、海兵隊を辺野古に移設させる必要性はない。むしろ米軍の存在を沖縄から撤退させても、十分成り立つのではないか。
さらに申し上げると、特にトランプ大統領が一時的に、少なくとも在韓米軍を削減して、撤退するということに言及されたのですが、そのときに安倍首相は、それは困る、東アジアの軍事バランスを崩すから、やらないでほしいと訴えたのは、時の流れに反抗する間違った考え方です。むしろ在韓米軍も減らし、在日米軍も極端に減らす方向で、検討を開始されるときが来たのではないか。
ガルトゥング　私がいつも思いますのは、日本ではあまりにも、ほんとの意味での専守防衛というものが考えられてこなかった。抑止力を考えるときに、まったく忘れられていることが、例えば海兵隊の力。決してディフェンシブ・ディフェンス（直訳すれば防御的防衛）と一体となるものではなくて、むしろ長距離の攻撃力を考えたものである。まったく相容れない要素を持ったものだ。長距離の能力がある兵器、あるいは戦力は、専守防衛とは相容れない。

例えば日本は非常に海岸線が長いわけですから、日本の国内でどれぐらい攻撃、迎撃できるか。そういう兵力が必要である。軍事訓練の行き届いた民兵だけじゃなくて、Civil disobedience（市民的不服従）なんかも含んだ、いわゆる人民側の、庶民側の抵抗能力（を鍛えなければならない）。そうした迎撃の仕方でなくてはいけない。

もちろん念頭に置いているのはスイス・モデルです。スイスがなぜいい例かと言いますと、スイスが建国されたのが1294年ですけど、それ以降、一度も攻撃されたことがない。一つの例外はナポレオンです。ナポレオンは1798年に一度、スイスを攻撃したことがあるんです。しかし、これは長続きしないで、1806年にもう撤退させられてしまった。（スイスはそれ以来）軍事力を非常に強化しています、近代兵器を持って。しかし、いつも念頭に置いているのは、あくまでも短距離の装備であって、長距離はできない。

日本の軍事ドクトリンと言いますか、考え方には、時代遅れのものがある。むしろ兵力とか戦力が19世紀か20世紀のものであって、今の時代にそぐわない。

ほんとの意味での抑止力というのは、どんなことがあっても、私たちは一度、攻撃を受けたら、仕返しをしますよということを、相手に信じさせるようなものでなくてはならない。万が一、あなたがわれわれを攻撃したら、私たちはどんな仕返しをするかわからない、ということを相手に信じ込ませることが大事である。これは武装解除ではないです。いわゆるディスアーマメント、戦力削減じゃなくて、新しい質の軍事ドクトリンを導入することです。だから相手をアタックすることじゃなくて、アタックされない。それを受けたとしても、必ず仕返しができるようなドクトリンに変える。あるいは装備、戦争方式に変えるということです。

鳩山　大変おもしろい。

ガルトゥング　もちろん今の時代ですから、ハイテクが根本、根底になるわけです。よく誤解されるんです。ディフェンシブ・ディフェンス。しかも必ず仕返しをすると言うと、なんかプリミティブな、原始的なものだと思われる。そうじゃなく、根底にあるのはあくまでもハイテクです。

日本の場合、あまりにも話し合いが核保有化か、核開発か。もう一方は、非武装中立とかになってしまって、中間がない。つまり完全な武装解除ということは不可能ですよね。今、声高に核武装ということが叫ばれている。両極端に分かれてしまっている。完全な非武装と、核保有、核化するということの中間に、いっぱいオプションがあるのに、それは無視されてしまっている。

今、日本では割とスイスの軍事ドクトリンは取り上げられている、書店なんかで見かけますけれども、それが日本にどう適用できるかが反映されていない。だからもし日本が本腰で力を入れたら、日本は世界の大きなモデルになる。

木村　鳩山先生は核武装自立論の不毛を主張されていますが、その一方で、専守防衛から非武装国家へという主張なんか、僕なんかも考えたりしているんですけど、非武装国家は、やはり理想的過ぎるんでしょうか。

鳩山　私も専守防衛と非武装は別だと思いますけど。非武装までを言う勇気はありません。

日本が、世界から尊敬をされる国で、決して敵をつくらない、みんなに愛されて、いい国だなと尊敬される、尊厳を持った国となれば、それはまさに非武装であっても、国民は安心して暮らせると思います。けれども、そのような状況には程遠い日本の環境の中で、万一のときには、まさにディフェンシブ・ディフェンスという言葉を伺いましたけれども、要するにこれは専守防衛だと思うんですけど、そのための武力というものは、現在の状況では持つべきではないかと考えます。

木村　沖縄問題で、最後にお聞きしたいのが、最初のほうで鳩山先生も触れられた、日本がアメリカの属国、植民地状況にあり、そして沖縄は日本国内の国内植民地的な状況。二重の意味で沖縄は、アメリカと日本による植民地支配状況に置かれている。

ガルトゥング先生は、今、世界で起きている、いろんな問題で、根本にあるのは、植民地主義と、その負の遺産を巡る対立である、国境線の問題もそうだと、ご指摘もされていますけれども。沖縄では、今、構造的沖縄差別とか、琉球ナショナリズムとか、あるいは琉球独立論なども出てきていて、日本の植民地支配、アメリカの植民地支配、その両方からの解放を求める動きなども出てきている、この植民地主義の問題に、どう対応していくべきなのか。

ガルトゥング　近い将来、日本にカリスマティックな政治的リーダーが出てきて、こういう問題について発言するだろう。私の予測では、それは女性の可能性が高い。それで、やっぱりタイミングということが、政治の上では非常に大事で、タイミングを把握するかしないかが、非常に大事。それを捕まえる人が出てきたとしたら、すばらしいと思います。

もちろん独裁者としてじゃなくて、デモクラティックなサポートを得たうえでの、そういう政治家が出てきたら、すばらしい。2025年までに、そういう人物が現われるだろうと予測しています。日本から、沖縄のナショナリズムも全部、含めて、そういうものに対処できる政治家が現われるだろうということを予測しています。

鳩山　その予測は大胆な予測。

木村　いや、驚きの予言でしたね。

鳩山　非常に希望を持ちますけれども。

ガルトゥング　2025年まで生きて、それを見届けたいです。

多くの場合、歴史を見ると、席が空いて、そういう人が現われるのを待っている、今、日本はそういう状況下にある。カリスマティックなリーダーが、その席につく。それを待っている。ドイツについても言えます、同じようなことが。

鳩山　そういうカリスマ的女性が現われることを、大いに期待します。

その人がやるべき仕事は、沖縄の日本からの独立以上に、日本がアメリカから独立するということが、先になければいけないと思います。今の状態が、なぜここまで深刻になってきているかというと、日米安保から、地位協定、さらにはその地位協定によってつくられている日米合同委員会によって、米軍と日本の高級官僚が、秘密裏に決めたことが、実際の憲法よりも上位に来て、さまざまな秘密協定が生まれてしまっているということになるわけでして、ここをまさに変えるカリスマが現われてほしい。でも、現在、顔が浮かばないので、なかなか。(笑)

✺ 積極的平和＝暴力の予防

木村　それで今の安倍政権の特徴を考えると、まさしくかつて日本が来た道、1930年代からの日本の歩み、戦争とファシズムの時代状況と重なるのではないか。安倍政権は戦後レジームからの脱却とともに、積極的平和主義という言葉を掲げています。しかし、実態は、まさしくガルトゥング先生が唱えている積極的平和とは、真逆の方向ではないか。

ガルトゥング　私は積極的平和という言葉を、1958年の論文から使い始めました。積極的平和と対峙して、消極的平和ということを同時に導入しました。私が何からインスピレーションを受けたかと言いますと、精神医学から影響を受けたわけで。いわゆる消極的、ネガティブ・メンタルヘルスというのは、精神的な疾患のことです（*）。

＊平和学は、国際関係学（これは俗称であり、実際のところは「国家関係学」と表記されるべきである）よりむしろ、健康学・精神療法、あるいはソーシャルワーク・犯罪学に類似している。これらの学問は疾病・窮乏・犯罪の予防にかかわっているが、平和学は同様に暴力の予防にかかわっている。しかし、疾病・窮乏・犯罪は害悪だというコンセンサスが存在する一方、とりわけ巨大国家は依然として、「正当化される戦争（正義の戦争）があるものとして、戦争を１つの選択肢として維持したがっている
（「平和学における認識論と方法論」『ガルトゥング平和学入門』法律文化社、より）

不思議なことに、いわゆる心理学とか、精神医学というのは、主にこのネガティブな疾患のほうを中心にやってるわけです。積極的な、いい精神状態じゃなくて、ネガティブな精神状態を扱ったのが、精神医学であり、心理学だったわけです。

しかし、それに対して、いわゆる積極的なメンタルヘルスというのは、クリエイティビティが旺盛だとか、愛、歓喜、生きていることの喜び、そういうものが、積極的な精神状態であるわけです。それについての心理学的な研究、あるいは精神医学的な研究というのは、非常に乏しい、ほとんどない状態であった。それはいまだに改善されていなくて、心理学や精神医学は、主に疾患のほうばっかりを研究している。精神分析のほうの手法も、主にそれを対象にしている。疾患論を扱うことはもちろん大事ですけれども、人間が生きていくうえで積極的な生き方、喜び、歓喜、そういうものを研究することが、より大事じゃないか。

同様なことが、国際関係についても言えるわけで、お互いが友好な関係を築くのは、どういうことかということを、研究することが大事じゃないか、戦争だけじゃなくて。

ここで大事なことが、いわゆるシンメトリー、均衡（という考え）です。例えば中国は、インドから学べることがある。あそこはいろんな方言だけじゃなくて、言語的に違った言語が使われています。それをインドの国会でリングィスティック・フェデラリズム（言語連邦主義）と言いますが、そういう運用の仕方で、みんながそれぞれ自分の母国語ではなくて、自分

たちの民族の言葉を使う仕組みになっている。そういう点でインドは非常にうまい、インドの国会なんかはいい例です。

もちろんインドが中国から学ぶべきこともたくさんあります。ことに最貧困層に対して中国のやったことは、すばらしい。インドのパリア（不可触民）、最下層の人たちの生活は、ほんとに惨めで、ボトムどころじゃない、ボトム以下。世界で最悪の状況にある人たちです。そのボトムアップのためには、中国から学ぶことがいっぱいある。

経済については、日本からも学ぶことがいっぱいある。かつては日本は、年功序列というものがありましたけども、ネガティブな面だけじゃなくて、非常にいい面もあった。そこから学ぶこともたくさんあった。ある意味では、かつての日本から学ぶことのほうが多くて、今の日本から外国の人たちが学ぶことは少ないんじゃないか。

一つの大きな疑問は、日本がほかの国、ほかの人たちから学ぶことが、どんなことがあるのか。アメリカから学ぶことだけ考えるんじゃなくて、アメリカ以外の国、中国から学ぶべきことは何か、私はいっぱいアイデアを持っています。

安倍さんの積極的平和論に戻りますと、ポジティブでも、ネガティブでもない。平和とはまったく縁のないものだ。従来からの、いわゆる同盟関係に過ぎない。しかも平和国家との同盟関係ではなく、人類史上最悪の最も非平和的な国家（アメリカ）と同盟関係にある。

ローマ帝国が非平和的、あるいは暴力的であったと思われるかもしれないが、とっくの昔にローマ帝国を超えたものがアメリカ帝国だ。そういう国と日本が同盟関係にあって、スクラムを組んで、外国と戦う。本気でそれを考えるのか。積極的平和であるはずがない。ましてや、いわゆる集団的自衛どころの騒ぎじゃない。集団的攻撃だ。だから積極的平和という言葉を使いながら、中身はまったくその反対だ。

そのことについて、私が数年前に触れましたら、日本のいろいろなメディアが、それを引用したようで、瞬く間に安倍政権は（積極的平和という言葉を）使わなくなった。

木村　鳩山先生も、今の安倍政権の姿勢、とりわけ対米従属を深めながら、大日本主義的な方向を目指している今の日本に対して、非常に危惧を持たれている。

鳩山　今、ドクターのお話しされたことで、いかに積極的平和というものが、重要かがおわかりになったと思います。安倍首相のは、決してガルトゥング博士のおっしゃっている意味ではなくて、しかも集団的自衛権の行使と称して軍事力によって、世界に貢献する日本、軍事力によって、平和をつくりたいという発想に基づいている。

安倍首相は今までの過去の、戦後の首相の中で、最も軍事的な強い日本というものを求めている。中曽根さん以上に。

それは安倍さん自身の発想で、自分が、強い日本の強い首相であることに、憧れている。大変危険な思想に思えてなりません。これからの日本が歩む道から、大きく外れている。

安倍首相は、まさにアメリカに対して、従属的であることによって、アメリカと共に世界で貢献できる強い日本をつくりたいという発想のようです。ところが、そのアメリカという国が、先ほどから博士自身がおっしゃっているように、軍事的な力で世界の国ぐにを強引に民主化と称して、自分たちの力を誇示している、まさに軍産複合体の国家ですから、その国と協力することになれば、当然、世界の国ぐにに対して、これから日本が自衛隊を使う、軍事的な行使というものが必然になってしまう。これは大変危険な方向だ。

木村　日本の軍事化の危険というのは、アメリカと一体となって、海外でアメリカの行なう戦争に自衛隊が加担するという形で、具体的に危険性が出てきている。日本では米軍基地、米軍の問題だけに、注目が集まるんですけれども、自衛隊が今、ものすごく急速に肥大化し、南西諸島防衛の口実で、与那国、石垣、宮古、沖縄本島に、ミサイル基地など、どんどん置いて、戦力を増強しようとしている。また大型の空母みたいなものを、３隻ですか、既に持とうとしている。ヘリ空母だけじゃなくて、戦闘機も乗せられるような空母、あるいは北朝鮮の問題に絡んで、対敵基地攻撃可能なミサイル、巡航ミサイルなどを持とうとしている。これは明らかに専守防衛を逸脱する動きだ。自衛隊の専守防衛を超えた肥大化について。

鳩山　そのために日本はどこかに仮想敵をつくらないとならないので、例えば中国脅威論というものを振りかざして、軍事費をどんどん増やしている中国は危ないじゃないかと。尖閣諸島を乗っ取るつもりじゃないかとか、海洋進出を図って、テリトリーを増やそうとしているんじゃないかとか、こういうことを必要以上に声高に、挑発的に話をして、だから日本も自衛力を増さなければいけない。日米同盟も高めなければいけない。自衛力強化のために、南西諸島に自衛隊の基地を置こうと。そしてミサイルまで、という発想になる。

その目的のために、敢えて中国や、あるいは北朝鮮に対して、必要以上に、北朝鮮の場合はＪアラートなんかそうですけど、ミサイル発射は決して日本をターゲットとしている訳ではないので別に無視していればいい。それなのに、敢えて北朝鮮、怖いぞということを言うために、Ｊアラートを鳴らして、われわれも守りを固めようみたいな発想になってしまっている。また「イージス・アショア」のような高い武器も、役に立たないのに結果として買わされて、もうトランプにいいようにやられてしまっている状況です。

私は、そういうお金があれば、教育の問題とか、高齢者のための介護とか、そういう方向に、もっともっとお金を使えばいい。にもかかわらず、近くに敵がいるぞ、守りを固めろという声を、必要以上に声高に叫ぶ安倍首相は、そのことが結果として、国際社会から孤立をする原因をつくっている。

木村　日本が国際社会で孤立しつつあるというのは、一時期、安倍政権も志向した、国連安保理の常任理事国への支持国がほとんど集まらなかったと、とりわけ日本は、アジアに親しい国がほとんどない。台湾を除けば。

なぜ日本にはほんとの意味での友好国、友人がないのか、できないのか。それは明治維新以来の日本が、アジアで唯一の帝国主義国として、植民地支配と侵略戦争を繰り返し、その総括、清算をせずにそのまま来ていて、いまだにアジアの盟主とか、大国的な意識を持っている。欧米列強とは対等、アジアは見下すという姿勢が、いまだに続いているということがあるのではないか。この根強い植民地主義的、大国主義的な発想を、どう克服できるのか。

✺将と昭（将軍の将と昭和の昭）

ガルトゥング　まず事実を指摘したいと思いますけれども、安倍さんの思考は、発想法はある意味では、一世紀から二世紀昔流の考え方をしておられる。実は戦争というものを考えた場合に、今、国家間の、国と国との戦争というのは、ほとんどゼロに近い。イスラエルとアメリカを除けば、ほとんどの国が、国と国との戦争には関心がない。だからそういう発想法に従うというのは、間違った時代遅れの考え方だ。

二点目として、いわゆる国連の安全保障理事会のことです。常任理事国は５カ国ですけれども、ずうっとそれが続いていて、今はそれプラスワン。つまりドイツが準常任理事国的な振る舞いをしている。日本はそれプラス、もう一つ、７カ国常任理事国になりたい。もちろんなれていません。

これもまた非常に時代遅れの考えで、国連だけを考えても、安全保障理事会の重要性というのは、グンと落ちている、1945年に比べれば。安全保障理事会よりも、国連の総会のほうが、より重要になっているのに、日本は総会において重要な提案をしていないし、日本がそれについて触れられることもない。日本は世界の非常に重要な総会における役割よりも、日本という小さな視点からしか考えていない。

もう一つの問題は、ショウ、ショウ、二つのショウ(*)です。一つは将軍の将。二つ目は昭和の昭。誰が誰を攻撃したか。つまり1590年ごろに、ある将軍がやったこと。誰をアタックしたか。それから1940年代に、つまり昭和の日本が誰をアタックしたか。

＊ある将軍とは豊臣秀吉のこと。天下統一（1590年）、その後の文禄元年（1592年）から朝鮮に出兵した文禄・慶長の役を指す。昭和の日本は1931年に満州事変、以来中国侵略、1941年にはハワイの真珠湾攻撃で太平洋戦争を引き起こす。

日本を攻めようとしたのは、もちろん中国大陸から来た、これは漢の人たちではなくて、モンゴル、元の時代ですから、1397年ごろに。でも、それはいわゆる神風(*)で止められたということになって、誰もアタックしなかった。で、モンゴリアはジンギス・カンの世代以降、非常に仏教的な国になった。だから今になって、日本がモンゴリアをアタックする意味もない。

＊文永・弘安の役の二度にわたる元寇の際に吹いた暴風雨で元軍は大損害を蒙った。しかしこれは文永10年（1274年）、弘安4年（1281年）のこと。元の次の明朝は朱元璋（洪武帝）によって1368年に建国された。朱元璋は1398年に死去。「1397年ごろ」の出来事は不明。

✺ 際立つ日本の孤立

ガルトゥング　そういう状況下で、いったい安倍さんは誰をアタックしたいと思っておられるのか。誰をターゲットにしたいと思っておられるのか。つまり統計だけを見れば、国家間の戦争というのは、今はもうほとんどゼロに近い状態にあります。つまりテロ、テロと言われるんですけれども、テロの中にはいろいろあって、国家が主体になったテロもある。

俗に言われるテロ、テロリストたちは、爆弾を使いますけれども、それは規模の小さい爆弾であって、国家テロリストが使うのは、空から強烈な爆弾を落とす。ほとんどが全部、イスラエル、あるいはアメリカの攻撃性、戦闘性が原因で行なわれている。

というわけで、今、世界を眺めてみると、ある意味では、平和の専門家として見たら、世界史、人類史的に見て、われわれは非常に平和な時代に暮らしている。つまり世界にいろんなリージョン（地域）が考えられますけれども、それぞれ主張できるような状態にある。平和裏に暮らしているリージョンがほとんどだ。だから安倍さんは世界の状況、歴史的な世界をほんとに把握しておられない、

だから重点が、国連だけを考えますと、安全保障理事会から総会へ、重要性が増している、これが非常に大事な点です。ことに今の事務総長、国連のグテーレスさん（第９代国連事務総長）はポルトガルの方ですけど、非常にいい仕事をしておられる。いわゆるデモクラシー、民主主義というのは、今の国連総会が一番世界的に、民主的、民主主義が実践されている場だと思う、世界政治を考えた場合に。偉大なる国家、５つの常任理事国が中心になって牛耳っているような安保理から離れて、民主化の進んだ総会に向かって、重点が移っている。その推進力になっておられるのが、グテーレスさんです。

だから鳩山先生が指摘されたように、日本政府は19世紀、20世紀に戻っている。安倍さんはまさに、世界から孤立している。その原動力になっておられるのではないか。

木村　なぜ日本はそんな時代錯誤的な発想になっているのかという原因について、ご指摘いただきたいんですが。アメリカの衰退も言われていますが、日本はそれ以上に衰退して、中国に追い越され、ものすごく焦りがある。と言って、かつての大国であった夢を捨てきれない中で、軍事力に特化した形で、まさにアメリカ型の軍産複合国家を目指しているかのように見えるんですけども、なぜ日本はそうなったのか。

鳩山　日本がなぜ世界から孤立化しているかということですが、日本は戦後、軍事的な存在感ではなくて、経済的に大きな国になって、世界で認められる国になりたいということで、活動してきた。それがある程度成功して、一時は、日本のお金でアメリカが二つ買えるみたいな、バブルの経

験もした。それが、バブルが破裂をして、経済的な低迷の時代が続いたために、日本人全体が自信を失ってきた。

そのときに、本来なら、例えば新しい技術を、さらに努力して、つくり上げていくということになれば、良かったんですが、そうではなくて、より強い国を目指すんだ、今度は政治的な、すなわち軍事的な強い国にしようということで、自信を失った多くの日本人が、それに共感をしたという実態がある。

やはり原点は戦後に、これは白井聡先生なども指摘されているように、われわれが、なぜああいう戦争を起こしてしまったか。その大敗北の総括ができないまま、ズルズルと来てしまった。本来、するべき総括がなくて、結局、日本は戦争に負けたということも否認してしまう。敗戦否認の状態で、結果として、永続敗戦論というか、常に敗戦後の状態が続いてしまっている。

ドイツと違うのは、戦争を犯してしまった責任の総括というものを、自分たちの手でしなかったがゆえに、それが今でも続いて、そして、それでアメリカに負けたわけではないよと言いながら、結局、負けているわけですから。だからアメリカには常に従うということになり、すなわち従属国家となってしまった。

一方で、負けてはいないんだからということで、韓国や中国に対しては、常にいまだに優越感を持っている。アメリカには完全な劣等感を持つ一方で、日本はアジアの国ぐに、中国、韓国に対しては、優越意識を持つ。

先ほどから博士がおっしゃっているように、このシンメトリー（対称性）という、常に国と国が対等であるということを、どっかで日本は捨ててしまっているというところが、一番大きな問題だと、先ほど、お話を伺いながら感じました。

博士のおっしゃった、安保理の常任理事国入りは、常任理事国入りすることが目的であって、そこで何をしたいということはない。要するに高級ブランド品を身につけたいみたいな発想だけで、とにかく自分が大国になりたいという思いを満たすために、国連の常任理事国になりたいということだけ。だから国連の現在の状況なんていうものは、いっさいわからないし、どうでもいい。

ガルトゥング　あまりにも軍中心に、軍事力を中心に考えすぎている。だから、それじゃない、もう少しほかの側面を考える必要があるんじゃないか。

つまり戦争の一つの大きな原因はそこにある、横たわっている紛争を解消していないからだ。もう一つの戦争の大きな原因は、トラウマを抱えている。だから過去の暴力、過去の歴史（を見つめることが大事だ）。

日本は他人に対して暴力を振るっただけじゃなくて、日本が暴力を受けた。そのトラウマも抱えている。それを忘れることはいけない。だから戦争を避ける、あるいは平和な関係を築くためには、そこに横たわっている紛争を排除しなければ、絶対に解決できない。トラウマをなくす一つの方法は、コンシリエーション、和解である。

今の時代は、国家としてのシステムは、重要性を失ってきている、それよりもリージョン（地域）がより重要性を占めている。もちろん大国は、消滅しているわけではないけれども、日本はその大国の一つではない。中国とか、インドとか、アメリカは確かにまぎれもない大国である。テロを考えても、国家テロを考えても、そこには必ずコンフリクト（紛争・利益相反）が横たわっている、このコンフリクトをなんとか対処しようとして、暴力に走ってしまう。そういう結果が出ているわけです。

航空母艦のことを言われましたけれども、確かにこれは軍事力。とはいえ、非常にバリュネラブルな、脆弱性を持った軍事力である。どこがタンクかというのを知っていれば、簡単な潜水艦でやっつけることができるわけで、大変強力な兵器であるように見えるけれども、非常に脆弱性のあるものである。だからあんまり心配することはない。

木村　最後のまとめの重要なテーマに移らせていただきます。

今の日本内外、とりわけ東アジアの閉塞状況を打開する方法として、再び東アジア共同体構想を表舞台にと鳩山先生が主張されていて、マレーシアではマハティールさんが再登場されている。あの方がアジアでは最初に、同じような構想（ルックイースト政策）を提唱した人であり、そこにこそ日本が生き延びる、再生の道もある、本当の意味で東アジアが、この時代状況の中で、主役を演じる可能性もある。そうした中で、注目されているのが、とりわけ沖縄の役割も最初にこの問題を提起されて、そのこともあって、鳩山政権が頓挫した。今、再び東アジア共同体構想を提起する意義、朝鮮半島情勢も含めて、鳩山先生のほうから。

鳩山　私は、平和というものは、決して武力、軍事力によって、到達しえるものではないと思っています。したがって、どんなに時間がかかっても、日本という国が、いわゆる常時駐留なき安保、即ち米軍基地が日本にあるような状況から脱して、必要なときには協力を求めるけれども、普段は米軍の基地は、日本の中には置かないという状況を、中間的な体制として、必要としているので作らなければいけない。

北朝鮮の情勢が、より安定的になれば、すなわち朝鮮半島がより平和になれば、その方向に向けて、もっと加速的に動いてもいい時期が来る。

そのようなときに、ならば、この国は、自分の国は自分で守る、自衛力を高めるということも、むしろ必要ない。そうではなくて、対話と協調という路線で、まさに先ほど博士が和解とおっしゃいましたけれども、あらゆる問題、コンフリクトなども、対話によって解決をするという道筋をつけるべきであって、その一つの方策として、特に日本、中国、韓国が中心となり、北東アジアにアセアンの10カ国を加えた国ぐにが核となって、東アジア共同体というものを形成する。そして、あらゆる問題を、ここでとにかく対話という形で解決をしていくべきではないか。東アジア共同体を構想して、つくり上げていくべきではないか。決して経済優先に考えているわけではなくて、地域を不戦共同体にするのです。

木村　ガルトゥング先生も北東アジア共同体を提起され、その中で本部として、重要な役割を沖縄が果たす、ということも主張されていますし、領土問題の解決には、発想転換が重要で、共同管理・開発・共有です。領土と資源をそういうふうにすれば、解決は見えてくるという、ご主張をしていただいています。

✺戦争をなくすことに成功した国家間連合

ガルトゥング　こういうものを考えるときに、具体的なモデルがいろいろなところに見かけられます。それをレビューする必要がある。

そのいい例として、北欧諸国連合(*)と言いますか、北欧諸国の集まり。それからEC。今はEU(**)ですけども、そもそものEC。それからアセアン(***)。こういうモデルを検討してみる必要がある。

非常に大事なことは、彼らの集まりの中で、戦争は一つもなかった。北欧諸国の中で、こういう組織ができて以来、戦争がない。ECについても言えます。今はEU。それからアセアンの諸国のあいだでも戦争がなかった。

＊北欧理事会及び北欧閣僚理事会は、第二次世界大戦に巻き込まれて苦しみをなめた

ことを反省し、スカンジナビア３国（ノルウェー・スウェーデン・デンマーク）が中心となって1952年に設立された。

＊＊EU欧州連合はクーデンホフ・カレルギー伯爵（日本生まれ）の国際汎ヨーロッパ連合などの流れを受けている。1951年には戦争を避けるためフランスとドイツ（当時は西ドイツ）、イタリア、ベネルクス３カ国（ベルギー、オランダ、ルクセンブルク）で欧州石炭鉄鋼共同体（ECSC）が発足。1967年には欧州経済共同体（EC）、欧州原子力共同体（Euratom）を加えた３機関が統合。1993年に発足したEUは次第に加盟国が増え現在は27カ国。

＊＊＊アセアン（東南アジア諸国連合）は1967年に設立。ブルネイ、カンボジア、インドネシア、ラオス、マレーシア、ミャンマー、フィリピン、シンガポール、タイ、ベトナムの10カ国による経済・社会・政治・安全保障・文化に関する地域協力機構。

ましてや、今、国家というシステムから、リージョンのシステムが、より大事な時代に入っている、つまり交通・通信が非常に便利になったから、国家間の中での交通・通信じゃなくて、リージョン内で、よりスムーズに交通・通信が発達している。

地図を見れば、日本はアメリカと共同というよりも、東アジアにより近いということは明白である。ことに北東の方面のほうが、より密接な関係にあることは一目瞭然である。その東北アジアを考えるときに、モンゴリアを忘れないようにする必要がある。そして、今は北東、中国の北東部と言われている満州、かつての満州を忘れてはいけない。今は満州は国家ではない、中国のリージョンです。しかし国家として認められるポテンシャル（潜在能力）がある。

モンゴリアについて、ひとこと言いますと、中国から見れば、いわゆる内モンゴリア、内蒙古。もしチベットのラサに行って聞いてみてください。外モンゴルも、行った先で聞けば、みんな（中国とは）違う答えをするわけです。内モンゴリア、外モンゴリア。そうすると、東アジアのいろんな問題が、どんな視点から解決できるかということが示唆される。

上海協力機構(＊)の関係で、中国とロシア、中国とかつてのソ連の関係は、もう大部分解決することができたわけです。いろんなことが、この地域も含めて世界で起こっているんですけれども、残念ながら日本はそれに積極的に参加していない。

＊上海協力機構は中国、ロシア、カザフスタン、キルギスタン、タジキスタン、ウズベキスタン、インド、パキスタンの８カ国による多国間協力機構。

なお東アジア共同体についてはガルトゥング博士は朝鮮半島と沖縄を基軸として、次のような具体的方策を提案している。

・朝鮮半島の「非武装地帯」(DMZ)を、南北交流のための平和地帯とする。さらに世界の紛争を解決するための対話の場を設置する。
・沖縄を平和地帯とし、東アジア共同体の平和の拠点として、世界の人々が自由に保養・交流できる平和公園を創設する。
・平和地帯の国際化という観点から、国連本部を沖縄に誘致する。それはまた、「民衆の国連総会」の新設を含む国連改革の契機ともなるだろう。

収録日:2018年5月25日

講演

朝鮮半島の非核化とアメリカの役割

シカゴ大学教授 **ブルース・カミングス**

今回お招きくださった鳩山先生、木村先生に感謝します。今までのアメリカの過ちと、アメリカの最も大切な使命である北朝鮮の非核化についてお話します。非核化は長い間北朝鮮の役割として報じられてきましたけど、アメリカの役割というものはほとんど報じられたことがありませんでした。今日はその部分をメインとしてお話していきたいと思います。

北朝鮮は1994年にアメリカとの間で核開発プログラムの凍結、プルトニウム生産の凍結を含む「核枠組み合意」を締結し、これは2002年まで続きました。北朝鮮はパキスタンから高濃度プルトニウムを輸入したことでこの合意を破ってしまったといわれています。北朝鮮が高濃度のプルトニウム生産等を1994年から2002年まで凍結したのは事実ですが、アメリカ政府高官の知識人は北朝鮮がプルトニウムの核爆弾を作るにはまだまだ高度な過程が必要であることがわかっていました。この情報を利用して、2002年にブッシュ大統領が1994年から両国間で用いられてきた合意を変えたという事実があります。つまり、合意を破ったのはむしろアメリカの方であるといえるのです。そしてブッシュ大統領は北朝鮮を「悪の枢軸」であると非難しました。しかし、本当に悪の枢軸国というのならばパキスタンなどの他の国も含むはずです。

そのことは2003年にイラク侵略に関連していくことにつながります。第二次世界大戦後のアメリカにとってイラクへの侵攻は愚かな行為であったと多くの人が考えていますが、この行為が結局、北朝鮮の核武装化に至ったということがより重要視するべき点だと考えています。アメリカの方針としては北朝鮮が非核化すべきだとしていますが、完全に朝鮮半島非核化を達成するためにはアメリカも朝鮮半島から核の脅威を取り除く必要があります。

これからはアメリカの核政策の戦略を取り上げたいと思います。ニューヨークタイムズなどにしても、アメリカの情報誌でアメリカの核戦略について取り上げられることはあまりありません。「ハドソンハーバー」というものがありますが、これはハドソン湾に関するものではなく、核兵器に関するアメリカの政策の一つを指します。実際の戦闘の場で核兵器をどのように使うかということを伝授するものです。これはまだ架空のものでしたが、北朝鮮への爆撃方法を想定したこともありました。また、広島・長崎への原爆投下から6年後にもアメリカのネバダで核実験を行うなどしてシミュレーションを重ねてきましたが、核兵器は実際の戦争の場では有意義ではない、核兵器の存在を把握することはできないのでむしろ被害が大きくなるばかりで大して良い結果が生じないということがわかりました。

ブルース・カミングス

北朝鮮は原爆・核兵器が本当に影響があるか見ていくしかなかったといえます。サミュエル・コーエンは中性子爆弾という人員殺傷だけを目的とした核爆弾を構想し、建物などはそのままで生物だけを殺傷するという計画を考え、中性子爆弾の父とまで言われた人物です。そして、朝鮮戦争でソウルを取り返した後にそのように考えたと述べています。

これが新しいプロジェクトの展望ということになります。1953年の春、朝鮮戦争のあとに休戦することになりました。テストされた核爆弾を使いながら実際やっていこうとも考えられました。カノン砲のような、近中距離の目標を直接照準で砲撃することも可能な大砲も作られました（写真1）。核出力は10キロトンで、広島に落とされた原爆の半分ほどのものです。これは新聞の一面でも取り上げられました。ネバダ試験場でなされた最も大きな規模の核兵器の発砲であったとしてニューヨークタイムズで発表されました。しかし、共産主義に対してどれほどの効力があったかは明らかになっていません。

戦後の北朝鮮の写真を見ると、日本やドイツの主要都市を破壊されたよりもはるかに大きい割合で北朝鮮の街が破壊されていたことがわかります。この写真は戦争の後のピョンヤンの状況です（写真2）。次はワンサンという北朝鮮の街で、爆撃や沿岸からの砲撃によって破壊されました（写真3）。非常に悲惨な状況の中で家族を必死に支えている女性の姿です（写真4）。これは1957年、朝鮮戦争が終わった4年後のものですが、まだか

1 核兵器の大砲

2〈ピョンヤン〉　　破壊された町

3〈ワンサン〉

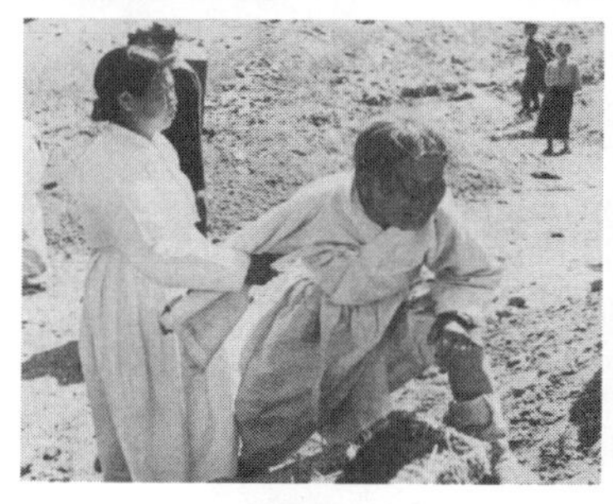

4 家族を支える女性

5 戦争の爪痕が残る町

6・7 クリス・マーカー氏撮影

なり戦争のあとが残っています（写真5）。これは1959年に出されたクリス・マーカーさんが書かれた本の中の写真です（写真6）。彼は2〜3年前に亡くなりましたが、写真家であり、有名な映画の製作者でもありました。この本は知的でエモーショナルで感情に訴えてくるような本であり、写真です（写真7）。左の建物はよく北朝鮮のパレードででてくるもので、いまでも北朝鮮の中心部ですが、そこを選んで写真を撮っておられます（写真8）。これは日本の植民地時代に日本が実際に使っていたビルですが、朝鮮戦争でかなりのダメージを受けた後も使い続けています。こちら

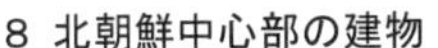

8 北朝鮮中心部の建物

9 朝鮮戦争による孤児・未亡人

10 タンクバッグ

は、お母さん、おばあさん、孫、いわゆる朝鮮戦争で孤児や未亡人になった人が大勢いることを表す貴重な写真です（写真９）。

1957年にアメリカは韓国に核兵器を持ち込みました。それはアメリカが休戦協定を破ったということになります。その後もミサイルや大砲、艦隊などまでも持ち込んでいきました。日本でも同じことをしていこうといったような協定が少しずつできていきましたが、日本では核兵器を持ち込むなといったような反対の声も上がるようになりました。ロシアや中国と違って北朝鮮は核を持っていなかったので、核兵器による脅しでもあったと考えられています。両者が核兵器を持っていれば、やったらやり返すという攻防が続いていくので非常に危険な状況になります。核兵器を背負って増強していくといったタンクバッグ（写真10）というものがあります。これは広島と同じ20キロトンほどの破壊力のあるものになる可能性もあり、これを背負っていくというのは大変危険な状況になります。核兵器の地雷といった大変恐ろしいものまでありました。最も危険な核兵器であると言われています。小さくて持ち運びできること、相手側に奪われやすいことが危険な理由として挙げられます。

また核兵器の危機は1991年から３年間続きました。1994年にビル・クリントン大統領が攻撃するかもしれないという非常に危険な時期がありました。年配の方々は覚えているかもしれませんが、この時期には様々な複雑な歴史背景があります。1994年10月にいわゆる「枠組み合意」がなされました。1953年以降の初めてのアメリカと北朝鮮の形式的な合意でした。国連からの制裁もあり、慣習に基づいたものでしたので、破ることのできない確固たる合意であったといえます。そして、北朝鮮は８年間はプルトニウムなどに手を付けることができませんでした。『2000年の10月のこと』や

11 北朝鮮要人とクリントン大統領

『ミサイルに関する取引』という題で出ています。この時クリントンは交渉役としてカーター元大統領を任命しました（写真11）。

ブッシュとゴアの選挙（2000年）の時に大変もめたわけですが、そこで不可思議なアメリカの選挙システムを通してブッシュが勝った。若い学生さんはあまりご存じないと思いますが、これを機に興味を持っていただければと思います。確かにブッシュは50万票負けていたということであります。ブッシュが勝利したこの選挙が後に「悪の枢軸」(*)や北朝鮮が核開発を開始することにつながったのではないか。

＊2002年にジョージ・ブッシュ米大統領が一般教書演説で、北朝鮮、イラク、イランの３カ国を名指しで批判した。

2003年から2014年までの間はそれほど大きな問題は起こりませんでした。2003年に数か国が集まって次の対策を練る会議が始まりました。ロシアや日本、中国、南北朝鮮などを含めて話し合いをするようになったというのが大きな変化でした。結果、失敗で終わってしまいましたが。オバマはほかの国々、ビルマやキューバなど対立した国と外交を広げようとしましたが、北朝鮮とは行いませんでした。オバマは中距離ミサイルなどで北朝鮮を脅していました。北朝鮮を世界で最も凶悪な政治体制だと思う方も多いかもしれませんが、50年代に戻って考えますと、北朝鮮はずっと核兵器に脅されてきた国であることも確かです。自国の防衛のために核を持つ国も増えてきましたが、北朝鮮が核保有をあまり早くからしていなかったことは驚くべきことかもしれません。

トランプ政権になって2017年には完璧に北朝鮮を破壊するなど国連で過激なことを言ってきたわけですが、同年12月には先制攻撃に非常に近い形にまで行ってしまった。いわゆるブラディノーズ作戦（殴って鼻血を出させる、プライドを傷つける）です。しかし、１カ月後には状況はガラッと変わりました。2018年1月には2月の平昌オリンピックに北朝鮮が参加を表明するなど大きな転換期を迎えました。金正恩の妹さんも平昌オリンピックにやってきて一気に友好ムードへと変化しました。そして、韓国の文在寅大統領が交渉に出てきて、アメリカ、北朝鮮両国に交渉を促しました。シンガポールサミットが2018年の6月に行われました。「Seige」（包囲攻撃）という圧力を掛けながら交渉が行われました。しかし、この結果は期待外れでした。表面的なところだけちらっとして、重要な部分には触れないというような形でした。トランプ大統領は両国の歴史について何も知らないのでしょうか、１、２回の会談でなんとかなると思っているようですが、それはなかなか難しい。

しかし、彼が歴史を知らないことは利点になるかもしれません。ジョン・ボルトン(*)よりははるかに良い。ボルトンは北朝鮮の体制の変革を1998年からずっと考えてきており、知識もありますが、彼は今トランプ大統領のアドバイザー的地位にいるため、注意が必要です。

最後にお示しするのは、修正を加えたトランプ大統領とキム委員長の写真です（写真12）。

*ボルトンは2019年、国家安全保障問題担当大統領補佐官を解任された。直後に回顧録を出しトランプ大統領を厳しく批判した。

収録日：2019年6月9日　青山学院大学にて

12 この写真は二人の髪型を入れ替えており、似たもの同士という印象を与える。

解 題

東アジアの和解プロセスと平和構築に向けて

鹿児島大学名誉教授 **木村　朗**

✺ はじめに

本書に収録されている原稿は、私が今年（2020年）3月に退職した鹿児島大学で開設されたワンアジア財団寄付講座での特別講義（2018年度前期の鳩山友紀夫先生とヨハン・ガルトゥング先生、2019年度前期の鳩山友紀夫先生とブルース・カミングス先生）、またそれに併せて行われた東京・青山学院大学（担当教員：羽場久美子先生）でのお二人の講演会と出版社（詩想社：金田一一美社長）が設定してくれた対談（東急ホテル：ガルトゥング先生と鳩山先生）で、これまで公表されてきていない記録を掲載したものです。本書への掲載を認めてくれたガルトゥング、カミングス両先生と、羽場久美子先生、金田一一美社長にここで改めて感謝を申し上げます。

✺ ブルース・カミングス先生の講演について

ブルース・カミングス先生は、いうまでもなく米シカゴ大学で長年教鞭を執られている韓国現代史の権威であり、『朝鮮戦争の起源１・２』（1981年、1990年）という古典的名著で朝鮮戦争研究に新たな見解を提示して、米国だけでなく東アジアや国際社会に大きな波紋を投げかけたことで知られている。それは、これまでの朝鮮戦争における旧ソ連、中国、北朝鮮の責任を中心とした伝統主義アプローチを拒否し、主な原因を親日派の起用などを行った米国の責任に求めるものであった。また特に、1945年8月の日本降伏と朝鮮半島解放後に生じていた朝鮮半島の左右両勢力による国内内戦が当時本格的に開始され始めていた国際冷戦と連動するかたちで朝鮮戦争につながった、という彼独自の評価・判断を打ち出していることが注目された。

そして、近年における朝鮮半島をめぐる諸問題についても積極的な論評を行うとともに、米国内外のメディアからの取材インタビューを受け続けている。カミングス先生は、朝鮮戦争勃発70周年を迎えハンギョレ新聞と行った書面インタビュー（2020年6月29日）で、「文在寅（ムン・ジェイン）大統領は金大中（キム・デジュン）・盧武鉉（ノ・ムヒョン）元大統領を越えて、北朝鮮に最も多く関与（engage）した」とし、「文大統領が北朝鮮に引き続き関与することが非常に重要だ」と述べている。また北朝鮮が最近、開城（ケソン）南北共同連絡事務所爆破など南北間の緊張を高めたことについて、「米国にシグナルを送り、ドナルド・トランプ政府の関心を引くため」とし、「北朝鮮は文在寅大統領を非難しているが、依然として文大統領をともに問題を解決できる人だと見ている」と指摘した。そして、北朝鮮に「最大限の圧力」を加えるべきだという一部の主張について強く批判し、「最大限の圧力が北朝鮮の行動に肯定的な変化をもたらしたという証拠は見られない」とし、「最大限の圧力の論理的帰結は戦争だ。朝鮮戦争は国家的分断に対する軍事的解決策はないことを示した」と強調した。さらに「最終的かつ完全に検証された非核化（FFVD）という米国の要求は、これまで進展をもたらしていない」とし、「したがって、新たな方向が必要だ」と付け加えている。

同じインタビューの中で、「あなたは『朝鮮戦争の起源』で朝鮮戦争の構造的背景を掘り下げ、『朝鮮戦争は国際勢力が介入した内戦であり、朝鮮戦争に至る過程で米国の責任は非常に大きい』と著したが、その分析は今でも有効か」と問われると、カミングス先生は、「その本を書いた当時よりも、私の結論が妥当であると、さらに確信を持っている。その理由は大きく分けて二つだ。第一に、韓国と米国の学者たちが、1945年に登場した人民委員会（解放直後、全国的に組織された民間自治機構）の歴史を具体化した。学者たちは研究を通じて、米国の後援と支持の下で浮上した親日賦役者政権がどれだけ根強く生き残ってきたのかを示してくれた。また、朝鮮戦争期間とその前に起こった数十万人の政治的虐殺という信じがたいテロ、そして北朝鮮の人々に動機を与えた構造的独立性と民族主義の根強さも明らかにした。（省略）もう一つの理由は、ベルリンの壁が崩壊し、ソ連が崩壊したにもかかわらず、北朝鮮は長い間生き延びてきたという非常に奥深い事実だ。北朝鮮も崩壊したなら、私の本が間違っていたことになるだろう。しかし、北朝鮮は崩壊しなかった。これは、革命的民族主義と反帝国主義の力が北朝鮮を支える主軸になっていることを示している。これはもちろん、偶然にも現在残っている共産国家の中国やベトナム、キューバにとっても同じだ。北朝鮮はソ連が作り出したものではなく、第２次世界大戦後に行われた東アジア革命の一部だった」と語っている。

またもう一つのメディア、米時事誌の「ネイション」に掲載されたインタビュー（2020年6月14日）で、「6.12朝米首脳会談で、米国は得たものがなく、韓米合同軍事演習の中止という譲歩をしただけ」という一部の指摘について、「同意しない」と話した。彼は「米国は1945年以来、北朝鮮指導者と対話することを拒否してきた」とし、「トランプと金正恩（キム・ジョンウン）の初会談のポイントは、北朝鮮がこれ以上核武装国にならないためのプロセスを開始したという点」にあると評価した。

それに続いて、トランプ大統領が「韓米合同演習を中止する」と発言したことについて、「軍事演習の取り消しは1994年にもビル・クリントン大統領が北朝鮮への譲歩措置とした取ったものだ。ペンタゴン（米国防総省）は、このゲーム（合同演習）を実施しないのが嬉しくないだろうが、これは小さな譲歩にすぎない」と指摘するとともに、トランプ大統領が韓米合同演習を「挑発的」と表現したことについても、「トランプの発言は理にかなっている。トランプが狂気の中で韓国状況を純粋に見ている」と話した。

彼は韓米合同演習で、北朝鮮最高指導者を斬首する訓練を行っており、オバマ政権時代には戦略爆撃機B-52で模擬核兵器投下訓練も実施した点などに言及し、「このようなことは北朝鮮（の安全）を脅かすものだ。しかし、どの大統領もそれが挑発的だと言うのを聞いたことがない」、「トランプが全くの経験不足で、ワシントンの外交政策既得権層と連携が足りないという点が、彼がこのようなことをする自由を与えている」と指摘した。カミングス教授は「トランプが大統領であるからこそ、肯定的な面もある。彼は誰にも、特に米ワシントンの既得権にとらわれず、変わった方法で多くの進展を成し遂げられるだろう」と繰り返し強調した。

以上のように、カミングス先生の主張・立場は明快でかつ一貫しており、私も強く共感・納得できるものである。特に注目されるのがトランプ大統領への高い評価であり、私はまったく同感であるが、米国や日本のリベラル派と言われる人々にとっては受け入れがたいものであるかもしれない。このようにカミングス先生の見解は米国内においては明らかに異端派というべきものであり、周囲の人々からの圧力・敵意・攻撃にも一切動じることなく自説を堅持されている生き方に大いなる敬意を表したい。このようなカミングス先生の不屈の闘志と明晰な分析力は鹿児島大学での特別講義においても遺憾なく発揮されている。

カミングス先生は、講演の冒頭で「今までのアメリカの過ちと、アメリカの最も大切な使命である朝鮮半島の非核化（特にアメリカの役割）についてお話します」と述べています。具体的には、2003年にアメリカが行ったイラク侵略は愚かな行為であり、この行為が結局北朝鮮の核武装化に至ったということがより重要視するべき点だ、と強調しています。また、北朝鮮が高濃度のプルトニウム生産等を1994年から2002年まで凍結することになった「（KEDO）核枠組み合意」（1994年）について、「合意を破ったのはむしろアメリカの方であるといえる」と明言しています。さらに、「アメリカの方針としては北朝鮮が非核化すべきだとしていますが、完全に朝鮮半島の非核化を達成するためにはアメリカも朝鮮半島から核の脅威を取り除く必要があります。」、「北朝鮮を世界で最も凶悪な政治体制だと思う方も多いかもしれませんが、50年代に戻って考えますと、北朝鮮はずっと核兵器に脅されてきた国であることも確かです。自国の防衛のために核を持つ国も増えてきましたが、北朝鮮が核保有をあまり早くからしていなかったことは驚くべきことかもしれません。」、「彼（トランプ大統領）が歴史を知らないことは利点になるかもしれません。ジョン・ボルトンよりははるかに良いと考えます。」などと指摘していることが注目されます。

鳩山友紀夫先生は、カミングス先生の講演について、「私もカミングス先生の話を聞いてかなり初めてのことを勉強させていただき非常にうれしく思っています」との挨拶に続いて、「特にトランプ大統領だからこそ朝鮮半島問題をやれるのかもしれない。なぜなら彼は歴史をしらないから」というのはその通りだと同意しています。また、「その方がまさになんとか挑発に応じずにですね、また取引をうまくやりのける可能性があるのではないか。これが、例えば軍産複合体の上に乗った大統領が出てきたらこんなことにはならない。」と語っています。またボルトンの評価についても、「ボルトンの言いなりになるか、あるいはボルトンと同じようなことをこのままなさってしまったら、北朝鮮問題は解決できない」と思っていることを率直に表明されています。こうした鳩山先生の見方・評価は、カミングス先生のそれとかなり重なっており非常に興味深いと思われる。

✺ヨハン・ガルトゥング先生について〜鳩山友紀夫先生との対談を中心に

ヨハン・ガルトゥング先生は1930年、オスロ生まれのノルウェーの社会学者である。「平和学の父」として世界的に知られる大きな存在であり、世界各地で紛争調停人として90歳になる今も現役で活躍中である。1959年に国際的平和研究機関の先駆けとなったオスロ平和研究所（PRIO）を創設し、64年に「平和研究ジャーナル」(Journal of Peace Research）を創刊した。93年にトランセンド、2004年にトランセンド平和大学(TPU）を創設。国連開発計画（UNDP)、国連環境計画（UNEP)、国連児童基金（ユニセフ)、国連教育科学文化機関（ユネスコ)、欧州連合（EU)、経済協力開発機構（OECD）など多数の機関で委員やアドバイザーとして重要な役割を果たした。主な著書は、『構造的暴力と平和』(中央大学現代政治学双書)、『日本人のための平和論』(ダイヤモンド社)、ほか多数である。最初の著作『構造的暴力と平和』の中で、ガルトゥング先生は「構造的暴力」という新しい概念を提唱し、それを「暴力を行為する主体が存在しないような暴力であり、具体的には貧困・飢餓・抑圧・差別・愚民政策などがこれに当たる」とした。また、構造的暴力と対置される暴力、すなわち行為主体が存在する暴力を「直接的暴力」とし、その中でもっとも大規模なものが「戦争」であることを明らかにした。そして、この理論のもとでは、「平和」とは「暴力がない状態」であり、「直接的暴力」がない状態は「消極的平和」、「構造的暴力」がない状態が「積極的平和」であるとして、「平和」と「暴力』の関係を体系づけたのが大きな業績であるといってよい。

また日本に関連した最近の著作『日本人のための平和論』の中で、ガルトゥング先生は、日本が主導して平和を実現するための代替案を提示する。具体的には、日本が米国に対して取るべき立場について、そして東北アジア諸国―２つのチャイナ（中国と台湾)、２つのコリア（北朝鮮と韓国)、そしてロシア（極東ロシア）―との関係改善のために取り得る政策である。これは歴史的事実と現実的国際情勢分析に裏付けられた十分に実現可能な理想的ビジョンであり、まさに「日本人のための平和論』ともいうべき作品である。

ここで次に、ガルトゥング先生が2015年8月に沖縄で行った講演「戦後70年　ガルトゥング氏が語る『積極的平和』と沖縄」(琉球新報社、新外交イニシアティブ主催）に注目してみたい（「首相は積極的平和の言葉『盗用』平和学の父・ガルトゥング氏」『琉球新報』2015年8月23日)。ガルトゥング氏は講演に先立ち、新基地建設が進む名護市辺野古を視察し「安倍首相は『積極的平和』という言葉を盗用し、私が意図した本来の意味とは正反対のことをしようとしている」と政府姿勢を批判した。また講演では、(当時) 国会で議論されていた集団的自衛権の行使について「時代遅れの安全保障」と、世界の潮流に逆行すると断じた。その上で「北東アジアの平和の傘構想を沖縄から積極的に提起していくべきだ」と強調した。世界の趨勢は軍事基地をなくしていく「新しい平和秩序」に向かっているとし、ヨーロッパ共同体 (EU) や東南アジア諸国連合 (ASEAN) などに遅れて北東アジアも2020年には共同体形成へ向かうとの展望を示した。

さらに、日本、ロシア、韓国、北朝鮮、中国、台湾の６カ国・地域による北東アジアにおいて「沖縄は地理的に非常に重要な位置にある」と指摘したことが注目される。尖閣諸島や竹島、北方領土の問題で日本は台湾以外には周辺諸国と好ましくない関係にあるとし、核の傘ではなく「平和の傘を築く必要性がある」と述べた。その上で、独立の気概をもって特別県になるなどして国際機関を誘致し、共同体の本部を置けるよう早く名乗りを上げることも提唱した。そして、沖縄は米国と日本に植民地のように扱われてきたとの認識を示すとともに、それを乗り越えるには、単に「基地反対」を叫ぶだけではなく、北東アジアの「平和の傘」構想を沖縄から積極的に提起する必要性を力説した。

ヨハン・ガルトゥング先生は、鳩山友紀夫氏の対談においてもそのような認識・見解を提示している。今回の対談の大きなテーマは、(１) 揺れ動く朝鮮半島情勢をどう見るか、(２) 沖縄問題とは何か、(３) 日本はみずから進んで対米従属し、国際社会から孤立しようとしているのはなぜか、(４) 東アジアの平和と共生を今後どうやって実現するのか、という四つの柱からなっている。

(１) 第一のテーマは、朝鮮半島情勢についてである。最初にガトゥング先生から、この問題については1952年まで遡って考える必要があり、将来に向かっての平和的なビジョンを持つことが一番大事だとの指摘があった。また、①休戦協定から平和条約へ、②外交関係の正常化、③朝鮮半島全体の非核化、の３点が北朝鮮側の平和政策の重要なポイントであり、アメリカ側にはそうしたビジョンが欠如しているとの指摘があった。北朝鮮は朝鮮戦争で350万人が犠牲となっており、キム・イルソン (金日成) 以降、二度と再びこういうことは繰り返させることはできない、との決意のもとで着々と防御を固めていった。それが現在問題とされている北朝鮮の核ミサイル開発の背景にある。北朝鮮は国連などの厳しい制裁の結果、もうお手上げとなってようやく話し合いに応じることになった、という大方の見方は間違っている。これまで南北首脳会談を行なった韓国のキム・デジュン（金大中）政権、ノ・ムヒョン政権、ムン・ジェイン政権とも非常に対等ないい関係を作ろうとした。しかし、アメリカは、韓国は自分たちにとって非常に大事な駒だと考えていたため、南北が平和になるのは、南という駒を失うことになるからアメリカにとって不都合であった。だからこそ妨害をしてきた。今回北朝鮮側の態度を硬化させた米韓年次軍事演習もその一つのデモンストレーションの大切な場であった。

トランプ大統領もそうだが、アメリカには自分たちは特別の存在だとのアメリカ例外主義の考え方があり、建国以来、248回の軍事介入を行ってきたという歴史的バックグラウンドがある。トランプ大統領は、北が非核化することと同時に、南から、米軍が撤退する用意があると表明している、しかし、南に配備されている核兵器を撤去するとは言ってない。しかも、トランプ大統領の側近たちは、南に配備されている核兵器の撤廃なんか、もともと考えていない。これでは北がたとえ仮に非核化したとしても、南から核兵器が撤去されていなかったら、あまりにもアシンメトリック（非対称的）な、いびつな力関係になるわけで決して平和な状態になるはずがない。日本の安倍首相は「集団的自衛権」や「積極的平和」という、ごまかしたような言い方じゃなくて、集団的攻撃能力とか、攻撃、戦闘能力とか、言葉をはっきりするべきだ。

これに対して　鳩山先生はまず、なぜ北朝鮮が核ミサイルの開発を続けなければならなかったかという、原点に遡ることが必要だとのガトゥング先生の指摘に賛同している。キム・ジョンウン委員長は2017年の11月に行った「火星」と呼ばれた弾道ミサイル実験「成功」によってアメリカまでの到達能力を持ちえたと考え、アメリカと十分な交渉をする余地が出てきたと判断した。ムン・ジェイン大統領は、ノ・ムヒョン（盧武鉉）大統領のときに残りの任期が少なかったために、残念ながら南北首脳会談はしたが、そのあと、大した成果を得ることができなかった。だから自分はなんとしても南北首脳会談を早い段階で開いて開いて米朝首脳会談につなぎたかった。そこにはムン・ジェイン大統領の強い意志が働いていた。

トランプ大統領は、中間選挙勝利とノーベル平和賞受賞の思惑もあってムン・ジェイン大統領の誘いに乗って朝鮮半島和解プロセスに乗り出した。ところが、だんだんと米朝首脳会談が成功してしまうことを好まない軍産複合体の人たちとか、朝鮮半島が平和になることを決して望まない人たちが周りにそうとう多くいて、例えばリビア方式など強引なことを言って敢えて北朝鮮を怒らせて、会談を中止に持っていったのではないか。またアメリカや日本が考えているのは、「北朝鮮の非核化」であり、自分たちの非核化には触れてない。一方で、キム・ジョンウン大統領や、中国、ロシアなどは、「朝鮮半島全体の非核化」を主張している。私は米朝首脳会談が、もし成功するとすれば、この違いの溝が、だんだん埋まっていくと期待していたが、ガルトゥング博士も言われたように、南の方の非核化は非常に難しい状況にあると思う。この間の日本側の対応について言えば、安倍首相が北朝鮮に対して、対話の時代は終わった、これからは制裁しかないということを話されたのは、明らかに誤りである。安倍首相は私とは逆に、大日本主義、特に軍事的に強い日本をつくりたい。そして集団的自衛権を行使して、アメリカにも協力して、自衛隊を世界に派遣していこうというマインドを持っている。軍事的な大国を作るためには仮想敵が必要であるとの発想があり、だからこそ北朝鮮を必要以上に脅威と見なしてきたのではないか。

（2）第二のテーマは、沖縄問題とは何か、である。この問題でガルトゥング先生は、普天間飛行場移設計画について、「日米両政府が進める『プランA』（第一案）は東京やワシントンから遠いところに軍事基地を置こうとするもの。軍拡は他国を刺激し、戦争につながる可能性もある。積極的平和を通じた『プランB』（別の提案）が大事だ」という考えを以前から著書や講演などで明らかにしている。その『プランB』とは、沖縄を拠点とする北東アジア共同体の構築という平和ビジョンの提案である。ガルトゥング先生は、沖縄は、昔から軍事的なものをベースにしない、非常に平和な国家であったと言われている。いま東南アジア諸国連合がある、同様に東北諸国連合も在り得る。そうであるならば、東南アジア諸国連合と東北諸国連合を合わせて北東アジア共同体を作り、その新しい国家連合・共同体の中心・首都を沖縄に置くのがベスト、という積極的なビジョンの提起を行った。こうした背景には、世界の趨勢は軍事基地をなくしていく

「新しい平和秩序」に向かっており、ヨーロッパ共同体（EU）や東南アジア諸国連合（ASEAN）などに遅れて北東アジアも今後徐々に共同体形成へ向かうという認識・展望が根底にある。具体的には、日本、ロシア、韓国、北朝鮮、中国、台湾の6カ国・地域による北東アジア黄道帯の構築である。先述した講演でも、「核の傘」ではなく「平和の傘を築く必要性がある」とし、その上で、沖縄は独立の気概をもって特別県になるなどして国連などの国際機関を誘致し、共同体の本部を置けるよう早く名乗りを上げることも提唱している。

一方、鳩山先生は、沖縄はもともと日本が植民地にしていたわけだが、いまだに本土から見ると植民地のように扱われており、さらに日本全体がアメリカの植民地同然で、真の独立を達成していない。こような状況から見ると、二重の意味で沖縄が植民地となっていると言えるのではないか、という重要な指摘をしている。またそれに関連して、米軍基地がない日本をつくることが、本来の保守思想としての考えであるべきなのに、むしろ保守派の、例えば自民党政権が好んで、沖縄の米軍基地を正当化してしまっていることは、きわめて恥ずかしいことではないか、という注目すべき問題提起を行っている。また、ガルトゥング先生が話されたことについて、「まさに今回の鼎談の、ある意味で結論のような部分をお話しくださったように思います。沖縄の役割も含めて、私が提唱している東アジア共同体の可能性というものに言及していただいたことは、大変、私にとっても勇気づけられる発言でした。」と語っている。そして、自分が総理のときに、最低でも県外に移設しようという試みがうまくいかなくなってしまって、最終的に海兵隊に関して、抑止力のために必要だと言ったことはっきりと誤りであった、と語っている。さらに、実は海兵隊自身は抑止力としての存在ではない。ある意味で方便として、抑止力という言葉を使ってしまったことは誤りだった、その抑止力ということ自体も、果たしてどのぐらいの意味があるのかということも、やはり考え直さなければいけない。と語っているのが注目される。具体的には、海兵隊を辺野古に移設させる必要性はない。むしろ米軍の存在を沖縄から撤退させても、十分成り立つのではないか。朝鮮半島の和解プロセスが今後より進展していく状況の中で、こうした主張はますます説得力を増すであろう。

（3）第三のテーマは、日本はみずから進んで対米従属し、国際社会から孤立しようとしているのはなぜか、という問題である。まずこの問題に関連して、ガルトゥング先生が、日本は「史上最悪の最も非平和的な国家（＝アメリカ）」と同盟関係にある。「ローマ帝国を超えたものがアメリカ帝国だ。そういう国と日本が同盟関係にあって、スクラムを組んで、外国と戦う。本気でそれを考えるのか。」という重要な問題提起を行っているのが注目される。

また、日本はより重要な存在になっている国連総会の役割に無関心で安保理のみを重視してそのメンバー入りに執着しているのは時代遅れの誤った考え方である。そして、安倍さんは国家間の戦争にとらわれすぎであまりにも軍事力とか、軍を中心に考えすぎている。その結果、日本という小さな視点でのみ行動しており、まさに日本が世界から孤立する原動力になっているのではないか。

これに対して、鳩山先生は、沖縄の日本からの独立以上に、日本がアメリカから独立するということが、先になければいけないと強調している。今の状態が、なぜここまで深刻になってきているかというと、日米安保から、地位協定、さらにはその地位協定によってつくられている日米合同委員会によって、米軍と日本の高級官僚が、秘密裏に決めたことが、実際の憲法よりも上位に来て、さまざまな秘密協定が生まれてしまっているということがある。

日本は戦後、軍事的な存在感ではなくて、経済的に大きな国になって、世界で認められる国になりたいということで活動してきた。それがバブル崩壊後に、より強い国を目指すんだ、今度は政治的な、すなわち軍事的な強い国にしようという大日本主義に転換した。その結果、更に対米従属を一層深めて、国際社会、とりわけアジアで日本が孤立することになった。また、日本人は戦後の出発点で「敗北の否認」をして戦争責任の総括・精算もちゃんとしなかったことでアメリカへの過剰依存・自発的従属と大日本主義（＝歪んだ大国主義）が今日まで続くことになった（白井聡氏の「永続敗戦論」）。日本が国連安保理入りにアジア諸国などからの支持を得られずに挫折した原因もそこにあるのではないか。また日本人は、アメリカには完全な劣等感を持つ一方で、アジアの国々、中国や韓国・北朝鮮などに対しては優越意識を持っている。ガルトゥング先生が言われる、このシンメトリー（対称性）という、常に国と国が対等であるということを、どっかで日本は捨ててしまっているというところが、一番大きな問題ではないか。

（4）最後に、東アジアの平和と共生を今後どうやって実現するのか、という第三の問題を考える。ガルトゥング先生は、「戦争をなくすことに成功した国家間連合」という点に注目し、具体的なモデル、すなわち、北欧諸国連合、EU（そもそものEC）、それからASEANなどを深く検討してみる必要があるという。戦争を避ける、あるいは平和な関係を築くためには、そこに横たわっている紛争を排除しなければ絶対に解決できない。またトラウマをなくす一つの方法は、コンシリエーション、和解である。今日の国際社会は、国家というシステムから、リージョンのシステムがより大事な時代に入っている。地図を見れば、日本はアメリカと共同というよりも、東アジア、ことに北東アジアにより近いということは明白である。その北東アジアを考えるときに、モンゴリアと満州を忘れないようにする必要がある。そして、日本もそうした北東アジア共同体の実現のために積極的に参加すべきである。

一方、鳩山先生は「平和というものは、決して武力、軍事力によって、到達しえるものではない」と強調する。したがって、どんなに時間がかかっても、日本という国が、いわゆる「常時駐留なき安保」、すなわちアメリカが日本全土に基地を持っているような、そういう状況から脱して、必要なときには協力を求めるが、普段は外国軍である米軍の基地は、日本の中には置かないという状況を、中間的な体制として必要としている。朝鮮半島がより平和になれば、その方向に向けてもっと加速的に動いてもいい時期が必ず来る。そのようなときに、この国日本は、対話と協調という路線で、ガルトゥング先生が「和解」と言われたように、あらゆる問題、コンフリクトなども、対話によって解決をするという道筋をつけるべきである。そのための一つの方策として、特に日本、中国、韓国が中心となり、北東アジアにアセアンの10カ国を加えた国ぐにが核となって、東アジア共同体を構想して、つくり上げていくべきではないか。その中核となるのが沖縄であることは間違いない。

✺ おわりに

解題を終えるにあたって感想を一言述べさせてもらうと、本当に驚くほどガルトゥング先生、カミングス先生と鳩山先生の問題意識と基本認識はかなりの部分が重なっており、三者が自然に共鳴し合っているのが大変印象深かったということです。また副題を「東アジアの和解プロセスと平和構築に向けて」とさせていただいたのも、そうした同じ目的意識・価値観を共有している方々であるということをあらためて実感したからです。今回、このような貴重な機会をいただいたことに御礼を申し上げます。

沖縄県民への提言

普天間米軍基地返還と辺野古米軍基地建設中止を目指して

東アジア共同体研究所所長 **孫崎　享**

1．主要論点

極東における米中軍事バランスは大きく変化し、今やこの地域に限定した米中軍事バランスは「中国に優位」の情勢に至っている。かかる状況下、米軍は、極東において米中軍事衝突が生じた場合、沖縄米軍基地への中国によるミサイル攻撃で基地が使用不可になることを想定せざるを得ない状況にある。これによって、米国にとり、沖縄に基地を有しなければならない状況は大きく後退した。そのことは、米国が普天間米軍基地返還を行いやすくする環境を、従来にも増して、形成している。

辺野古、普天間基地の軍事的有用性と、これらが返還ないし基地建設がなされなかった場合沖縄にもたらす利益とを比較すれば、圧倒的に後者が大きい状況となっている。

かかる状況下、沖縄県、及び沖縄県民が目指す普天間米軍基地返還と辺野古米軍基地建設中止は極めて適切な政策であり、これが継続され、かつ強化されることを祈念する。

今後、とりうる策としては、日本政府、沖縄以外の日本国民へ、沖縄県の主張の理解を広める方策は何かを追求することにある。

2．沖縄を巡る環境の変化

〔１〕今日、沖縄における米軍基地の在り様を考える際、多くの場合平成８年のSACO最終報告等の既存の枠内でどう対応するかが論じられてきた。

しかしながら、それ以降の極東における軍事情勢は大きく変化し、それに伴い沖縄における米軍基地の有用性もまた大きく変化している。この点での考察において、最も深く行ったものはランド研究所が2015年発表した「アジアにおける米軍基地に対する中国の攻撃（Chinese Attacks on U.S.

Air Bases in Asia、An Assessment of Relative Capabilities, 1996-2017)」であるとみられるので、その主要点を抜粋する。

○中国は軍事ハードウエアや運用能力において米国に遅れを取っているが、多くの重要分野においてその能力を高めている。

○中国は自国本土周辺で効果的な軍事行動を行う際には、米国に挑戦するうえで全面的に米国に追いつく必要はない。

○特に着目すべきは、米空軍基地を攻撃することによって米国の空軍作戦を阻止、低下させる能力を急速に高めていることである。

○1996年の段階では中国はまだ在日米軍基地をミサイル攻撃する能力はなかった。

○中国は今日最も活発な大陸間弾道弾プログラムを有し、日本における米軍基地を攻撃しうる1200のSRBM（短距離弾道ミサイル）と中距離弾道ミサイル、巡航ミサイルを有している。

○ミサイルの命中精度も向上している。

○滑走路攻撃と基地での航空機攻撃の二要素がある。

○台湾のケース（実際上は尖閣諸島と同じ）は嘉手納空軍基地への攻撃に焦点を当てた。台湾周辺を考慮した場合、嘉手納基地は燃料補給を必要としない距離での唯一の空軍基地である。

○2010年、中国は嘉手納基地攻撃で嘉手納の飛行を10日間閉鎖させることが可能であった。2017年には、中国は嘉手納基地を16～47日間閉鎖させることができる。

（注、米国は早期復旧能力を高める事を行っているが、基本的にミサイル攻撃への脆弱性は消滅しない）

○ミサイル攻撃は米中の空軍優位性に重要な影響を与える。それは他戦闘分野にも影響を与える。

○空軍を多くの基地に分散させるなどして、中国の攻撃を緩和することができる。

◎米中の軍事バランス

	台湾周辺	南沙諸島
1996年	米軍圧倒的優位	米軍圧倒的優位
2003年	米軍圧倒的優位	米軍圧倒的優位
2010年	ほぼ均衡	米軍圧倒的優位
2017年	中国優位	ほぼ均衡

今日、米国の安全保障関係者の見解の多くが上記ランド研究所の考察と軌を一にしている。

このランド研究所報告を基礎にして考えると、1996年台湾周辺で「米軍が優位」の状況を作るには沖縄の米軍基地は不可欠であったが、「中国優位」、つまり通常兵器での戦闘では米軍が負けるという状況が出てきた2017年以降、米国軍事戦略における在沖縄米軍基地の有用性は大きく減じている。

〔2〕次いで、沖縄の米軍基地の有効性を論ずる場合しばしば、抑止論が出てくる。

しかし、第二次大戦後の米国の軍事行動をみるに、米軍の出動と、米軍基地が当該地に存在するか否かの相関性は低い。米国は特定地域において軍事出動を行う時は、敵対勢力が米国が重要と考える地域において、軍事手段で勢力を拡大した時になされるのであり、その際、当該地に米軍基地が存在するか否かは重要な意味を持っていない。

具体例 (1)朝鮮戦争、米軍が顧問団を除き韓国から軍隊を撤退させた後に、北朝鮮が韓国に侵入した。これに対し米国は武力でもって反撃するとともに。攻撃を行った金日成政権を倒すことを目指して、38度線を越え北進した。(2)イラク：1990年イラクがクウェート侵攻を行ったのに対し、米国は湾岸戦争で対応した。この時、米国はクウェートに軍事基地を有していない。その他、リビアやシリアに対し米国は軍事行動を行っているが、これも米軍基地の存在と関係がない。

〔3〕第二次世界大戦以降、戦争の発生原因を見るに、(1)領土紛争、(2)内紛、特に民族紛争がらみ（特定民族が国をまたいで存続しているために内紛が戦争にエスカレート）、(3)不穏分子排除と民主化促進のための米国（一部欧州諸国）の軍事行動にほぼ限定される。

中国との関係でいえば、領土問題を平和裡に解決ないし管理しておけば軍事衝突の可能性は低い。

中国の軍事力強化と対外軍事行動の関係がしばしば議論され、様々な見解があるが、筆者は2009年の米国国防省の「中国の軍事力」の見解が妥当とみる。

①中国共産党を体制として生き残らせること、それを永久化することが

中国指導者の戦略の根幹にあり、彼らの選択の根拠になっている。

②共産党のイデオロギーは、いまや、国民を統一し、国民から政治的支援を得る役割を果たしえなくなった。

③その代わりとして、党指導者は政権の正当性と合法性を、経済的成果とナショナリズムに基礎づけている。

④しかしながら、おのおのが政治的支配を揺るがす危険性を持っている。中国指導者は、国内からの批判を避けるため、世論を操作し愛国主義的感情を煽ってきた。しかし、国民の外国への抗議は、いったん開始されてしまうと制御が難しい。国家の外国への政策が生ぬるいと、国民のナショナリズムの矛先は国家へと簡単に反転する。中国の指導部はその危険性を認識している（筆者注：尖閣問題で中国外務省は意図的に対日批判を抑制する政策をとってきている）。

⑤党指導者が、政権の正当性を主張する道は、経済的成果を示すことしかない。

⑥中国の経済が拡大するにつれ、海外の市場を確保することと、金属や化石燃料など、外国の地下資源への依存が増える。これが中国の戦略的行動を形作る重要な要素となっている（筆者注：これに加えて最新技術の流入、サプライチェインにおける相互依存が存在）。

⑦中国の経済発展が持続する環境を維持するため、中国は、米国との関係を中心に、緊張を管理することに集中していく（筆者注：今日米中間は貿易摩擦など緊張状況が高まっているが、総じて、中国は、米国以上に、摩擦がエスカレートしないことに配慮している）。

⑧それを裏付けるように、唐家璇前外務大臣は次のように説明している。

「主要な国際紛争の焦点になることを避け、我が国の発展への圧力と障害を減じ、発展の目標を達成するに望ましい環境を作るため、最大限の努力をすることが必要である」

〔4〕北朝鮮と沖縄を考えてみよう。

第二次大戦が終わり、1945年9月、ソ連が朝鮮半島を支配下におくことを阻止するため、急遽38度線に送られたのは、在沖縄米軍である。また朝鮮戦争勃発時、急遽朝鮮半島に送られたのも在沖縄米軍である。従って、朝鮮半島有事の際に、米軍が沖縄を拠点として展開したいと考える時期があった。

しかし、今や北朝鮮の脅威は、ミサイルと核兵器を持つ国としての脅威である。

これにどう対峙するか。

キッシンジャー元米国務長官は、彼の古典的名著とされる『核兵器と外交政策』に、次のように記述している。

○核兵器を有する国は、それを用いずして全面降伏を受け入れることはないであろう。

○一方で、その生存が直接脅かされていると信ずるとき以外は、戦争の危険を冒す国もないとみられる。

○無条件降伏を求めないことを明らかにし、どんな紛争も国家の生存の問題を含まない枠を作ることが、米国外交の仕事である。

こうした考えは今日でも米国の主要安全保障関係者間に継承されていて、世界で最も権威のある研究所とみなされている外交問題評議会会長のリチャード・ハースは、「北朝鮮の核開発プログラムからの10の教訓」と題する論評の中で、「核拡散に対応する他の手段は時の経過と共に、悪化している。1990年代初め、米国は軍事使用を考えたが、朝鮮戦争を引き起こす可能性から止めとなった。状況は改善されず、使用すべき軍事力はより大きく、成功の見通しはより不透明となった」として軍事対応に消極的姿勢を示し、「全ての問題が解決されるというものではない。幾つかの問題は管理できるだけである。こうした危機を管理することは満足できるものではないが、多くの場合それが望みうる最大のものである」としている。

軍事的対応を主たる対応策とみなさない時代には在沖縄米軍基地の重要性は減ずる。

北朝鮮に関しては、国連憲章の①主権を尊重する、②軍事攻撃の脅迫を行わない等の原則に基づき、日本が北朝鮮の政権、指導者を抹殺する軍事行動に参画しない方針を打ち出せば、日本攻撃の可能性はほぼ存在しない。

以上、沖縄を巡る軍事環境の変化を見てきたが、米国米国戦略上在沖縄米軍基地の重要性は大幅に減じてきているのである。そのことは、普天間米軍基地の沖縄からの移転を行いやすい環境を形成していると言える。

〔5〕日本は、ソ連、中国、北朝鮮という核兵器保有国に囲まれている。従って核兵器の脅威から守るために緊密な日米関係が必要であり、そのためには米国が必要とする在日米軍基地を提供しなければならないとの論が

ある。いわゆる「核の傘」論である。

今日の核兵器時代「核の傘」はない。

ヘンリー・キッシンジャーは著書『核兵器と外交政策』の中で「核の傘はない」と主張し、次を指摘している。

「全面戦争という破局に直面したとき、ヨーロッパといえども、全面戦争に値すると（米国の中で）誰が確信しうるか。米国大統領は西ヨーロッパと米国の都市50と引き替えにするだろうか。西半球以外の地域は争う価値がないように見えてくる危険がある。」

こうした見解に対し、日本の米国を専門とする学者ですら、時に、キッシンジャーだけが米国を代表するのでないと述べる人がいるので、次を紹介する。

1986年6月25日付の読売新聞一面トップは、「日欧の核の傘は幻想」「ターナー元CIA長官と会談」「対ソ核報復を否定。米本土攻撃時に限る」の標題のもと、次の報道を行っている。

「軍事戦略に精通しているターナー元CIA長官はインタビューで核の傘問題について、アメリカが日本や欧州のためにソ連に向けて核を発射すると思うのは幻想であると言明した。

我々は米本土の核を使って欧州を防衛する考えはない。

アメリカの大統領が誰であれ、ワルシャワ機構軍が侵攻してきたからといって、モスクワに核で攻撃することはありえない。そうすればワシントンやニューヨークが廃墟になる。

同様に日本の防衛のために核ミサイルで米国本土から発射することはありえない。

我々はワシントンを破壊してまで同盟国を守る考えはない。

アメリカが結んできた如何なる防衛条約も核使用に言及したものはない。

日本に対しても有事の時には助けるだろうが、核兵器は使用しない。」

〔6〕外国が軍事基地を持つのは世界で極めて異例

上記で、核戦争であれ、通常兵器での戦争であれ、日本の安全を米軍に依存して守るのは難しいことを指摘した。その理解は、在沖縄米軍基地を容認するかしないかを判断する際の極めて重要なポイントとなる。

ついで、我々は戦後75年以上にわたって自国に外国軍が存在するのを当然視しているが、世界的に見ると極めて異常な事態である。

軍事力を誇示するロシアですら、ソ連崩壊後独立したウズベキスタンから全てのロシア軍の撤退を求められた時、それに応じている。米国はフィリピンから米軍の撤退を求められた時、これに応じた。更に、ドイツからの基地縮小を求められた時にこれに応じた。イラクから撤退を求められた時にもこれに応じた。基地の撤退を求めたことによって、米国とこれらの国との関係で、通商など他の分野に深刻な影響を与えた例はほとんどない。

歴史的に見てみよう。日本は1945年ポツダム宣言を受諾し、これが戦後体制の基盤であるが、ここには次の条項がある。「日本國國民ノ自由ニ表明セル意思ニ從ヒ平和的傾向ヲ有シ且責任アル政府ガ樹立セラルルニ於テハ聯合國ノ占領軍ハ直ニ日本國ヨリ撤収セラルベシ」。独立後、如何なる形で米軍が駐留し続けることになったかの経緯は複雑なので、ここでは割愛する。

3．普天間米軍基地の撤退を要求する方策の模索

〔1〕普天間基地撤回を求める論理構成を確立する必要性

筆者のささやかな経験をもとに、米国に対峙する際に、論理的に日本側の主張がより正当性をもてば、米国はそれに耳を傾ける可能性のある国と判断している。遺憾ながら、これまでの日米安全保障関係は「米国追随することで、不安定な日米関係を作らない」ことを最重視し、米国側を説得する論理構成の追求を行ってこなかったといえよう。

この点で、米軍撤退を求める論理の中心になるのは、米国に対して、米国の他同盟国と同等の扱いを要求することであろう。つまり、ドイツ、イタリア並みの扱いを要求することである（注：イタリアは第二次大戦終了時戦勝国側。従って在伊米軍は完全な主権国であるイタリアを前提に諸条件が形成されたという特殊事情がある）。

ドイツはNATOと地位協定を結んでいる。この中に次の条項がある。

「共同の防衛任務に照らしてもその使用よりもドイツ側の利益が明らかに上回る場合には、ドイツ当局の当該施設区域の返還請求に適切な方法でこれに応ずるものとする」（「ドイツ駐留NATO軍地位補足協定」48条5）

この条項に基づく態勢を取ることが、基地返還の基礎になると思慮する。

〔2〕米国が日本の論理を受け入れるか否かは、米国の時の政権による。

日本国内の多くの人には誤解されているが、2010年鳩山首相が普天間基地について「最低でも県外」を述べていた時には、これに同調する空気が、実は、米国には存在したのである。日本政府が真剣に天間米軍基地の要求を行った際、米国の中でそれを理解する層が出てくることを理解することは、今後の日本側の対応を考察する際に重要である。

この時期を正確に理解する必要があるので、次を引用する。出典は筆者の『21世紀の戦争と平和』である。

…………………………………………………………………………………………

日本では報道されませんでしたが、このとき一人の米国人が訪日していました。ジョージ・パッカード氏です。エドウィン・ライシャワー駐日アメリカ大使の特別補佐官を務め、その後、ジョンズ・ホプキンス大学高等国際問題研究大学院（SAIS）学院長、国際大学（IUJ）学長を歴任した人物です。

この情報はおそらく鳩山首相には届きませんでしたが、鳩山政権で普天間米軍基地問題が難航しているころ、パッカード氏は国会の中で議員達と意見交換を行い、次の主張をしました。

○残念ながら、普天間問題は海兵隊の論理が国防省の論理になり、国防省の論理がホワイトハウスの論理になる。

○政治は本来逆であるべきだ。

まさに彼の言う通りだと思います。

同じく鳩山政権下だった、2010年1月7日付の米紙ニューヨーク・タイムズに、1996年の日米同盟「再定義」にたずさわったジョセフ・ナイ・ハーバード大学名誉教授が「(日米) 同盟は一つの問題より大きい」と題し寄稿しました。そこでナイ氏は普天間移設問題を次のようにとらえています。

○驚くことではないが、ワシントンにおけるある人々は日本政府に非妥協的態度で臨もうとしている。しかし、それは賢明ではない。

○我々は日本に対しもっと忍耐強く、かつ戦略的に臨まなければならない。我々は現在二次的な重要性しかない普天間問題で、米国の東アジアでの長期的戦略を脅かしている。

○中国が長期的な脅威となり、核兵器化した北朝鮮も脅威となるなかで、東アジアの安全の最善の保障は（日本での）米軍の維持であり、日本は寛容な基地支援を行っている。

○しばしば日本の官僚は外圧を歓迎する。しかし、ここではそうあってはならない。もし米国が日本の新政権の土台を揺るがし、日本の世論の反発を招けば、普天間での勝利はあまりにも多くの犠牲を払ったpyrrhic victoryの勝利と言わざるをえない（筆者註：エピラスのピュロス王がローマ軍と戦い勝利を収めるが、あまりにも犠牲が多かった。そのことにちなみ、犠牲が多くて引き合わない勝利のことをpyrrhic victoryという）。

さらに、2010年1月21日付のニューヨーク・タイムズでは、国際政治学者のジョン・アイケンベリー氏とチャールズ・カプチャン氏による「新しい日本、新しいアジア」と題する論評が掲載されました。そこで両氏は「自立し自己主張する日本のほうが、ワシントンの言うことに従う日本よりも東アジアに貢献することが期待できる」と主張しています。

また、米外交問題評議会が発行する政治ジャーナル「フォーリン・アフェアーズ」誌の2010年3／4月号で、パッカード氏は「米国は、日本がその領土内における米軍の存在を削減しようという意思を尊重し、基地に関する協定の再交渉を支持すべきである」と主張しました（筆者注：保守派の論客ロバート・ケーガンも当時、日本の主張を受け入れるのも一つの選択としてありうるとの発言をしている）。

……………………………………………………………………………………

つまり、日本政府が確固として普天間基地の「最低でも県外」を要求した時、米側が耳を傾ける可能性がありうるということである。

〔３〕鳩山政権での失敗

将来の行動のため、鳩山内閣が何故、普天間基地の「最低でも県外」が失敗した理由について十分考察しておく必要がある。

①国防省の強硬姿勢。米国防相及び極東担当次官補レベルは防衛大臣に直接強い圧力をかけた。外務省は早期に鳩山政権の「最低でも県外」政策を潰す路線を取り、鳩山政権を倒す先兵役を演じた、

②「最低でも県外を主張することは日米関係を壊す」との論がマスコミで展開された。

③「最低でも県外」の代替基地を鳩山政権が自ら探そうとした。従って提言が軍事的に意味合いを持たないものになり、「最低でも県外」は全く思いつきレベルの提言であると位置付けられた。

④こと普天間問題では、2010年当初から「最低でも県外」を模索する鳩山首相は政権内で完全に孤立していた。「最低でも県外」を模索する鳩山首相を助ける人物は政権内には全く存在しなかった。

「最低でも県外」の主張において、代替地を日本側が探す努力は行わない方がよい。

フイリピンであれ、ドイツであれ、イラクであれ米軍が全面的ないし部分的撤兵を行った時に、受け入れ国側が移転先を探すことは行ってきていない。

特に在沖縄海兵隊の場合、現在でも海外展開を行っており、どこが最適であるかは、日本の能力を超えている。鳩山政権時代、米国軍事関係者の間で、「移転先については多くの選択肢がある」との発言もあった。

〔4〕「最低でも県外」を日本の政策とするのに、沖縄は何ができるか。

「最低でも県外」が日本政府の政策とならない背景には次の背景がある。

①多くの国民は「"最低でも県外"を唱えた場合、日米関係が崩れる」と考えている。

②多くの国民は、「日本の安全は米国によって確保されている。従って沖縄には悪いが現状を続けて欲しい」と考えている。

③多くの国民は、「中国、北朝鮮の脅威に対して米国の軍事力に依存している。従って米国の欲する基地提供は行わざるを得ない」と考えている。

こうした認識が強い限り、普天間移設を日本政府が真剣に取り組むのは難しい。従って、普天間移設を実現させるためには、沖縄はこれら問題にも積極的に取り組むべきである。

これを踏まえて、なしうる対応策には次のものがある。

（1）日米地位協定に不適格な部分があることにつき、沖縄以外の人々との連携を強化する。沖縄県知事の努力により、全国知事会の中で、日米地位協定見直しの機運が高まっている。

（2）沖縄が起点となり、中国との相互依存関係を強化するプロジェクトを推進する。

（3）沖縄が起点となり、尖閣諸島問題に関し、日中間の協議を非政府レベルで実施する。

(注：紛争を避けるため、「日中漁業協定」がある。双方にその重要性の認識がどの程度進んでいるかには疑念がある。これが有効に機能することの理解が進めば、

日中軍事衝突に対する疑念が軽減する)

(4) 沖縄が起点となり、日本、中国、韓国、北朝鮮の対話の場を設ける。

(5) 沖縄が基地返還を行える理論的根拠は、「共同の防衛任務に照らしてもその使用よりもドイツ側の利益が明らかに上回る場合には、ドイツ当局の当該施設区域の返還請求に適切な方法でこれに応ずるものとする」の理念を応用することにあるとみられる。従ってこの路線で日米関係の交渉を進めるべしとの考えを促進する上でも、この評価を、沖縄独自のイニシアティブで毎年実施する(毎年とする理由は、東アジアにおける安全保障環境の変化は極めて流動的であることによる)。

「基地の有用性」と「返還した時に生じる利益」の精査を同時並行的に行うことは、安全保障関係者に、彼らの進める安全保障政策がいかなる犠牲の下に行われているかを理解する機会となる。

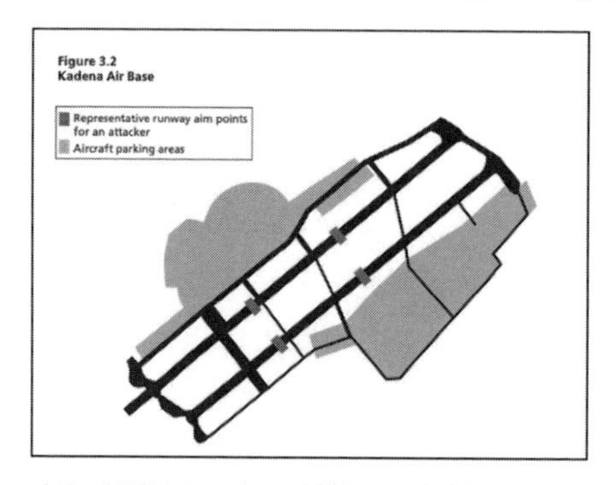

直近の中国領から650キロしか離れていない嘉手納基地では、
中国が108ないし274発の中距離ミサイルを集中的に発射し、
嘉手納の2本の滑走路にそれぞれ2個所、直径50メートルの穴を空けらると、
米軍の戦闘機が飛べるようになるまでに16～43日、
大型の空中給油機が飛べるようになるには35～90日もかかる。

Table 7.12
Total Expected Chinese Submarine Engagement Opportunities Against a Single U.S. Aircraft Carrier, Seven-Day Campaign

Cueing	Scenario	1996	2003	2010	2017
No cueing	Taiwan	0.04	0.09	0.42	0.58
	Spratly Islands	0.03	0.07	0.33	0.45
With cueing	Taiwan	0.19	0.59	3.25	4.68
	Spratly Islands	0.17	0.48	2.54	3.63

NOTE: Green shading indicates cases 0–0.2 engagements, yellow indicates 0.21–0.5, and red indicates more than 0.5.

中国のレーダーシステムの著しい進化によって、中国の潜水艦の米空母に対する攻撃能力は圧倒的に中国に有利に傾いた。

❖ 辺野古、南西諸島での基地建設問題

対談

問題だらけの設計変更

—軟弱地盤・活断層に揺らぐ辺野古新基地を 土木工学、環境の専門家が暴く

沖縄平和市民連絡会 **北上田 毅**
沖縄大学名誉教授 **桜井 国俊**
《司会》東アジア共同体研究所 琉球・沖縄センター長 **緒方 修**

防衛省沖縄防衛局は2020年4月、辺野古新基地建設で埋め立て海域の軟弱地盤改良工事などの設計変更を沖縄県に申請した。同海域にはマヨネーズ状と形容される軟弱地盤や活断層が存在する疑いも浮上し、設計変更に対し、地質学や土木工学、環境の専門家は「工事は不可能。さらに大規模な自然破壊を避けられない」と厳しい批判の声を上げた。東アジア共同体研究所 琉球・沖縄センターは、桜井国俊沖縄大学名誉教授（沖縄環境ネットワーク世話人)、北上田毅氏（元土木技師・沖縄平和市民連絡会）の両氏に「辺野古新基地建設—設計変更　何が問題か」をテーマに対談していただき、その模様を東アジア共同体研究所の YouTube 動画・UIチャンネルで放映した。

✺ 地盤沈下は避けられず

緒方　防衛省は普天間飛行場を移設する辺野古新基地建設で設計変更を沖縄県に提出した。海底70mまで軟弱地盤、さらに20m、90mまで達しないと硬い層に達しない。そこにサンドパイル、砂のパイルを打ち込むことで、さらにカネも工期もかかる。土木工学や地質学の専門家は、そもそも軟弱地盤の調査が不十分であり、工事は実現不可能、護岸の崩落さえ起こしかねず、大規模な海洋汚濁を起こすと指摘している。県の試算で新基地工事は２兆5000億円の巨費を要する。実現見通しのない工事は、国民の血税を海に投げ捨てるようなものだ。不要不急の基地建設ではなくコロナ対策に回すべきだとの声が上がっている。環境学の専門家、桜井国俊沖縄大学名誉教授、土木技術士の北上田毅氏に問題点を話し合ってもらう。

桜井　辺野古の海に土砂が投入されて１年半。現在の状況は。

北上田　映像（2020年4月現在）では大量の土砂が投入されたように見えるが、全体からすると必要な総土量の1.6％に過ぎない。ただ防衛局も工事のペースを上げており、これをどうするかが課題だ。

桜井国俊　　　　**北上田毅**

桜井　設計変更の具体的な内容は。

北上田　中心となるのは大浦湾の軟弱地盤の改良工事で、海面下70mと非常に大規模な工事だ。日本では海面下65mの実施例しかなく、非常に困難な工事と防衛局も認めている。大浦湾の埋め立て区域の約６割、面積にして66haを地盤改良する。杭だけで７万数千本。深さの問題、杭が非常に長く、非常に困難な世界でもまれな工事だ。

桜井　この設計変更で軟弱地盤を解決できるのか。

北上田　防衛局の改良工事では問題を解決できず軟弱地盤の改良は不可能と私たちは見ている。軟弱地盤は２年前（2018年3月）の情報公開請求で明らかになり、当初は海面下70mとされたが、追加の土質調査結果で海面下90mまでの軟弱地盤の存在が判明した。70mでも世界で実施例がないのに90mでは不可能と指摘したが、国は「海面下90mまで軟弱地盤が続くが、70mから90mの範囲は非常に硬い粘土層であり地盤改良は必要ない、だから海面下70mまでの地盤改良でいい」と言っている。70m以下の20mが地盤改良されなければ残りは当然、地盤沈下が起こり、供用開始後に沈下する滑走路の補修が延々と続くことになる。滑走路の周囲の護岸も沈下し、当初から沈下を見込んだ護岸工事ということで、（不安定な地盤の上に並べる構造物となる）ケーソン護岸の断面図を見ると、ケーソン護岸の天端（最頂部）の高さが低い所で4m、高い所は5.5m。沈下が一番ひどい所との差が1.5mも護岸の高さが違う。それが最終的には沈下して均等になる、と言うが、（その根拠は不明確で）、（高さが異なるケーソンの）繋ぎ目の部分はどうなるかなど非常に難しい問題がある。複雑な地盤沈下になることは間違いない。

桜井　地盤沈下は北上田さんが情報公開請求して明らかになるまで隠し通されていた。

北上田　防衛局は２年前の情報公開の３年前、2015年に地質調査し軟弱地盤が何カ所もあることを知りながら沖縄県にも一般にも公表せず３年間隠し通した。当初は70m、さらに90mまで軟弱地盤があることが分かった。

桜井　90mの深さの軟弱地盤に日本の土木技術は対応できるのか。

北上田　技術の問題以前に作業船の問題がある。防衛局資料によると日本には海面下70mに対応する作業船は１隻のみ、改良により可能な作業船が２隻。防衛局は工期短縮のため２隻を改造し３隻並べて杭打ちをするというが、日本にある船を全て辺野古に集中させることが果たして可能か。防衛局は地盤改良に９年３カ月の工程を出しているが、作業船の調達が遅れるとどうなるか。

✺中小規模の地震対応レベル

桜井　軟弱地盤だけでなく活断層の問題もある。新基地建設への影響は。

北上田　大浦湾の奥から楚久断層、キャンプシュワブ、弾薬庫から辺野古断層という２つの断層が確認され、その延長部分が埋め立て区域で合流し海面下90mの深い谷になっている。琉球大学の加藤名誉教授、新潟大学の立石名誉教授らは、この２つの断層は活断層と指摘している。立石教授ら地質学者は2019年から調査を行い、活断層の可能性が非常に高いと見ている。軟弱地盤の深さの問題と活断層の疑いが強いことが明らかになっている。2018年8月に沖縄県が埋め立て承認を撤回した大きな理由だ。新基地の埋め立てに不適切な箇所であるということだ。

桜井　立石教授らの活断層の指摘を防衛局はどう受け止めているか。

北上田　信じがたいことに防衛局は、既存の文献に活断層の存在は指摘されていない、だから心配ない、と言っている。ところが防衛局は2014年から一帯で毎年大規模な地質調査、海底の音波調査等の調査を行っている。これらの調査を地質学者に提供すれば問題が明らかになるものを、防衛局はそうせず、既存の文献にないから活断層がないと言い張っている。防衛局の非科学的、非論理的な姿勢に問題がある。

活断層の非常に大きな問題は、大規模な埋め立て工事に対する設計の耐震レベルの問題だ。レベル１は中小規模の地震、レベル２は東日本大震災のような大規模地震への対応だ。国土交通省の指導で日本の主要13空港は大規模地震を想定するレベル２で設計されている。ところが辺野古新基地はレベル１のままだ。軟弱地盤があり活断層の疑いも強いのに、なぜレベル１のままなのか。大規模の難工事でレベル１の対応が精いっぱいで、レベル２では対応が成り立たない。工事、護岸の設置は不可能ということで

防衛局が（レベル１設定から）逃げ回っているとしか考えられない。

世界でも前例のない地盤改良工事

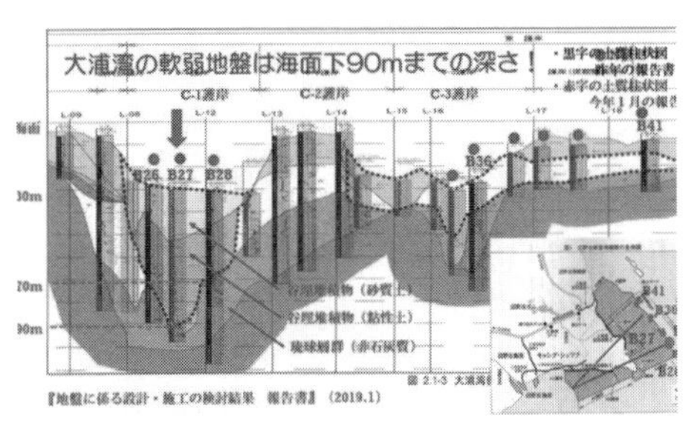

✺ 想像絶する難工事

緒方　地盤改良が必要。護岸工事も変更。工期が12年に延び、総工費も9300億円に膨れ上がる。県試算では２兆5000億円にもなる。想定外の事態が起きている。地盤改良は辺野古側の遠浅の海から急傾斜の深い海に落ち込む部分で難工事の地盤改良が可能なのか。砂杭を70m、90mも打ち込むことが可能なのか。

北上田　70mまでしか対応できず、90mまでの未改良部分が残る。だから供用開始後も数十年にわたって地盤沈下が続くということだ。地盤沈下すればジャッキ・アップで滑走路を上げると言うが、延々と日本政府負担の補修代がかかり続ける。9300億円の工費に補修費はまったく含まれていない。

緒方　ケーソン護岸の1.5mの高さのでぼこぼこが、沈下により均等の高さになるというが、そんなに自然に沈んで平らになるものか。

北上田　土木工学で地質力学を専攻してきたが、土は科学的に分析できるものではない。（辺野古建設の）技術検討会の議事録でも委員は「沈下はやってみないと分からない」と発言している。しかもこれまでの地盤沈下、軟弱地盤の改良工事は羽田、新関西空港の増設事業で行われたが、いずれも海底地盤が均等（平ら）な場所だ。シュワブ沿岸部から急激に深くなり、海底の地質も沈下量も異なる。だからケーソン護岸の高さがすぐ隣で1.5ｍも違う。それも計算通りいくか分からない。想像を絶する難工事だ。

桜井　まさに使えない飛行場になる。

北上田　米国防総省の滑走路の平坦性の基準があり、辺野古は沈下を想定したその基準からいうと全然だめだ。米軍が世界で新しい滑走路を造る場合の国防総省の統一施設基準を最初から無視している。

緒方　ということは出来上がっても使用に耐えないものになる…。

北上田　その可能性は大きい。

✺ オスプレイ隠しの辺野古アセス

緒方　環境問題について桜井さん。

桜井　設計変更の工事が大浦湾の環境にどのような影響を与えるか。設計変更の申請で防衛局は「設計変更に伴う環境の影響を予測したが、（設計変更）以前と比べ、環境への影響は同程度、またはそれ以下」としている。設計変更前の当初の設計に対する環境影響の予測はどうだったか。「辺野古アセス」と呼ばれるが、我々は「独善、時代遅れの最悪のアセス」と呼んでいる。「独善、時代遅れの最悪のアセス」と先頭を切って評したのは初代アセス学会会長の島津康男氏だ。防衛局は何をしたか。アセスの設計図となる方法書を2007年8月に出したが、その３カ月前の５月に大がかりな事前調査をした。明らかにアセス法違反の事前調査だ。調査に26億円もかけ、自衛艦「ぶんご」を出して反対運動の市民を脅し、現場を知らない人間が海に潜りサンゴを壊しながらサンゴの調査機器を設置した。

さらに最悪なのは辺野古新基地はオスプレイを100機配備する計画で、その環境影響を議論すべきなのに、方法書＝アセスの設計図にオスプレイのオの字もない。一年かけて調査、予測、評価し結果を書いた準備書にもオスプレイの文字はなかった。ジュゴン裁判の米国防総省の資料に普天間飛行場、代替となる辺野古にもオスプレイを配備すると書かれていたが、日本政府は米国に、配備が明らかになると反対運動が大変だから出さないでくれと頼んだ。アセスの方法書、準備書でもオスプレイに触れず、そのままだと配備出来なくなるので、市民が意見を言うことができない最後の評価書にオスプレイ配備を書いた。オスプレイの後出しじゃんけんだ。アセス法には後出しはダメだ、と明確にあるが、防衛局はそれをやった。

方法書にも準備書にもオスプレイ配備が書かれず市民は意見を言う機会を奪われた、として我々は辺野古裁判、アセス裁判を起こした。しかし最高裁は原告適格なしと切り捨てた。環境問題の世界標準であるオーフス条約（環境に関する情報へのアクセス、意思決定における市民参加、司法へのアクセスに関する条約）の３原則は環境情報への市民のアクセス、意思決定への市民の参加、納得できない場合に裁判に訴えることができる司法アクセスだ。それを日本の最高裁が原告不適格、訴える資格なしと切り捨てたことは、いかに日本のアセス制度、環境を守る制度が世界標準から立ち遅れているかを示した。

✺ジュゴンはどこへ―説明なし

桜井　この「辺野古アセス」でジュゴンが３頭いることが分かった。ジュゴンＢの母親ジュゴンは死んでしまい、ジュゴンＡとＣがどこにいるかわからない。３頭に起きたことを「辺野古アセス」は説明できない。ジュゴンがまだ生きているのではないか、という希望につながる情報が今年2020年２月に出てきた。工事をしていないときに大浦湾にジュゴンの鳴き声が聞こえた。ジュゴンはまだ生きている可能性がある。この間、ジュゴンに何が起きたのか。そしてこれから設計変更をしてとんでもない工事をしたら、ジュゴンに何が起きるか。防衛局が今回、実施したという環境影響の予測がそれをきちんと説明できているのか、県知事は申請書を厳しくチェックし、ちゃんとしていなければ、知事は「まともなアセスをやり直してこい」と言うべきだ。

それから軟弱地盤への設計変更の内容が適切であるかをチェックするため技術検討委員会が設けられたが、北上田さんの話を聞くと、まともなチェック機能を果たせていない。環境の方では環境監視等委員会があるが、これも全くチェック機能を果たしていない。何故か。この委員の複数名が工事をしている事業者から研究費を受け取っている。研究費をもらってしまえば、それとは別に言うべきことは言うということは普通できない。市民からすれば、環境等監視委員会がまともに機能している、そこでチェックしたから大丈夫とはにわかに信じがたい。

設計概要の変更の申請は知事の承認を得る必要がある。判断に際し知事が依拠するのは、公有水面埋立法４条１項２号だ。それは環境保全、災害防止につき十分配慮されていること。つまり環境に十分配慮したものでなければ、知事は許可してはならない、というのが４条１項２号だ。これに基づき知事は厳正に工事の変更をチェックし、軟弱地盤の対策の工事がどのような環境影響を与えるのかを厳正に判断し、辺野古大浦湾の貴重な海を守れないのであれば、知事は認めるべきではない。

北上田さん、埋め立て土砂の県内採取はどのような経緯から（決まったの）か。深刻な環境問題になるのではないか。

✺土砂県内調達―山の破壊進む

北上田　埋め立て土砂2100万立方ｍの膨大な量の調達について、当初の計画は７割程度を西日本各地から持ってくることになっていた。西日本の各地で古里の土砂を辺野古埋め立てに使わせないと住民運動が起きていたが、今回防衛局は埋め立て土砂の県内調達は可能と打ち出した。もし全てを県内調達となるとどうなるか。現在、辺野古の土砂が搬出されている鉱山の航空写真でわかるように、名護市から本部町にかけての観光地の山が見るも無残に壊されている。埋め立て土砂が全て県内調達になるとこの一帯の山が根こそぎ破壊尽くされる。私たちは辺野古埋め立ては豊かな海を破壊すると批判してきたが、海の破壊だけでなく山の破壊も進んでしまう。

桜井　当初の計画では県外土砂が主体だったのが県内調達となったのは、県議会の土砂条例の関係か。

北上田　県議会はヒアリなど特定外来生物の侵入を阻止する県条例を定めた。県外からの搬入土砂にはほとんど特定外来生物が混入しており、条例により搬入中止となるリスクを避けるためというのが県内調達の理由だろう。それとは別の問題として、辺野古の土砂１立方ｍあたり5000円超の高額を防衛局は支払っている。鉱山の廃棄物の岩ズリは商品価値がなかったが、それが5000円の値段で売られている。県内業者にとってこれほどおいしい話はない。埋め立て土砂2100万立方ｍ、そのうち岩ズリは1600万立方ｍ。それが全てこの値段で買われると880億円にもなる。それだけ大きな儲け話を手放そうとしない採石業者の利権の問題もあるのでは、と推測している。

緒方　山を全て削ってしまう。そういうことが許されるのか。

北上田　我々が追及しているのは、沖縄は石灰岩の山なので鉱山として鉱業法、が適用される。採石の場合は採石法で知事が許認可を持っている。

ところが鉱山の場合は鉱業法で国が許認可を持っている。だから沖縄県はどのような開発をされようが現状では手出しできない。ただ沖縄県の権限として森林法の規制がある。1ha以上の、こういった鉱山の開発でも県知事の森林法に基づく林地開発の手続きが必要になる。土砂を採取している鉱山でその手続きがなされていない。私たちは沖縄県に交渉中で、県も林地開発の手続きがなされていないことを認めて、調査を始めている。本来なら鉱山でも環境に影響を及ぼす場合は県知事が林地開発の手続きで指揮監督ができる。それを徹底させようと追及している。

✺防護膜から汚濁ダダもれ

緒方　廃棄土砂のようなものが全部海に投げ込まれ、汚濁を防護する幕がカーテンのように垂らされるというが、40mの深さの海に防護膜が海面からわずか7mでは汚濁流出を防げず貴重な生物を死なせてしまうのではないか。

桜井　辺野古の埋め立ては汚濁防止膜が海面下7mで、30〜40mの深さのある大浦湾の底には届かない。今回の設計概要の変更では、工事の遅れを取り戻すために、外周護岸を造る前に先行盛り土、つまり周りを囲まないで土砂を投入しようとしている。そしてその土砂はヤンバルの山から採ってきた赤土交じりの土砂だ。これを汚濁防止膜が海底に届かないままに投入すれば大規模な海洋汚染は免れない。

それを防衛局は以前のアセスと同程度、それ以下の環境への影響とぬけぬけと言っている。これに関して環境監視等委員会は全くチェック機能を果たしていない。土木工事の技術検討委員会も同様だ。それをどうしたらいいのか。2013年12月27日に仲井眞元知事が埋め立て承認をした。その承認時の留意事項の4番目に環境保全に関して措置を記載した図書、この図書とはアセスそのものだが、これを変更して実施する場合は「知事の承認を受けること」という縛りがある。前回はでたらめなアセスであったが、今回はきちんとやっているのか。それを知事は徹底的にチェックする必要がある。

計画変更に伴う環境影響の予測を記した図書が出ているわけだから、これがきちんとアセス法の要求に耐えられるものであり、大浦湾の自然が守られるものであるのかを厳しくチェックすることが知事に課せられている。われわれ市民はそれがちゃんと説明されているか、知事がちゃんとチェックしたかを見守っていく。

✺ サンゴ78,000群体を移植

桜井　チェックポイントの第１は北上田さんが指摘するように、工事の遅れを取り戻すために外周護岸を閉じる前に先行盛り土を行うという、とんでもないやり方をしようとしているが、これがもたらす環境影響をどのように評価しているのか。どういう形で問題ない、と言っているのか。第２はジュゴンがいなくなったこと。ジュゴンは大浦湾を象徴する生き物だ。それがいなくなった。３頭のうち１頭母親ジュゴンは死んでしまった。残り２頭もどこにいるか分からない。しかしこの間、鳴き声が聞こえた。いったいジュゴンに何が起きているのか。今度の工法の変更でどういうことが起きるのか。それをどう説明しているのか。３番目は辺野古の海はサンゴの海であること。サンゴを78,000群体も移植しようとしている。サンゴの移植は環境保全措置ではないということは、サンゴ学者の間では当たり前のこと。移植が環境保全であるかのごとく言っているが、移植がどういう形で辺野古大浦湾の環境保全につながるのか、きちんと説明されているのか。少なくともこの３点について知事にはきちんとチェックしていただく必要がある。

きちんと見ていただければ、環境影響予測をまともにやっていないことは明らかだ。最初の「辺野古アセス」はとんでもないアセスだった。そういう前科のある防衛局であり、内部でチェックしている環境監視等委員会は御用委員会である。そういうところを厳しく指摘する。それが我々の課題です。

緒方　設計変更を当然、知事は承認しないだろうと思うが、それに国が反発して裁判になるのか、見通しは。

北上田　設計変更申請は２回目。最初の2014年9月、仲井真知事の時は告示縦覧はなかった。今回は設計変更だけでなく埋め立て地の用途変更などもあり、告示縦覧が義務付けられている。設計変更の手続きが県民に公開された状態で進められ、私たちは意見書を出すことができる。

✺ 先行盛り土―護岸開け土砂投入

北上田　今回の設計変更では、私も先行埋め立てが出てきたことを危惧している。当初の防衛局の計画でも護岸の一部を開けた状態でかなりの土

砂が投入されることになっていたが、今回の設計変更では、図面で見るとケーソン護岸のＣ１、Ｃ２、Ｃ３護岸が並んでいるが、Ｃ１護岸の造成中から内側に先行して土砂を投入する。だから護岸のかなりの範囲が開いたままの状態で大量の土砂が投入されることになる。大浦湾の最深部で水深42mある。防衛局は水深7mまで土を入れると言っている。一番深いところで厚さ35mにわたって土が放り込まれることになる。先行盛り土の土量がどれだけの量か、防衛局は答えていないが、厚さ35mの土量がかなり大規模であることは間違いない。

これがほとんど護岸の仕切りの無い状態で投入されることになる。汚濁の大浦湾への拡散は非常に深刻だ。防衛局はトレミー船（捨石投入均し船）という船から管を水中に下ろして管の先端から土を入れるので汚濁は拡散しないと言っている。それが環境監視等委員会でもそのまま通用してしまっている。しかしこれだけの深さ、規模の所に対応できるトレミー船は日本に１隻しかない。トレミー船は先行盛り土でも必要だし、先行盛り土をする前にも、大浦湾66haの地盤改良をする範囲のすべてに厚さ1.5mの砂を敷き詰める。かなりの砂の量だが、その砂を敷き詰める作業にもトレミー船が使われる。この二つの作業に３年はかかる。日本に１隻しかないトレミー船を長期間、辺野古に張り付けることができるか疑問だ。砂を敷き詰める作業で汚濁が拡散し、先行盛り土でも拡散する。環境への影響は非常に深刻だ。

✺350万立方m²の海砂採取

緒方　暑さ1.5mの砂をまく。その上にまた山ほど、40m近く土砂を投入するのか。

北上田　まず大浦湾一帯に砂を敷き詰める。サンドコンパクションパイル工法（強固に締固めた砂杭を地中に造成して地盤を改良する工法）は直径2mの砂杭を、振動をかけて軟弱地盤に打ち込む。軟弱地盤の土が舞い上がるのを防ぐためにあらかじめ厚さ1.5mの砂を敷き詰め、それから杭を打ち込んでいく。

緒方　その砂はどこから持ってくるのか。

北上田　海砂が使われる。だから地盤改良工事で必要になる砂の量は、まず改良工事一帯の海底に敷き詰める厚さ1.5mの砂の量、それから打ち込まれる７万数千本の砂杭の砂の量、併せて350万立方mの砂の量になる。

これは沖縄の年間海砂採取量の２年間分にあたる。
　今回、防衛局が技術検討会に出した最終的な資料、設計変更の概略の資料には「埋め立てには海砂は使いません」、と書いてある。しかし実際は大量の海砂を使う。沖縄は川や山の砂がないので公共工事含め海砂を用いており、海砂の年間採取量は150万～200万立方m近い。現状で必要な量に、地盤改良に必要な350万立方mがプラスされ、海砂の採取が通常の倍以上になってしまう。海砂の採取は海底の砂を吸い上げるので海底の地形の改変、海底の生物など環境への影響が大きい。西日本の各地、瀬戸内海沿岸などは海砂の採取は全面禁止だ。九州各県も採取の総量を規制している。しかし沖縄は総量規制がない。防衛局が350万立方mの海砂が必要と言って、業者がドッと申請を出した場合、現在の沖縄県の要項にそれを止める方法はない。沖縄沿岸部の海が致命的に破壊されることが危惧される。海砂採取は今回の辺野古設計変更の深刻な環境問題の一つだ。
　緒方　どこかの砂浜の砂がなくなるとか、海流の流れが変わるとか影響が心配だ。
　北上田　海底の砂を取るわけだから、沿岸域に影響を与える。沖縄は沖合１㎞以上とか水深など採取の指針はあるが、チェックがまったくできていない。九州各県では採取場所を船のGPS、採取量をポンプの稼働記録でチェックするなどしている。沖縄県はそういう規制が全く無い。海砂採取の規制を求めていきたい。
　緒方　土砂やら海砂やら問題が多い。防衛局が辺野古岳を半分に切って土砂を使おうとして、さすがの米軍も環境破壊に反対したという話も聞いた。
　桜井　浜辺がやせ細っているという話はよく聞く。海砂の過剰採取でバランスが崩れ、ビーチの砂がやせ細ることになる。大きな問題だ。

✺断層の上に辺野古弾薬庫

　緒方　活断層の問題で気になるのは、二つの断層を上から見ると、辺野古の弾薬庫の両側を挟むように海に伸び、沖の深いあたりで交差している。どんな危険な弾薬があるのか。活断層だとすると地震で弾薬庫は大丈夫なのか。大きな問題ではないか。
　北上田　まさにその通りだ。二つ断層があって、辺野古断層はまさに辺野古弾薬庫の下を通っている。もし活断層の指摘もある辺野古断層が直下型地震でずれた場合、軟弱地盤の上にある新基地もそうだが、弾薬庫も破壊される。辺野古弾薬庫はかつて核兵器が貯蔵されていた。今も何があるか分からない。非常に心配だ。

地盤改良のデータの偽造や護岸の崩壊の恐れの問題もある。大浦湾の軟弱地盤は海面下70mにとどまらず90mまで続いている。ところが防衛局は、実際には対処する船がないため70mまでの地盤改良しか行えないのを、70mから下は非常に硬い粘土層だから地盤改良の必要はないと言っている。ところが今年になって新潟大学の立石名誉教授を中心とする地質、土木工学の専門家が検討作業を進めて分かったことは、防衛局は90mまで続く軟弱地盤の地点（B27地点）の調査は、地盤の強度を調べる調査ではなく、コーン貫入試験を行ったと説明している。電気的な試験で先端の尖ったコーンを（土層に）突っ込んで、先端の摩擦や電気抵抗を計測し推測する試験だ。直接、地盤の強度を調べる試験ではなくコーン貫入試験で70m以下も硬い粘土層であることが分かったという説明だが、立石氏らの調査により実は防衛局が地盤の強度を調べる試験を行っていたことが明らかになった。防衛局の膨大なデータの中に英文の資料があり、チェクしていくとコーン貫入試験に併せて地盤の強度を調べる試験もしていた。そのデータが示す強度は、防衛局が類推する強度の３分の１くらいしかない。防衛局はこれまで、このB27地点で直接、地盤の強度は調べていないが、その地質は遠く750mも離れた地点ほかの３地点の地質と同じだから地盤の強度を類推できる、と言ってきた。それが実際はB27でも70m以下の地盤の強度を調べる試験がなされ、それは３地点から類推した強度の３分の１しかないということだ。

✷強度不足―護岸崩壊も

北上田　見つかったデータの強度でケーソン護岸の安定計算をし直すと、「護岸は崩壊してしまう」という結果が出た。学者グループは技術検討会、防衛局にこの問題やデータの隠ぺいや虚偽の問題を含め質問状を出したが、無視されたまま設計変更の申請となった。

私たちや学者グループは防衛局にB27地点の地質調査をやり直せと求めている。離れた３地点のデータから強度を類推するのでなく、他の地点では全てボーリング調査をしているのだから一番深い90mの軟弱地盤のB27でもボーリング試験をし、直接、地盤の強度を調べよと求めている。沖縄県に対しても、アセスのやり直しと同時に、設計変更の審査に入る前にB

27の地質調査をやり直せと突き返すよう求めている。専門家がケーソン護岸の崩壊を指摘しており、無視できるものではない。大浦湾の深場の海に建つ護岸が傾いたり転倒すれば修復は不可能。慎重に見直すべきだ。

✺地球が生んだ「奇跡の海」

桜井　辺野古大浦湾の海は、地球が生んだ奇跡、生物多様性の海だ。SDGs（持続可能な開発目標）の14番目にあるのが「海の自然を守る」ということ。日本が守るべき海の自然のトップが辺野古大浦湾の海だ。そのことを本土の方々はあまり認識していないのではないか。辺野古大浦湾の海をダメにして持続可能な開発は成り立たない。2014年11月、「大浦湾の環境保全を求める19学会合同要望書」というものが出された。19もの学会が合同要望書というのは大変なことだ。ここに基地を造るのはやめてくれ、ということだ。そして昨年2019年10月、辺野古大浦湾一帯の海が、日本では初めて世界の「ホープ・スポット」（希望の海）に認定された。素晴らしい海を守ろうという運動だ。

この二つを見てもいかに辺野古大浦湾の海が貴重な後世に残すべき海であるかを雄弁に物語っている。米国のNGOは、生物多様性が高く、なおかつ人間の絶滅圧力にさらされている地域として世界の36地域を「生物多様性ホットスポット」に指定しているが、その一つが日本全域だ。日本の中でとりわけ生物多様性が高いのが沖縄だ。世界自然遺産に登録される知床で確認される生物は4200種。辺野古大浦湾で確認されている生物は、沖縄防衛局のアセスによると、絶滅危惧種262種をふくむ5800種以上が暮らしている。いかに生物多様性に富む海であるか、そしてそれを象徴するのがジュゴンだ。

３頭いたジュゴンの１頭は死んでしまい、２頭の行方は分からない。基地工事の影響がどうなのかということが全く説明されていない。こんな状態でSDGsの「海の自然を守る」ことができるか、ということが問われている。沖縄は北緯26度、27度に挟まれた地域だが、世界の同じ地域のほとんどが砂漠地帯で、沖縄が亜熱帯照葉樹林に覆われていることは、まさに「地球の奇跡」なのだ。

そのことを知っていただいた上で、進められている辺野古新基地の工事、新たな設計変更による大規模な自然破壊がけして許されるものではないことに理解をいただきたい。

辺野古・大浦湾一帯のホープスポット（希望の海）の認定が意味すること ——環境リアリズムの視点から

琉球大学非常勤講師 **吉川 秀樹**

はじめに

日米政府が沖縄県宜野湾市の中心に位置する米国海兵隊普天間飛行場の「危険性除去」と「日米同盟の維持」のため「唯一の選択肢」として進める辺野古新基地建設。この新基地建設に関わる二つの国際的な動きがあった。一つは2019年10月、米国の環境NGOミッション・ブルー（Mission Blue）が、辺野古・大浦湾を中心とした「辺野古・大浦湾一帯」を日本初のホープスポット（希望の海）と認定したことだ*1。ミッション・ブルーはそれまで世界の重要な110余の海域をホープスポットと認定し、「保護の網」をかけることで世界の海洋保護の活動を進めてきた。この認定は辺野古・大浦湾の環境とその保護の取り組みが国際的にも評価されたことを意味している。

そしてもう一つは、認定の約１年前の2018年12月、ロシアのウラジーミル・プーチン大統領が新基地建設について「地元知事が反対し、住民も撤去を求めているにもかかわらず整備が進んでいる」と言及したことである*2。プーチン大統領の本意は別として、彼の発言は日米が共通の価値観と掲げる「民主主義」と新基地建設の矛盾を突き、緊張関係にあるアジア・太平洋の諸国が辺野古を注視していることを示唆するものだった。

ホープスポットに認定された
辺野古・大浦湾の海

この二つの動きは環境保護と国際政治という異なる文脈の中で生じたものだ。しかし、どちらも辺野古新基地建設の根幹の問題に対する国際的コメンタリー（批評）であり、問題の関連性の検証を促すものだ。

以下、「環境リアリズム」という視点を通して辺野古・大浦湾一帯のホープスポットの認定の意味とその関連性を検証し、なぜ辺野古新基地建設が中止されるべきかを議論していく。

1．沖縄の米軍基地への視点：環境リアリズム

沖縄の米軍基地は大きく二つの視点により議論されてきたといえる。まず一つは、日米の「国益」や「安全保障」を追求・維持するため地政学上不可欠な手段として基地を捉える、国際政治のリアリズムの視点である*3。ここでの「国益」や「安全保障」は「民主主義」「法の支配」「人権の尊重」「資本主義経済」といった日米共有の基本的な価値観を基盤とし*4、その価値観を共有しないアジア・太平洋の近隣国家との対立構造が前提としてある。

沖縄の米軍基地を議論するもう一つの視点は、「銃剣とブルドーザー」により接収された土地の上に造られた基地の歴史を踏まえ、基地と共存を強いられてきた地域の人々の視点である。その視点は犯罪や事故など「基地被害」や「基地問題」と、その解決を目指す住民運動や社会運動に向けられる。そして地域の人々の暮らしの「安全」「安寧」を「平和」の基盤とする。星野英一らはそれを「沖縄平和論」と表現し、国際政治のリアリズムの対極に位置づける*5。注目されるのは、地域の人々の視点からの議論が、ヨハン・ガルトゥングの「積極的平和」等のより体系的かつ国際的議論に連動し、「人間の安全保障」の枠組みでの実践を促していることだ*6。言い換えればこれは、圧倒的な影響力を持つ国際政治のリアリズムへの対抗の試みだといえる。

辺野古新基地建設もこの二つの視点から議論されてきた。国際政治のリアリズムにおける辺野古新基地建設は、その正式名称「普天間飛行場代替施設建設」が示すように、あくまで「国益」や「安全保障」を追求、維持する手段として機能してきた（とされる）普天間基地の代替の建設として議論されている*7。

一方、地域の人々の視点は、住民・県民投票、選挙等を通じて幾度も示される建設反対の民意が蔑ろにされる状況を捉え、法制度や社会構造と関連づけたより強固な「民主主義」の議論を展開している。また、辺野古・大浦湾という自然環境の豊かな場所での基地建設は「環境への影響」「環境問題」を基地建設反対の議論の中核に位置づけさせた。建設工事に係る

環境影響評価法（以下、環境アセス法）の下、環境調査が行われたことにより、より科学的知見に基づいた議論が専門家とのつながりの中で展開されてきた。そして現在、建設地の大浦湾側の軟弱地盤の問題（これも環境の問題である）が、建設のフィージビリティ（実現性）を問うている。そして「民主主義」や「環境問題」の議論は様々な市民運動へとつながっている。

辺野古新基地建設における環境への視点は、安全保障の問題が「人間の安全保障」の枠組みで「環境リアリズム」や「生態系リアリズム」という概念を通して議論される状況と共鳴する＊8。勿論、「人間の安全保障」の枠組みでの環境リアリズムの議論は、気候変動や砂漠化のようなグローバルな脅威を対象としており、辺野古とは問題の質やレベルが異なる。しかし、環境問題の議論がどのように正当性と影響力を獲得し、国益や安全保障の議論に対抗できるか、とする視点が示唆することは多い＊9。また、気候変動による海水面上昇が沿岸の軍事基地にもたらす影響の議論が高まっていることは＊10、環境問題が国益や安全保障における深刻な問題として認識されていることを意味する。

さらに、環境問題を科学的に証明されるべき実在の問題として捉えながらも、既存の知識や技術だけでは対応できない部分があり、よって政治を含む多様な分野と連携し解決を模索することが必要だ、とする視点は極めて重要である＊11。次節では、この環境リアリズムの議論を視野に入れ、ホープスポットの認定の意味について考察していく。

2．ホープスポット（希望の海）認定の意味

ミッション・ブルーがホープスポットに認定した「辺野古・大浦湾沿岸一帯」は、新基地建設が進む辺野古・大浦湾を中心とした宜野座村松田から名護市天仁屋までにわたる44.5平方kmの沿岸地域である。ホープスポット認定の条件には「世界に誇ることができるのに十分な科学的価値、文化的・歴史的・精神的価値、人間活動による影響をくつがえすことができる可能性のある海域、これから一緒に守っていこう

ホープスポット認定エリア

とする地域のサポートがあると認められた場所」とされている*12。ミッション・ブルーは同海域の認定について「この海域の重要な生物多様性、希少なサンゴの個体群を評価し、そして実行可能な保護の取り組みを通じて、この海域の海と生き物を米軍の新基地建設と将来のさらなる開発から守ろうとするたたかいを讃えます」としている*13。

この認定の意義を理解するために、まず環境NGOとしてのミッション・ブルーの特徴と海域保護の手法について他の環境NGOと比較してみたい。これまで辺野古新基地建設の問題に対して国内外の多くの環境NGOが関心を示し、環境への影響を懸念する立場から署名活動などを通して建設に反対してきた。その中でも、米国の生物多様性センター（Center for Biological Diversity）やアースジャスティス（Earthjustice）、そしてグリーンピースは2000年代前半から独自の手法で積極的に関わってきた。前者は米国司法制度の中で「国家歴史保存法」を使い「ジュゴン訴訟」という前例のない闘いを展開してきた*14。グリーンピースは、基地建設をめぐり重なりあう沖縄の環境保護運動と平和運動に焦点を当て、「虹の戦士号」を沖縄に派遣するなどのアクションをもって住民の反対の声を世界に「拡声」してきた。

一方、ミッション・ブルーは設立が2009年と新しく、前出の環境NGOより後に設立されている*15。そしてミッション・ブルーの環境保護の手法は、裁判でもなく、アクションでもなく、あくまで科学的価値やその他の条件を満たす海域をホープスポットと「認定」するという「認定」自体が手法である*16。認定することにより、個々の海域の科学的価値を国際的に広く認めさせ、国際的に広がるホープスポットのネットワークを活用した更なる活動を促すのだ。

この「認定」という手法は、国際機関であるユネスコの世界遺産登録や国際自然保護連合のレッドリストでの絶滅危惧種の指定などと通じる。環境NGOであるミッション・ブルーが「認定」を通して保護活動を推進できていることは*17、そこに科学的正当性、信頼、権威があることを意味している。それは、創立者のシルビア・アール氏の海洋学者、探検家、そして保護活動家としての実績と功績、そして幅広いネットワークに依拠している*18。それゆえ、ホープスポットの認定において最も重要な条件は、認定対象海域の価値の科学的証明であり、その科学性を保証するために、審査には国際自然保護連合の専門家が関わっている。

「辺野古・大浦湾一帯」の認定の理由も、まずその海域の生物多様性の豊かさと希少種の価値が科学的に証明できたからだ。辺野古・大浦湾の生物多様の豊かさは、皮肉にも、沖縄防衛局が基地建設のために行った環境アセスの調査により証明されてきた。ホープスポットの申請で記載された「ジュゴンやアオサンゴを含む絶滅危惧種263種」「5,300余種の海洋生物が生息する」という事実は環境アセスにより明らかになったものである。一方、同海域の保護を望む環境NGOや市民によるサンゴやジュゴンの調査結果や、新種の発見につながった科学者たちの調査・研究の結果も認定に重要な役割を果たした。つまり、目的の異なる科学的調査の積み重ねにより実証された環境の価値が評価されたのだ。

注目したいのは認定の対象範囲をめぐる議論である。申請手続きを担っていた日本自然保護協会は、当初、認定対象の海域を、基地建設の直接的影響を受け、かつ科学的データが存在する辺野古・大浦湾の約25平方kmとしていた。しかしミッション・ブルーは、辺野古・大浦湾を保護するには、同海域だけではなくより広い海域を対象にすることが必要であると指摘し、「一帯」44.5平方kmへの範囲の拡大が行われた。海域のつながりや島嶼環境の脆弱さを考慮したこの判断は、環境問題の解決には科学的証明の存在のみを条件としてはいけないとする環境リアリズムの視点に通ずるといえる。

またホープスポットの認定は、辺野古・大浦湾の自然環境が歴史を通して地域の文化や暮らしを支えてきた事実と、現在、必然的に重なり合う環境保護と新基地建設反対の取り組みが評価された結果でもある。ミッション・ブルーは「実行可能な保護の取り組みを通じて、この海域の海と生き物を新基地建設と将来のさらなる開発から守ろうとするたたかいを讃える」としている。この「実行可能な保護の取り組み」「守ろうとするたたかい」には、環境NGOや市民による環境調査や情報発信、ジュゴン訴訟や国際自然保護連合による保護勧告などの国際的取り組み、地域のエコツーリズム、20年続く「満月まつり」、そして陸と海で続く抗議の座り込みが含まれている。

強調したいのは、新基地建設に対する「たたかいを讃える」というスタンスだ。もちろん多くの環境NGOが同様のスタンスを示してきたという観点からすれば、驚きはないだろう。しかし、ホープスポット認定審査に国際機関として関わる国際自然保護連合が、主権国家のプロジェクトに対して独自に同様のスタンスを示すことがないことを踏まえれば＊19、この「たたかいを讃える」とするスタンスの意義が見えてくる。

国家が主体となり、国際政治のリアリズムの枠組みで「唯一の選択肢」として進められている環境破壊が辺野古新基地建設だ。それに反対する地域社会や環境NGOの取り組みはいかに評価されようとも、国家との間には圧倒的な力の差が存在し、その力の差を乗り越えることが必要だ。ホープスポットの認定は、ミッション・ブルーの科学的権威と国際機関とのつながりをもって、新基地建設とそれに反対する取り組みに国際的関心を更に集め、その力の差を乗り越えるための更なる取り組みを当事者たちに促すものだ。事実、ホープスポットの認定に向けての申請を呼びかけたのはミッション・ブルーであり、それに応える形で自然保護協会が申請手続きを進めていった。次節では、その力の差を乗り越えるための手がかりとして、環境リアリズムの視点から、日本政府の「辺野古が唯一」の主張に反論してみたい。

3．二つのリアリズムの関連性

日本政府は、ミッション・ブルーによる「辺野古・大浦湾一帯」のホープスポットの認定について、「承知はしている」としながらも、「NGO団体の個別の活動内容とか意義等に関してコメントすることは差し控えさせていただきたい」との立場をとっている＊20。しかし、ホープスポットの認定は決してあるNGOの単独の動きではない。米政府を含む国際社会が辺野古新基地建設における環境問題と反対運動について、日本政府に説明と対応を求めていることを象徴するものである。

これまで日本政府は、新基地建設に関わる環境問題と反対運動について三つの方法で対応しながら基地建設を進めてきたといえる。一つは、環境問題について科学性を標榜しながら、法制度の抜け道を利用することだ。これは環境アセス法の下、辺野古・大浦湾の生物多様性の豊かさを大規模な環境調査を通して証明しながら、もう一方で新基地による環境への「影響はない」と予測・評価したことにみることができる。環境アセスの手続きや「影響なし」の結論は、多くの専門家やNGOにより問題視され、「最悪のアセス」とも批判された＊21。しかし、その「影響なし」の結論はあくまで「予測」であり、その時点での「影響なし」の実証の必要はないことを盾に、基地建設の手続きは進められていったのだ。

二つ目の方法は、環境問題の責任を政治的に転化させることだ。それは2013年12月、公有水面埋め立て法の下、当時の仲井眞弘多沖縄県知事が「影響なし」の環境アセスの結論を受け入れる形で埋立てを承認したことにみることができる。いくら環境アセスに問題があっても、それを科学的に正当だと判断したのは沖縄県知事だとする論理が成り立ち、その責任を沖縄が引き受ける構造を生み出した。それは同時に、沖縄県民が展開してきた「民意」の論理を崩していった。民主主義の選挙制度において県民により選ばれた知事が承認したことは県民が受け入れたことだ、とする論理を可能にしたのだ[*22]。

環境問題が露呈する新基地建設工事

埋立承認は工事を開始させ、工事の進行は既成事実となり、新基地建設の政治的慣性が増していった。仲井眞前知事を破り当選した故翁長雄志知事が埋立承認を撤回しても、建設反対を掲げ当選した玉城デニー知事が国地方係争処理委員会や司法制度に訴えても、基地建設は止まらない。むしろ、裁判制度や行政制度を経て新基地建設がさらなる正当性をもつようになったともいえる。

そして三つ目の手法は、辺野古新基地建設の議論を、普天間飛行場の「危険除去」と「日米同盟の維持」の議論と、国際政治のリアリズムの枠組みに押し込むことである。アジア・太平洋の近隣諸国からの脅威に対して、普天間の代替となる辺野古新基地は戦略的に必要だという議論は、環境問題の議論を排除する。上記した二つの手法もこの国際政治のリアリズムの議論を後ろ盾として使われてきたといえよう。

しかし基地建設に反対する市民の座り込み、故翁長知事による埋立承認の撤回、そして台風や辺野古・大浦湾の脆弱で複雑な環境が建設工事を遅滞させるなか、環境問題が次々と露呈してきた。そしてそれは日本政府の方法を問題化し、米国政府を含む国際社会の更なる懸念を生み出している。

まず環境アセスで「環境に影響がない」と予測された建設工事は、すでに多くの影響を生じさせている。その最たる例が、工事開始以降、それまで辺野古・大浦湾や隣接する嘉陽で確認されていたジュゴンが、その海域で確認できなくなったことだ。そして2019年3月に今帰仁村の漁港でジュゴンのメス一頭の死亡が確認されたのを受けて、2020年12月には国際自然保護連合が沖縄のジュゴン（南西諸島のジュゴン）の個体群を「近絶滅」と指定した＊23。この国際的権威による指定は、日本政府の環境アセスの問題を再度浮き彫りにし、基地建設の科学的、そして法的正当性を問い直している。

そして今、基地建設地の大浦湾側で確認された軟弱地盤の存在が日本政府に大きな難題を突きつけている＊24。軟弱地盤の改良には、数万本の砂杭等を最大水深90mまで打ち込むなど大規模な工事が必要であり、基地の完成は早くても2030年代中頃とされている。しかし、工事は難航することが予想され、土砂の調達や環境への影響など問題は山積みだ。軟弱地盤の問題は米国連邦議会でも認識されており、2020年4月に米国連邦議会の国防小委員会は、軟弱地盤の問題やサンゴやジュゴンの保全の検証を求める法案を提出した＊25。結果的には同法案は削除されたが、新基地建設のフィージビリティ（実効性）を米政府も懸念していることは明らかである。

日本政府は、ジュゴンが確認できなくなったことと基地建設とは関係ない、地盤改良工事は可能であり、環境に影響はないという見解を示しており＊26、この見解を今後も固持していくとみなされている。また、地盤改良に伴う設計変更の承認を玉城デニー知事が、基地建設反対の民意とかつ科学的検証をもって不承認とした場合、日本政府は、再度、国地方係争処理委員会や司法制度を通して、承認を取りつけるものと予想されている。しかしこのような手法が、現実である環境問題への対応として通用しないのは明らかである。むしろこのような見解や手法により推し進められる新基地建設は、日本政府が国際政治のリアリズムで展開してきた辺野古新基地の戦略的重要性の議論や「危険性除去」「同盟維持」の議論を大きく揺るがしていく。

まず、軟弱地盤の問題を抱え、完成期さえも分からない辺野古新基地が、果たしてアジア・太平洋の近隣諸国からの脅威に対して戦略的に位置付けられるかという問題である。このままでは、辺野古新基地建設は米軍の再編計画や戦略の周辺へと追いやられていく可能性が高い。一方、科学的検証も不十分なまま無理に工事を急げば、環境への影響は多大となるだけでなく、地盤沈下の問題で飛行場の安全性や機能性さえも保証ができなくなる可能性がある。これは日米の法制度や国防総省の安全ガイドライン等を形骸化させ、「同盟」の信頼をも損ないかねない。

また、このまま「辺野古が唯一」に固執するならば、普天間飛行場は危険性を抱えたまま、今後10数年も継続使用されることを意味し、これは「危険性除去」にはならない。また仮に辺野古新基地が完成したとしても、普天間飛行場の代替施設として米政府が受けいれるかの疑念が残る。例えば、2017年4月の米国会計検査委員会からの連邦議会への報告書 MARINE CORPS ASIA PACIFIC REALIGNMENTでは、辺野古新基地における滑走路の短さが指摘され、普天間飛行場の滑走路の代替にはならず、十分な長さの滑走路を確保するように勧告している*27。つまり最悪の場合、普天間飛行場と辺野古新基地が並行して運用される可能性も否定できないのだ。

最後に、このような問題を抱えての工事の強行は、日米政府が「国益」「安全保障」の基盤に置く「民主主義」「法の支配」「人権の尊重」の価値観に背くものであり、形骸化させるものである。そのような状態で緊張関係にあるアジア・太平洋の隣国に対して「民主主義」「法の支配」「人権の尊重」を求めることはできない。前述したように、ロシアのプーチン大統領は「地元知事が反対し、住民も撤去を求めているにもかかわらず整備が進んでいる」との発言は、辺野古新基地建設と日米政府が唱える民主主義の矛盾を突くものである。また中国政府は直接見解を示してはいないが、国営メディアを通して、辺野古新基地建設が沖縄県民の意思に反して進められていることを継続的に伝えている*28。

つまり、辺野古新基地建設は、環境リアリズムの視点からは、環境破壊をもたらす、そしてフィージビリティ（実現性）自体をも疑問視されるものであり、国際政治のリアリズムの視点からは、日米にとってライアビリティー（liability　不利・不都合な点）となるものといえる。

おわりに

ミッション・ブルーによる辺野古・大浦湾一帯のホープスポットの認定は、辺野古・大浦湾の環境の価値と、辺野古新基地建設への反対運動を含めた保護の取り組みが国際的にも評価されたことを意味している。同時に、国際政治のリアリズムの視点で推し進められてきた辺野古新基地の戦略的重要性や日米同盟の維持の議論を問題化する機会を提供しているといえる。

忘れてならないのは、ホープスポットの認定は、日本自然保護協会とその科学者である安部真理子氏が、その知見と経験を活かし、辺野古・大浦湾の素晴らしさとそれを守るための取り組みを科学的に、丁寧に、そして明確な論理でミッション・ブルーに示した結果である、ということだ。今求められているのはこのような具体的な取り組みを実現していくことである。多くの人々が当事者としての意識を持ち、辺野古新基地建設がなぜ問題なのかという議論を国内外で具体的に展開し、建設中止に向けた更なる動きを展開していくことが必要だ。沖縄県は玉城デニー知事を中心に、日本政府だけではなく、米国防総省や連邦議会に直接訴え、丁寧に交渉していかなければならない。市民団体や環境NGOは、米国のホープスポットと結びつき、そのコミュニティー、研究者、政治のリーダーと連帯しより大きな国際的市民運動につなげていかなければならない。それがホープスポット（希望の海）の意味することだ。

＊1 日本自然保護協会（2019）「日本初のホープスポットに辺野古・大浦湾一帯が認定されました」
https://www.nacsj.or.jp/2019/10/17616/（参照2020年10月1日）

＊2「プーチン大統領『在日米軍問題抜きに最終決定難しい』」毎日新聞2018年12月20日
https://mainichi.jp/articles/20181220/k00/00m/030/244000c（参照2020年10月3日）

＊3 防衛省（2019）「第Ⅲ部第2章第4節3沖縄における在日米軍の駐留」『令和元年版防衛白書』
https://www.mod.go.jp/j/publication/wp/wp2019/html/n32403000.html（2020年10月3日）

＊4 防衛省・自衛隊「日米安全保障体制の意義」
https://www.mod.go.jp/j/approach/anpo/igi/（参照2020年10月23日）

＊5 星野英一、他（2018）『沖縄平和論のアジェンダ　怒りを力にする視座と方法』法律文化社。この視点からの議論は米軍基地が駐留する世界中の地域やホスト国でも見ることができる。例えばCatherine Lutz ed. (2009). *The Bases of Empire: The Global Struggle against U.S. Military Bases.* New York University Press.

＊6 星野英一（2018）「国家の安全保障と平和」『沖縄平和論のアジェンダ　怒りを力にする視座と方法』法律文化社.

＊7 防衛省（2019）「第Ⅲ部第2章第4節3沖縄における在日米軍の駐留」『令和元年版防衛白書』

https://www.mod.go.jp/j/publication/wp/wp2019/html/n32403000.html（2020年10月7日）

＊8 例えば、Levine, Anatol (2020). "The Climate Change for the State: A Case for Environmental Realism." *Survival: Global Politics and Strategy.* March 23, 2020.
https://www.tandfonline.com/doi/full/10.1080/00396338.2020.1739945（参照2020年10月21日）
Patrick, Stewart, M. (2020). "The Case for Ecological Realism." *World* Political Review. July 20, 2020.
https://www.worldpoliticsreview.com/articles/28926/the-case-for-ecological-realism（参照2020年10月22日）

＊9 O'Neill, Kate. (2017). *The Environment and International Relations.* Cambridge University Press.

＊10 The U.S. Congressional Research Service（2019）. "Military Installations and Sea-Level Rise." *In Focus.* July 26, 2019.
https://fas.org/sgp/crs/natsec/IF11275.pdf（参照2020年10月21日）

＊11 Cockerill, Kristan and others (2017). *Environmental Realism: Challenging Solutions.* Palgrave Macmillan. London.

＊12 日本自然保護協会（2019）「日本初のホープスポットに辺野古・大浦湾一帯が認定されました」
https://www.nacsj.or.jp/2019/10/17616/（参照2020年10月13日）

＊13 Mission Blue (2019) 「日本初のホープスポットに辺野古・大浦湾一帯が認定されました~希少なサンゴ礁とジュゴンの生息地として~」プレスリリース（和訳）
https://www.nacsj.or.jp/official/wp-content/uploads/2019/10/MissionBlue_Henoko-ouraBay-hopespot-pressreleas-ja.pdf（参照2020年10月13日）

＊14 吉川秀樹（2018）「ジュゴン訴訟〜15年の経緯と今後の展望」『環境と公害』Vol.48.2. pp. 29-33.

＊15 生物多様性センターは1989年、アースジャスティスは1971年に米国で設立されている。グリーンピースは1971年にカナダで設立され、その後オランダに本部を移動し国際NGOとなっている。

＊16 Mission Blue. Hope Spots. https://mission-blue.org/hope-spots/（参照2020年10月13日）

＊17 Mission Blue Sylvia Earle Alliance (2017). *Mission Blue Impact Report 2017.*
https://mission-blue.org/wp-content/uploads/2017/12/MBSEA-ImpactReport-0

817FA.pdf（参照2020年10月22日）.

＊18 シルビア・アール氏は、女性初の米国海洋大気庁主任科学者や、National Geography の探検家の役職を務めてきた。彼女の経歴や功績については以下を参照。
Rafferty, P. John "Sylvia Earle: American Oceanographer and Explore."
https://www.hodinkee.jp/articles/diving-with-her-deepness-dr-sylvia-earle（参照2020年10月20日）

＊19 国際自然保護連合は「勧告」「決議」を通して辺野古新基地建設の問題に言及してきた。しかし、その文言において、建設に反対があることの事実や、環境への影響への懸念は記載するが、基地建設反対運動を「支援する」「讃える」とはしていない。

＊20 第200回国会、衆議院安全保障委員会　照屋寛徳議員の質問への環境省大臣官房審議官白石隆夫氏の回答 2019年11月15日。
http://www.shugiin.go.jp/internet/itdb_kaigiroku.nsf/html/kaigiroku/001520020191105004.htm（参照2020年10月21日）

＊21 島津康夫（2008）「普天間飛行場代替私設問題の10年」環境技術学会
https://www.mod.go.jp/j/approach/anpo/igi/（参照2020年10月17日）

＊22 この論理は米国のジュゴン訴訟の中において国防総省も展開した論理である。吉川秀樹（2018）「ジュゴン訴訟〜15年の経緯と今後の展望」『環境と公害』Vol.48.2. pp. 29-33.

＊23 Brownell Jr., R.L., Kasuya, T. & Marsh, H. (2019). "Dugong dugon (Nansei subpopulation). The IUCN Red List of Threatened Species 2019: e.T157011948A157011982."
https://www.iucnredlist.org/species/157011948/157011982（参照2020年10月11日）

＊24 北上田毅（2019）「軟弱地盤問題の意味するところ」『沖縄を世界軍縮の拠点に　辺野古を止める構想力』豊下楢彦、他、岩波書店

＊25「米下院小委　国防総省に報告要求　辺野古の軟弱地盤対策」朝日新聞デジタル. 2020年6月25日
https://www.asahi.com/articles/ASN6T6600N6TTIPE02H.html（参照2020年10月13日）

＊26 日本政府の認識や見解は、沖縄防衛局の『普天間施設代替施設建設事業　公有水面埋立変更承認申請書』(2020) に記載されている。
https://www.pref.okinawa.jp/site/doboku/kaibo/kanri/event/jyurango.html（参照2020年10月11日）

＊27 同報告書は、辺野古新基地の短い滑走路は米国海兵隊には不備（deficiency）

にはならないかもしれないが，米軍全体の固定翼機の緊急時の滑走路、国連が使用できる滑走路が失われるとし、米軍再編において不備となると指摘している（p.55)。

The U.S. Government Accountability Office (2017). *MARINE CORPS ASIA PACIFIC REALIGNMENT: DOD Should Resolve Capability Deficiencies and Infrastructure Risks and Revise Cost Estimates.*

https://www.gao.gov/assets/690/683967.pdf （参照2020年10月15日）

＊28 例えばXhinhua Newsは、2020年6月の沖縄県議会選挙の結果を取り上げる記事で当選議員の多数が基地に反対しているのに建設が進む状況を細かに報道している。"Japan to forge ahead with controversial U.S. base move in Okinawa despite opponents' poll win."Xinhua Net. （2020年6月8日）

http://www.xinhuanet.com/english/2020-06/08/c_139124218.htm（2020年10月17日）

Sea Still Shivering : The Big Problems Of Henoko New Military Base Construction

「海は怒りに震えている―辺野古新軍事基地建設の大きな問題」

The East Asian Community Institute (EACI) Ryukyu Okinawa Center has produced a moving video. The content consists of a message from former Japanese Prime Minister and current managing director of EACI Yukio Hatoyama and conveys issues facing the new military base in Henoko such as soft ground and active faults. The English video "Sea Still Shivering" was created to offer information domestically and abroad.

東アジア共同体研究所 琉球・沖縄センターは、米軍普天間飛行場の名護市辺野古移設に反対するEACI理事長で日本の元首相・鳩山由紀夫氏のメッセージと辺野古新基地の軟弱地盤や活断層などの問題を伝える動画コンテンツを製作した。国内外に情報発信するため作成した英語版「Sea Still Shivering（海は怒りに震えている）」を紹介する。

*Hatoyama

Hello, my name is Yukio Hatoyama. I served as the prime minister of Japan from 2009 to 2010 and after I retired, I became the president of East Asian Community Institute.

Yukio Hatoyama
鳩山由紀夫

Okinawa was once a tiny kingdom. Okinawan people are warmhearted and peace-loving people, who persisted in having no weapons in its history. With its blue sky and deep blue ocean, the island attracts people from not only mainland Japan but also other Asian countries, routinely over 10 million visitors. The number is often compared to that of Hawaii.

However, the surrounding ocean is about to be destroyed now. The Japanese government and the U.S. military are pushing through the construction of runways by reclaiming from Henoko Bay, despite many issues including a geological risk. For example, an "active fault" runs just below the planned construction site and the soft ground like mayonnaise stretches in the

A King and Queen making their entrance during an event at Shuri castle
琉球王国の居城だった首里城のイベントに登場する国王と王妃

The richly bio-diverse Sea of Oura Bay where the new base is being forcibly built.
新基地建設が強行されている辺野古大浦湾の海　多様な生物が生息している

depth of 90 meters. Building a military facility there exposes the two nations to grave and unprecedented dangers.

*Okuma

We can see a rock over there. The rock tells us the scale of the active fault. Its side is gouged by ocean waves, which measures seven to eight meters.

Civil Engineer
Masanori Okuma
奥間政則

Geologists use the size of the gouge to determine the scale of seismic activity of fault. When a fault line moves, the land height changes at least 1 meter. A change of seven to eight meters indicates that the fault moved multiple times in the past.

This is the construction site. The site has a Henoko fault line and a Soku fault line. Actually there are two active faults. We are now surveying the rock formations in Nagashima Island (long flat lowland) as well as Abu Island, further north, where US Marine osprey crashed.

We measured the rocks at three points in Nagashima and Abu for ninety-five gouges to look into the fault activities by using drones. It was yesterday that some suspicious yellow equipment appeared. Only drones can capture the details. They seem to be disassembling the pipes.

This is a seawall. On its side, we can see a ditch which we couldn't figure out what it is at first. But in heavy rainy days, it seems to prevent red soil from running off.

A gouged rock showing the possibility of an active fault
活断層の可能性を示す海岸のえぐれた岩

An aerial drone image of land reclamation at the construction site
海を埋め立てる辺野古新基地建設現場のドローン映像

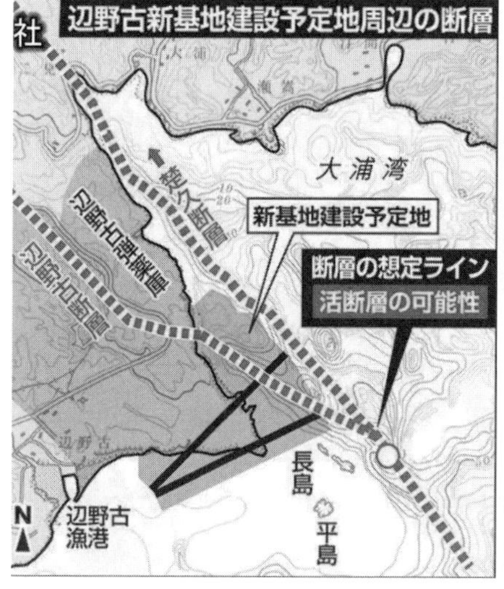

Two faults strongly suspected of being active stretching between Henoko ammunition depots
辺野古弾薬庫を挟んで伸びる活断層の疑いの強い2つの断層

Osprey crashed on the coast of Abe in Nago = Dec. 13, 2016
名護市安部海岸に墜落したオスプレイ
(2016年12月13日)

Photo by Osamu Makishi
(撮影／牧志 治)

*Hatoyama

Is this whole area the planned base construction site?

*Okuma

Please allow to explain the soft ground in detail. Tokyo Haneda airport is a good example to compare. Haneda also had a soft ground of about 20 meters in depth. The problem was solved by a "sand compaction pile method" — an approach of piling sand columns to solidify the ground. Another method is "Sand drain method" applied at Kansai airport.

Both methods drill sand columns into ground to make it harder. Japan is the country which has the largest soft ground in the world. Japanese engineers have developed new technologies to tackle the problem. Because they had some successful cases, they claim that the problem can be solved here in Henoko too. But here, the soil is just like "mayonnaise" different from others as described by a researcher.

A giant concrete structure situated on mayonnaise like soft ground will surely sink.

How deep is this mayonnaise like soft ground? Haneda had a soft ground of 20 meters deep. How about here in Henoko?— 70 meters. It's 90 meters in water level. Can such a soft ground be improved? There is no precedent in Japan, nor in the world. Besides, the land has a slope which continues seventy meters in the deepest part of Oura Bay. The slope, deep soft ground, is it possible to improve both? The Defense Ministry's plan is a pie in the sky.

Sea areas where new construction by heavy machinery was confirmed
重機による新たな工事が確認された辺野古新基地の工事現場海域

Mr. Hatoyama and Mr. Okuma discussing issues on the new Henoko military base
辺野古新基地の問題点を語り合う鳩山氏と奥間さん（名護市瀬嵩の展望台）

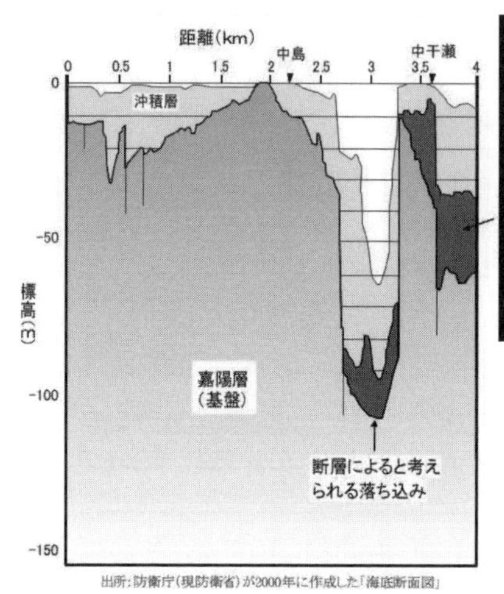

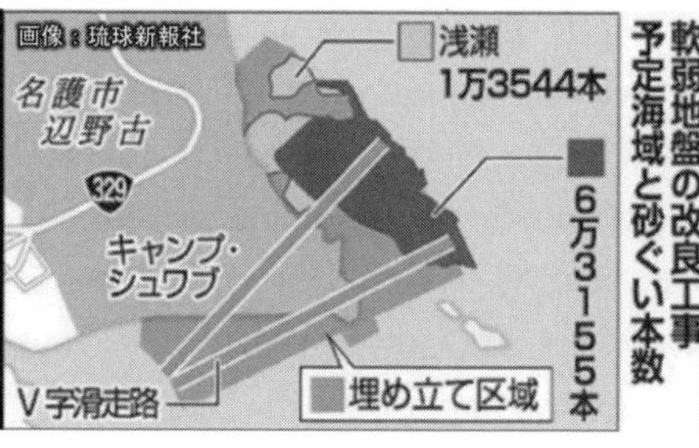

A picture of the planned construction site in the sea where 76,000 piles will be driven into the ground to stabilize the soft ground
軟弱地盤改良のため76,000本もの砂杭が打ち込まれる予定海域の図

Bathymetric chart of the planned construction site for the new Henoko military base
辺野古新基地予定地の海底断面図

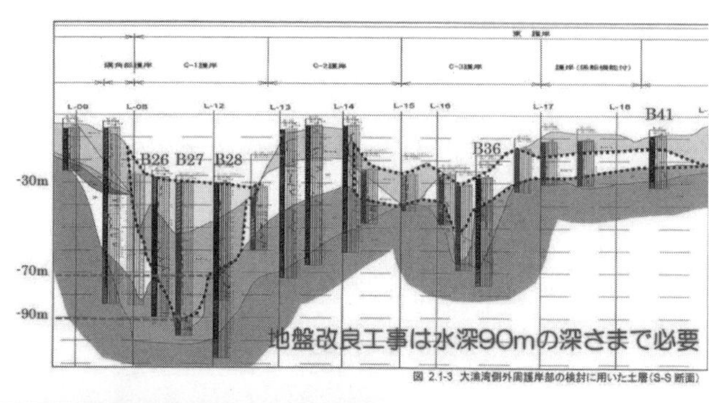

A picture showing the necessity of soft ground stabilization for depths up to 90 meters
水深90mまでの地盤改良工事の必要性を示す図

Landslide occurring at the hillside of Henoko ammunition depot
辺野古弾薬庫の崖側で発生した地滑り
(奥間政則氏提供)

*Okuma

Another issue — the active faults. This is US Marine's Henoko Ammunition Storage. Do you see the landslide in the site of the ammunition facility? We can see it on the map.

*Hatoyama

The damaged area is not shown on the map.

*Okuma

Indeed. The map was made in 2017. The landslide occurred last year. Some believe it may still contain nuclear materials there in the ammunition storage. If something happens, its tragedy cannot be compared to that of nuclear power plant accident in Fukushima. It's not just a tragedy of Okinawa only. It is a tragedy of the whole world. So, the scientists are trying to explain logically to show how threatening it is. That's the Henoko problem.

(Nariko Oshiro, Dileep Chandraral, Keiko Yonaha)

講演

「中国脅威論」を煽って南西諸島進駐を果たした自衛隊

—2020年９月19日那覇「不屈館」での講演—

東アジア共同体研究所理事 **高野　孟**

沖縄の基地問題については、辺野古の新基地建設を止めるのはもちろんのこと、嘉手納空軍基地をはじめ既存の膨大な米軍基地をどう減らしていくか、なくしていくかが中心課題ですが、他方では、日本自衛隊がじわじわと南西諸島に進出し、与那国、石垣、宮古、奄美などに基地を増やしているという新たな現実があります。仮に知事を先頭とする県民の闘いによって米軍基地が減り始めたとしても、その後ろから自衛隊が出てきて新基地を作ったり米軍基地に共同使用などの形で進出してきたのでは、沖縄県民にとっての過大な「基地負担」は総量として変わらないか、むしろ増えてしまうかもしれないわけで、こんなことでは、万国津梁、アジアの軍事の拠点ではなく平和の礎となりたいという沖縄県民の生き方は阻害されてしまいます。

１．50年前の著作で自衛隊の南進への懸念を指摘

私には、沖縄に関わるいくつかの著作がありますが、その最初のものは、1971年に出した『君の沖縄』です（写真１）。労働者教育協会編、学習の友社刊で、表紙には私の名前が出ておりませんが、あとがきには４人の共同執筆者の１人として記されています。私は1968年に学生運動漬けだった６年間の大学生活を終え、ジャパン・プレス・サービスという日本共産党中央に直結した国際通信社で記者としての生活を始めていましたが、その頃、70年前後の政治の焦点はベトナム戦争と沖縄返還問題でした。

1

当時、世の中全般は沖縄の日本復帰は目出度いことじゃ

ないかという空気だったし、共産党も復帰それ自体は長年の県民の闘いの成果であるというものでしたが、私たちはちょっと違っていて、もちろんそれはそうなのだけれども、

①まさにその県民の闘いによって基地の維持に危機感を抱いた米軍が、日本政府と自衛隊を沖縄に呼び込むことで、直接統治から間接統治に切り替えて、米軍基地機能を維持しようとしているのではないか、

②それどころか、日米安保条約が沖縄に適用されることで安保そのものが変質し、「核抜き・本土なみ」とは正反対の「核付き・沖縄なみ」への本土の沖縄化が始まるのではないか。

③さらには「沖縄防衛」の名の下に自衛隊が進出し、自衛隊の行動半径が大きく南方に拡大し、その分、日米共同作戦の範囲も拡大するのではないか（写真2）――という負の部分に正しく目を向けなければならないことを主張しました。

この論調は共産党中央の気に入るところではなく、後にこの筆者たちは批判されることになります。しかし復帰から再来年で50年というその後の歴史を振り返れば、ここ沖縄で起きたことはまさにそういうことだったのではないか。とりわけ近年は、陸上自衛隊が与那国、石垣、宮古、そして奄美の島々に次々に新しい基地を建設して進出してくるというおぞましい事態に至っているし、辺野古基地を何が何でも建設しようというのもこの脈絡の中にあることです。辺野古は、完成した暁には「日米共同管理」の名で自衛隊が入り込み、昨年創設された「離島奪還」目的の「水陸機動部隊」もオスプレイを伴って佐世保から移駐するでしょう。辺野古を何が何でも作り

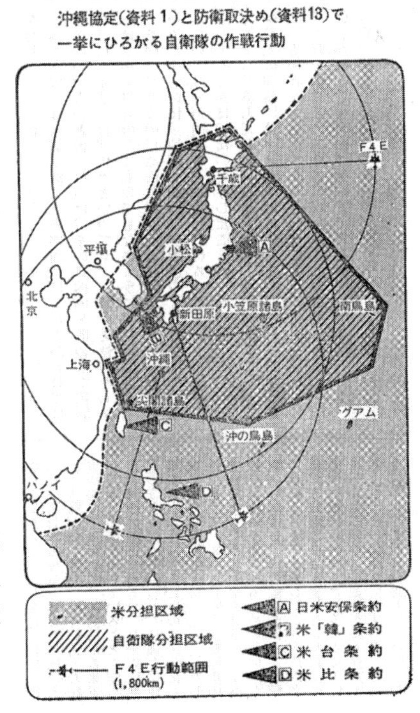

2

たがっているのは米軍よりもむしろ自衛隊です。

2．海上保安庁HPの中国公船出没のデータ

こんなことが罷り通るのは、政府がマスコミを使って「中国脅威論」を振りまいて国民を洗脳しているからです。確かに中国は内外にいくつもの矛盾を抱えていて、それらを力づくで突破して「偉大なる中国の復活」を達成しようとする習近平政権のやり方は、かなり粗暴で、私も賛成しかねることが多いですが、そうかといって、

①チベット・ウイグル・モンゴルの３大異民族に対する抑圧、

②香港民主化運動への弾圧、

③台湾への軍事的・外交的圧迫などは国内統合に関わる問題であり、それらと、

④インドとの国境紛争、

⑤主に戦略ミサイル原潜の作戦基地確保に関わる南シナ海紛争、

⑥主に漁業・海底鉱物資源の権益に関わる東シナ海紛争、

⑦米中貿易摩擦

など対外的な問題群とを、全部ゴタ混ぜにして「中国は怖い」と煽り立てるのはいかがなものかと思います。

とりわけそういう扇動の格好の材料として使われるのが尖閣諸島周辺での中国公船、すなわち海警局（日本の海上保安庁に相当）の巡視船の活動状況です。しばらく収まっていたのですが、１年ほど前から再び活発化し、この５～６月頃からニュースでも「尖閣水域に中国公船が頻々と」と盛んに取り上げられるようになりました。

それを受けて、自民党の議員連盟「尖閣諸島の調査・開発を進める会」（代表・稲田朋美幹事長代行）は、2020年9月17日、政府に対応の強化を求める提言案をまとめました。主な内容は、

①南西諸島で自衛隊が日米共同訓練を実施、

②空港や港湾を自衛隊が使用できるよう整備、

③海保巡視船に対空レーダーを搭載し領空侵犯対応で自衛隊と連携

など、海保と自衛隊の連携強化を狙ったものとのことです。

そこで、海上保安庁のホームページにある「尖閣諸島周辺海域における中国公船及び中国漁船の活動状況について」→「中国公船等による接続水

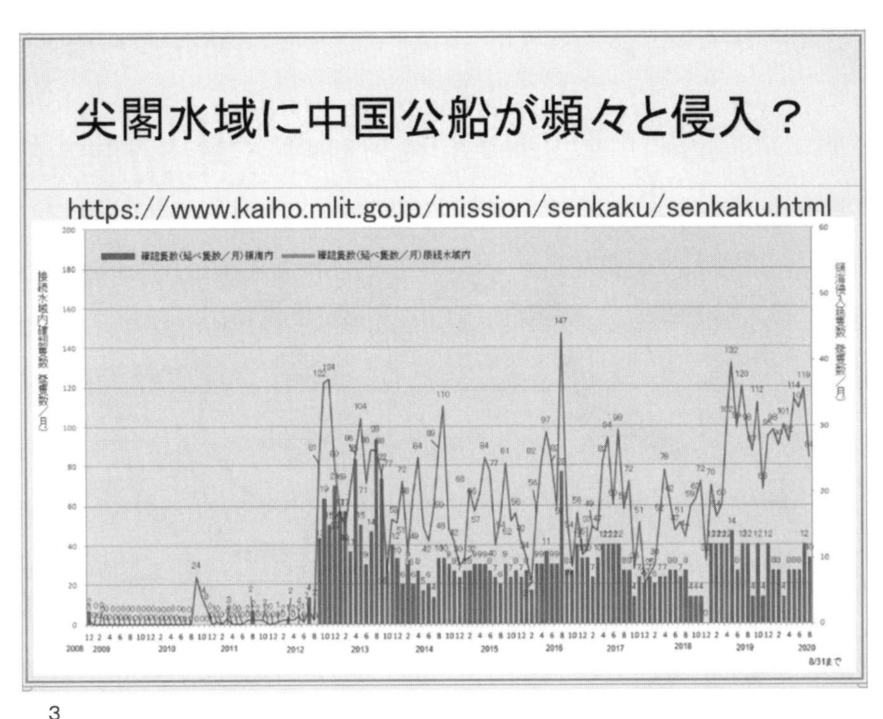

3

域内入域及び領海侵入隻数（日毎）」と辿るとこのグラフが出てきます（写真3）。棒グラフは領海12海里内に侵入した中国公船の月毎の隻数、折れ線グラフはその外側の接続水域に進入した同じく隻数。さて確かに折れ線グラフは増えていて、報道では5月初から8月下旬にかけて「111日間連続という過去最高の頻度」とされていますが、棒グラフは以前とそう変わらないペースであることが分かります。これは棒グラフの方を主にして見なければいけないのですが、それを理解するには若干の予備知識が必要です。改めて整理しておきます。

3．領海、接続水域、暫定措置水域、中間水域……

「領海」は12海里で、1海里は1.852kmなので22.224kmです。その外側のもう12海里は、公海ではあるが通関、出入国管理、衛生、財政などの権限を領海に準じて行使できる「接続水域」となる。さらにその先の200海里までは「排他的経済水域（EEZ）」でこれも公海ではあるが漁業、海底資

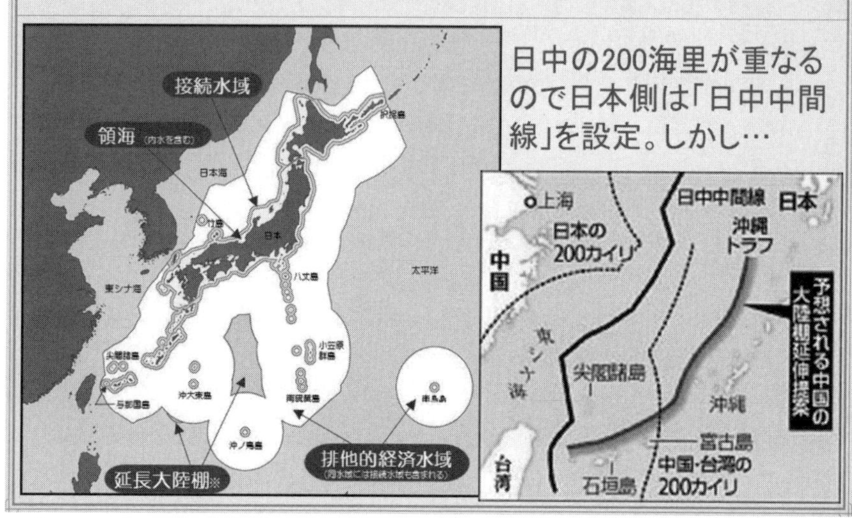

4

源、海洋汚染などの経済権益に関しては主張できるのですが（写真4）、日本海～東シナ海は狭く、日中韓のそれが重なり合ってしまうし、そもそもEEZの解釈も違うので紛争が絶えません。そこで中国との間では1997年の新漁業協定で両国のEEZの主張が重なる部分を「暫定措置水域」とし、そこでは接続水域であったとしても両国の漁船は相手国当局の許可なしに操業でき、またそれぞれの当局は自国の漁船のみ取り締まることができ、相手国の漁船の違反に関しては警告し相手国当局に通報するだけと取り決められました。さらに2000年の閣僚合意では、その水域の北方に「中間水域」を、また北緯27度線以南の南方にも「例外水域」を設け、そこでは同じルールを適用することになりました。

これにさらに台湾の利害が絡んできて、2013年には日台漁業取り決めが結ばれて双方の相互乗り入れが合意されたが、対中・対台とも尖閣の日本が主張する領海については中国・台湾とも（自国の領有権を主張しているにも関わらず日本の主張に留意して？）ルールの適用外とすることになりました（写真5）。

こうして、複雑怪奇ともいうべき尖閣周辺をめぐる日中台の漁業権の絡み合いがあって、海保や水産庁のHPを見ても、どうもはっきり分かりやすい地図を示して明解に説明することを避けているように見えます。

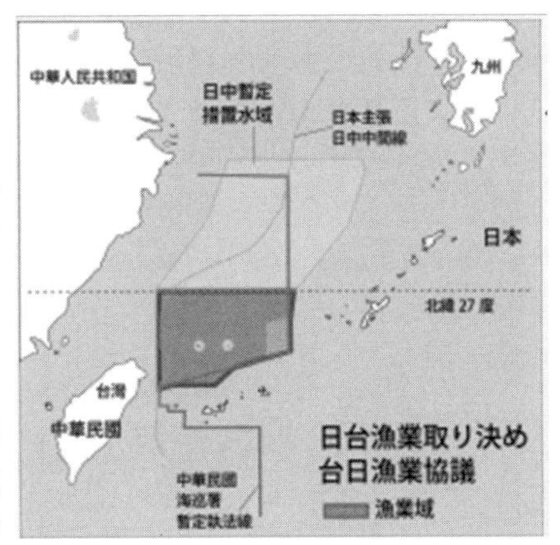

5

しかし、はっきりしていることは、尖閣周辺の日本が主張する領海はともかく、その外側の接続水域（を含む暫定措置水域）に中国漁船が進入し、それが違法操業をしないか、その先の日本が主張する領海にまで侵入しないかを監視するために中国公船が進入して警戒態勢をとることは、日中合意に沿った法的に正当な行動なのです。

ここで私は「日本が主張する領海」と、奥歯にものが挟まったかの言い方をしていますが、中国も台湾も尖閣の領有を主張していて、彼らの立場からすれば「日本が主張する領海」を尊重しなければならない理由はないのです。ところが彼らは事実上はそこを避けて漁業権を主張している訳で、これはまあ何とも大人の関係というのか、そのように曖昧処理するしかないが故の苦肉の策なのか。

海保のHPでも、領海への「侵入」と接続水域への「入域」は言葉を区別して使っていて、これが精一杯の誠意の表明なのでしょう。

ところが記者発表となると、主にこのグラフに注目させ、「中国公船が押し寄せてきている」「安全保障上、重大な事態」という粗暴な言い方をする。それをマスコミは口移しのように記事にするから、上述のように、何か中国が恐ろしいことを企んでいるかの印象が広まることになります。しかし私に言わせれば、中国公船が接続水域に入るのは自国の漁船を取り締まるという以外の目的はないのです。

4.「防空識別圏」というのはまた別の話

付け加えると、尖閣をめぐる線引き問題のもう１つとして「防空識別

6

圏」があります。中国が2013年11月に突如（?）尖閣を含む東シナ海に「防空識別圏」を設定したと発表し、安倍首相が「尖閣をあたかも自国の領空のごとく描いている」と猛反発するなど、大騒ぎとなりました。

しかし一般論として、防空識別圏は簡単に言えばレーダーの届く範囲であって、その範囲が領空であることを示すものではない。図を見ると（写真6）、韓国の識別圏は平壌にまで達しているし、台湾のそれは右下の小さい図が示すように大陸中国の福建省や浙江省にまで伸びている。だから安倍の発言は一知半解というか、ちょっと過剰な反応だったのです。しかし中国側もよく分かっていなくて、最初はこの範囲を通過する航空機は中国軍当局に事前に許可申請をせよというようなことを言って「何を馬鹿なことを言っているんだ」と袋叩きに遭って数日後に撤回しました。双方の政治や軍のトップがよく分からないでこんなやりとりをしているのが東アジアの国際関係の幼稚な現実なのです。

それに、日本にとってこのことは、唐突でも何でもありませんでした。第1次安倍政権の時から日中の制服組およびそのOBによる意見交換の仕組みが設けられていて、その中では尖閣を含む東シナ海で日中両軍の艦船や航空機が遭遇してトラブルが起きることを防ぐために「日中海空連絡メカニズム」の構築が議論され、2012年春までに大筋合意ができて2013年には調印しようかというところまで来ていた。その過程で中国側は実は、「新たに防空識別圏を設定することを考えているけれども、当方の立場としてはこのように（と地図を示して）尖閣を範囲に入れるので、日本の防空識別圏と重なることになる」と説明、だから余計に海空連絡メカニズム構築が必要なのだと説明していたのです。

2012年秋に野田政権が尖閣を国有化したため、この話は一旦吹き飛んだのですが、交渉が再開されて合意がなされ、2018年から運用が開始されています。①防衛当局間の年次会合や専門会合の開催、②日中防衛当局間のホットライン開設、③両軍の現場の艦船・航空機間の連絡方法の確立など、初歩的な内容でしかありませんが、紛争防止システムへの重要なステップではあります。

5．尖閣をめぐって起きていることの真実

そこでようやく先程の海上保安庁のグラフに戻ります。最近、中国公船が頻々という話は本当かということです。

折れ線は変化が激しく傾向を読みにくく、そもそも中国漁船もそれを取り締まる公船も無断入域可能な「中間水域・暫定措置水域・例外水域」及びそれと一部重なる「接続水域」なので、大変なことが起きているのかどうかはまず棒グラフで「領海（と日本が主張する水域）」への侵入を見なければなりません。

そうすると先ほども述べたように、国有化から１年後の2013年10月にほぼ収まって、それからは（折れ線は上下するが）棒グラフはほぼ月に4～12隻で横這いになって、今日に至るも大きな変化はない。最近の動向を詳しく見るに

【19年５月～20年９月の中国公船の尖閣周辺出没隻数】

	領海侵入			接続水域入域	
	日数	隻数	合計	日数	合計
５月	4	4-4-2-4	12	31	132
６月	2	4-4	8	29	99
７月	3	4-4-4	12	28	120
８月	3	4-4-4	12	23	98
９月	1	4	4	22	87
10月	3	4-4-4	12	28	113
11月	1	4	4	22	68
12月	3	4-4-4	12	25	95
１月	2	4-4	8	27	98
２月	2	4-4	8	26	90
３月	1	4	4	30	101
４月	2	4-4	8	28	92
５月	3	4−2−2	8	31	114
６月	2	4-4	8	30	109
７月	5	2-2-2-2-4	12	31	119
８月	3	4-4-2	10	20	84
９月	0		0	11	38

7

は、このグラフの下に各月毎に何日に接続水域に何隻入ってきてそのうち領海に何隻入ってきたかのデータがあるのでそれを見なければなりません。2019年5月から2020年9月（はまだ途中ですが）まではこうなっています（写真7）。

接続水域入域はほとんど毎日だが、領海侵入は以前と変わらず、月に1〜5回だが、標準は3回で1回に4隻とほぼ一定のリズムで来ています。私は今から5年ほど前にこのリズムに気づいて、海保に「なぜ標準3回なのか」と尋ねましたが、「だから頻繁ということですよ」としか言わない。そこで知り合いの中国人ジャーナリストを通じて中国側から探ると、驚くべきことが判明しました。

中国人記者の話です。

——中国の海警局は青島本拠の北海分局（黄海担当）、上海本拠の東海分局（東シナ海担当）、広州本拠の南海分局（南シナ海担当）に分かれていて、尖閣は東海分局の所管。同分局に上海総隊、浙江総隊、福建総隊の3つがあり、それぞれが月に1回は尖閣に接近することになっているので、標準3回となる。

——しかも15年以降は、中国海警が日本海保に事前に「明日は行きますから」と通告しているはずで、海保は「いつ来るか」とピリピリしなくて済むので楽になったのではないか。また余計なトラブルを避けるため、領海内に留まるのは2〜3時間としている。もちろん、軍艦は近づかない。

——つまり、双方の馴れ合いというか暗黙の了解で、尖閣は事実上、棚上げされている。なのに日本政府が時折、思いついたように「中国公船が殺到」などとマスコミを使って煽るのは、「中国の脅威が迫っている」という話にしておかないとまずいという事情があるんでしょうね……。

では2016年8月のあの大騒動は何だったのか。同月5日から9日の間だけで青線127隻、赤棒22隻の大挙“来襲”で、あの時日本のマスコミは「中国海警艇が数百隻の漁船を引き連れて尖閣周辺海域に押し寄せてきた」「中国がついに南シナ海と同様、東シナ海でも強硬手段に打って出てきた」「あれはただの漁船ではない。武装した海上民兵が乗船している」「次は尖閣上陸だ」とか、大騒ぎになりました。

中国人記者の話の続き。

——まったくの御伽噺です。禁漁期が明けて中国漁船が暫定措置水域・中間水域に殺到するので、海警船が先回りして漁民が日本が主張する領海に乱入しないよう押し返す措置を取った。海警船が漁船を引き連れてきたのでなく、先回りして領海に入る漁船を押し戻す指導を行ったのだ。

——駐日中国大使も日本外務省に「(8月1日に) 禁漁期が終わって中国漁船が一斉に暫定措置水域に押し寄せたので、中国海警などが（日本の主張する）領海との間に入ってその『管理』に当たった」と事情を説明している。

さらに朱建栄教授の話。

——一段落した後の11日に、その水域にまだ残っていた中国漁船がギリシャ船と衝突して沈没し、日本の海保艇が救助したが、その際に中国海警の現場責任者から海保に対し、「この度、多くの中国公船が出動したのは事実だが、それは金儲けしか考えない数百隻の中国漁船の中には、暫定措置水域を超えて尖閣の（日本側が主張する）領海内に乱入する者が出かねないので、それを防ぐための出動である。当方は2014年の『日中４項目合意』を遵守している。大半の漁船に指導が行き渡ったので公船はほとんど引き上げたため、ギリシャ船との衝突が起きた時には現場に公船はいなかった」と説明し、中国船員を海保が救助してくれたことに繰り返し礼を述べた。

2014年の日中４項目合意とは、APEC首脳会議が北京で開かれる機会に約３年ぶりに安倍と習近平の日中首脳会談が設営されたので、事前に事務レベルでの地ならしとして纏められたもので、その③は「双方は、尖閣諸島等東シナ海の海域において近年緊張状態が生じていることについて異なる見解を有していると認識し、対話と協議を通じて、情勢の悪化を防ぐとともに、危機管理メカニズムを構築し、不測の事態の発生を回避することで意見の一致をみた」というもの。この「緊張状態」について「異なる見解を有していると認識し」という表現は、日本国内でも“芸術的”と評価された。つまりは、安倍と習の間でも尖閣を事実上棚上げにしておこうという合意が暗黙に成立してしたということです。日中間にはこういう了解があって、現場の船長から政府のトップに至るまでそれを承知して行動しているというのに、国民にはそういう事実をきちんと知らせて「戦争なんか起こらないんだ」と安心させるのでなく、逆に不安を煽り立てている。

安倍はジキルとハイドの二重人格というか、分裂気質というか。中国と戦争をするつもりはないけれども、他方では北朝鮮や中国の脅威を煽り立てなければ軍拡と改憲を進めて尊敬するお祖父さんに褒められるような「美しい日本」をつくることはできない。しかしそれで突っ走ると米国から制約されるので、あくまで日米安保の枠内で集団的自衛権をギリギリまで広げて対外的な軍事役割を拡大していこうとする——ということで、整理し切れないまま「あちらを立てればこちらが立たず」のようなことで何をやっているのか分からなくなり、心の病が深まったのだと思います。

6．元々は「北朝鮮の武装難民が押し寄せる」はずだった

そういうことで、尖閣を中国に盗られたら大変だということで南西諸島への陸上自衛隊の進駐が始まったのですが、これは元々は北朝鮮が米国との戦争で国家崩壊を起こすようなことになった場合に、一部武装した難民が大挙して日本に向かい、離島を占拠する危険があるという話から始まったのです。

2006年に北朝鮮が核実験を行ったことから、にわかに「北朝鮮脅威論」が高まり、日本政府は「北の難民10〜15万人」が押し寄せることを想定（2007年1月4、5日付の朝日）、「しかも武装難民の可能性が極めて高い」（麻生外相）と危機感を抱き、「離島防衛」の必要性が叫ばれるようになりました。

2009年1月だったと記憶するのですが、文化戦略会議という文化人の集まりがあって、そのイベントで森本敏拓大教授（のちに防衛相、現在は拓大総長）と対話する機会がありました。私は、

——「北の難民」という話は一体何なのか。もし北が国家崩壊して難民が出ても、鴨緑江・豆満江を歩いて渡って中国東北に逃げる。向こうには朝鮮族150万が住んでいる。地獄の資本主義と教えられている日本に、しかもすでに米朝は交戦状態で米軍が日本から出撃し自衛隊も参戦しているであろう敵国＝日本に逃げようという発想を誰がするのか。それに、仮にそうしようとする人がいたとしても、あの国には船がない。さらに武装ゲリラが混じっているなど妄想で、彼らは命からがら逃げてきて何とか日本に保護してもらって生き延びようと思ってくるわけで、武装なんぞして何をしようとするのか。漫画の読みす

ぎじゃないか？

と訊きました。森本の答えが面白かった。

——実は冷戦が終わって、ソ連軍が北海道に上陸してこないことになったので、戦車1000両を並べて待ち構えていた陸上自衛隊の精鋭部隊がやることがなくなってしまったんだよ。

それが、森本が野田政権の防衛相に入っている時に尖閣国有化の愚行に出て一気に緊張が高まると、そのままソックリ「中国軍が尖閣を盗りにくる」という話にすり替わってしまったわけです。

こうやって、冷戦時代の旧ソ連の脅威は、北朝鮮のミサイル、次に中国の尖閣攻略という風に「横滑り」に維持されて、「我が国をめぐる安全保障環境はますます、かつてなく厳しくなっている」という虚構がまかり通って、冷戦後の安保環境の変化を見つめようとしない思考停止状態が続いているわけです。

安倍政権が終わって、何ひとつも解明も総括もされずに菅政権へと流れていく途上にあるわけで、私としては何もかもを断ち切ってしまいたい訳ですが、どれか１つだけ断ち切ってやるから選べと言われたら、安倍が尊敬して止まない吉田松陰の幼稚なイデオロギーが維新以来の薩長藩閥政府から安倍政権までを通じて日本を支配してきたことの150年に及ぶ不幸を、ここで断ち切ってほしいものです。

吉田松陰は、内政面での指針らしいものと言えば「間部下総守を斬れ」だけです。水戸藩が井伊大老を斬るなら、我々は遅れを取らずにその下で開国方策を実行した間部を斬るというだけのテロリストですね。で、対外方針はと言えば単なる誇大妄想。「今急いで軍備をなし、軍艦や大砲がほぼ備われば、北海道を開墾し隙に乗じてカムチャツカ、オホーツクを奪い、琉球にもよく言い聞かせて幕府に参覲させるべきである。また朝鮮を攻め、古い昔のように日本に従わせ、北は満州から南は台湾・ルソンまで一手に収め、進取の勢を示すべきである」(『幽囚録』)。

まさにこの路線に従って日本は、アイヌ、琉球、朝鮮、満洲、台湾、ルソン等々との関係を間違え続けてきた。この狂気のテロリストを尊敬して止まないのが岸・佐藤・安倍の長州一派で、岸は満洲国を作り、佐藤は沖縄返還を果たし、安倍はその沖縄に今更新しい米海兵隊基地を作ろうとし、加えて陸上自衛隊の基地まで作ってきた訳です。もうこんなことは終わりにしようではないですか。

奄美、宮古、石垣、与那国
―各島の自衛隊基地建設の現状

奄美大島

奄美・陸上自衛隊基地配備の経緯

戦争のための自衛隊配備に反対する奄美ネット
（代表　城村典文）

2014年5月に奄美大島北部・南部に陸上自衛隊駐屯地を二つ建設したいと、防衛副大臣が奄美市と瀬戸内町を訪れました。即座に市民組織「戦争のための自衛隊配備に反対する会」が立ち上げ、誘致反対署名活動や首長要請行動や議会陳情にとり組みました。しかし、防衛省は地元商工会はじめ保守系民間団体の誘致要望書や保守系議員が圧倒的に多い議会誘致決議を民意と受け取り、配備を決定しています。

北部・奄美駐屯地の説明会は、2016年6月に地元集落で行った一度きりです。その時初めて防衛省は、北部には地対空ミサイル部隊、南部には地対艦ミサイル部隊を配備することを明かしています。南部・瀬戸内分屯地の説明会も近隣集落だけで開催されました。市民団体は、説明会は奄美大島全市町村で行い、誘致の是非については住民投票が必要と訴えました。

奄美駐屯地の建設工事は、2017年9月頃から始まっています。防衛省は土地の改変は28ha（県環境アセスは30ha以上）と申請し、周辺の環境対策にと3,800万円をかけて環境調査を行い、完成後の敷地面積は約50haに拡大しています。瀬戸内分屯地は2018年3月頃、野鳥の繁殖期にイタジイの深い森を皆伐破壊しています。ここ10年来奄美大島は「奄美・琉球世界自然遺産登録」に向けて、自然保全活動に官民挙げて取り組んでいるところです。

防衛省が環境保全対策として実施した「環境調査」の開示請求を求めたところ、天然記念物等の貴重生物の生存が明らかになりました。自然遺産のシンボル「アマミノクロウサギ」が、奄美駐屯地予定地には成体１羽、瀬戸内分屯地には成体15羽が確認されています。幼体は巣穴暮らしですの

奄美大島のミサイル基地の巨大弾薬庫。南西諸島有事へのミサイル弾薬の補給・兵站拠点と位置付けられる。

米軍の空母艦載機離着陸訓練に加え自衛隊南西シフトの兵站・機動展開・訓練拠点となる馬毛島

で確認できなかったためか個体数は黒塗りにされていました。成体は造成工事のために予定地外に追い払い、帰巣本能で元地に戻らせないために侵入防止ネット柵を基地の周りに巡らしています。

市民団体は、2017年4月に鹿児島地裁名瀬支部に、二つの自衛隊基地建設について「工事差し止め仮処分訴訟」を申し立てました。訴訟事項は「平和的生存権」「自然享受権」「人格権（電磁波による身体影響）」で争いました。裁判官は、いずれも国の主張を鵜呑みにして、債権者側へ却下を判決しました。

訴訟審尋で、防衛省は、「訓練は基地内で行う。」「自然環境対策も十二分に行っている。」「ミサイル発射用標定レーダーは、有事に外部から運び入れる。」等、答弁しています。

2019年3月26日駐屯地開所後、7月には東北地区第６師団との転地訓練。9月には、離島では初めての日米合同訓練が奄美駐屯地内で行われています。いずれもミサイル防御訓練でした。2020年1月には、児童生徒の登校時間帯に、小銃を携行した100名の隊列による30キロ行軍訓練が、もちろん駐屯地外で行われています。

自衛隊配備について防衛省は、安全保障政策は国の専権事項であるとして、行政機関に圧力をかけています。また民意を得た口実に、地元商工会議をはじめとする官制団体等の誘致要望書などを取り付ける姑息な手段を用いています。

奄美大島をはじめ、南西諸島の各島々が民主的手続きを欠いた国の防衛政策の餌食になり、戦争のできる国の防人になりつつあるのを見過ごしてはならないと思う日々です。

宮古島

南西陸自配備の現状

ミサイル弾薬庫配備反対！住民の会
（下地　茜）

宮古島の陸自配備は2015年5月の防衛省による配備要請にはじまります。当初予定された大福牧場は、宮古島市の生活水をまかなう地下水の保全区域でもありました。条例にもとづく地下水審議会によって、地下水への悪影響の可能性を指摘する報告書がまとめられましたが、宮古島市長が報告書の表現を緩和するよう水面下で要求したことが露見し、大きな問題となりました。次期市長選をひかえていたことからも、大福牧場案は撤回、防衛省は第二の候補地を千代田地区にあるゴルフ場に選定します。しかし、必要な施設をおさめるには土地が足りないことから、防衛省は更なる候補地を探す必要性に迫られました。

こうして城辺地区保良に白羽の矢が立ったのは2017年のことでした。約210世帯が住む地域を隣り合わせに建設が進められる保良・七又では、地域住民による抗議活動が日々続けられています。第一の問題は、私たちの住む家々と、３棟の弾薬庫の距離が近いことにあります。自衛隊教範では爆発の際２分で２キロ以上逃げるよう明記していますが、弾薬庫からもっとも近い民家は250メートル（防衛省公表）。住民が「弾薬庫を枕にしては眠れない」とうったえる所以です。

さらに宮古島に配備される地対艦ミサイルは、有事の際、施設外に出て、発射台を積んだトラックを移動させ攻撃をおこなうことが、防衛省の説明により分かっています。

秋田県・山口県で配備が進められていたイージス・アショアはブースター落下地点の厳密な予測ができず、民間地域に被害がおよぶ可能性を否定できないことから計画が撤回されることとなりました。宮古島においては同様のリスクがあるのはもちろんのこと、島そのものがミサイル攻撃の舞台になるという、さらに危険性が高い状態におかれるのです。南西陸自配備においてもっとも大きな問題点はまさにこの点、有事の際、島の住民に逃れがたい危険がおよぶというところにあります。

島の人々の命と生活を守るのは、一義的には自治体がその役目をおいま

住宅地区からわずか200mの至近に建設される宮古島保良のミサイル弾薬庫

自民党の国防議員が自衛隊の使用を主張している宮古島の下地島空港

自衛隊南西シフト態勢の心臓部にあたる司令部が置かれる千代田地区の宮古島駐屯地

す。宮古島市が策定する「市国民保護計画」は、有事および不慮の事故の際、宮古島市民の命を守るガイドラインとなるものです。しかし、超党派国会議員による省庁ヒアリングにより、ミサイル部隊配備を想定した保護計画は作られていないことが分かりました。火薬保管量やブースター落下地点のシミュレーションなど、策定に必要となる資料の提出を防衛省はおこなっておらず、今後もおこなう予定はないと回答したといいます。

国の専権事項であるから市にはなすすべがないという見解を宮古島市長は繰り返していますが、本来、国と地方自治体は対等なもの、宮古島市は真摯に国と対話をすべきであり、そのことが宮古島市民の命と生活を守るものになるはずです。

沖縄・宮古間の海峡を渡る外国船をにらんで配備されるミサイルが、国家間の緊張を高めるものであることは言うまでもありません。日中、ひいては米中間の覇権争いの前線に立たされているのが、私たちの住む宮古島なのです。

石垣島

島のどこにもミサイル基地はいらない

石垣島に軍事基地をつくらせない市民連絡会
（事務局　藤井幸子）

私たちの反対運動は、2015年5月、防衛省が行った石垣島への自衛隊配備についての協力要請から始まりました。同年8月には個人加盟の「石垣島への自衛隊配備を止める住民の会」としてスタート、翌2016年秋には、「石垣島に軍事基地をつくらせない市民連絡会」が結成され、現在、市内の市民団体、労組、予定地近隣の於茂登、開南、嵩田、川原の４地区公民館など16団体と野党議員など個人が参加しています。

石垣島への配備部隊は、警備部隊、地対艦誘導弾部隊、中距離地対空誘導弾部隊、規模は500〜600名、場所は島の中央部、平得大俣の旧ゴルフ場及びその周辺にある旧市有地と民有地合わせて46haに隊庁舎、グラウンド、火薬庫、射撃場等を整備するというものです。

私たちは、この５年間、様々な取り組みを続けています。配備計画撤回の署名を集めての防衛省要請、水や環境問題での県や石垣市への要請、市民への共感を広げるために配備問題についての市民集会、講演会や学習会、ビラの発行、街頭でのアピール、スタンディングなど取り組んでいます。工事が始まってからは、予定地入口での監視活動も続けています。

私たちは、主に３つの理由で配備反対、工事中止を求めています。

１つは、尖閣問題で中国脅威論を背景に軍事的対応を強化すれば、その先にあるのは際限のない軍拡競争です。有事の際にはこの島が標的になります。配備されるミサイルは車載式で島中が標的になります。さらに地対艦誘導弾はブースターが保持されており、ブースターの落下地点下には無防備な市民が生活をしています。また、弾薬庫は平時における事故も含めて安全性について明確な説明はありません。有事の避難計画についても自治体任せで、市民、観光客を守る保障はありません。ミサイル基地は、市民の生命財産を守るどころか逆に奪うものとなります。

２つ目は、ミサイル基地建設自体の市民の暮らしや環境への影響です。2019年3月1日から平得大俣にある旧ゴルフ場での造成工事が始まりました。

予定地は、水道水の地下水源地や農業用水の取水口の水源域、上流域に

国の特別天然記念物カンムリワシの営巣地の用地を買収し建設が始まった石垣市大俣地区の自衛隊ミサイル基地工事現場

あたります。また、周辺は、国指定天然記念物で絶滅危惧種カンムリワシの優良な生息域です。防衛省の調査でも貴重な動植物113種が生息する自然豊かな地域です。

工事による騒音は、防音対策を講じたとするも一向にその効果はなく、近隣住民の生活をはじめカンムリワシの生息を脅かしています。現在の旧ゴルフ場の用地造成に続いてその周辺の旧市有地の山林を伐採する工事も行われようとしています。市民のいのちの水やカンムリワシをはじめとする自然環境を破壊することは絶対許せません。

３つ目は、島の未来は市民が決めるという住民自治、民主主義の問題だととらえています。石垣市長は、国防は国の専権事項として、防衛省への協力を行っています。防衛政策、自衛隊配備計画について市民が意思表示し、行動する権利は主権者である私たちの持つ権利です。最近でも、秋田県、山口県へのイージスアショア配備が地元の強い反対で撤回された例があります。平得大俣への陸自配備についての賛否を問う住民投票を求める署名が2018年11月に若者たちを中心に取り組まれ、１か月で有権者の４割近い14,263筆を集めています。住民投票実施をめぐっては、2019年9月に「義務付け裁判」を起こしましたが、2020年8月27日に「請求却下」の不当判決が出されました。

私たちは、あきらめません。政府、防衛省は、辺野古でも宮古島でも県民、住民の意思を踏みにじって工事を強行しています。いま、いのちと平和を守るために、軍事費はコロナ対策への声も広げ、配備計画の中止へあきらめずに頑張ります。

与那国島

国境の島を「軍事」から「平和の緩衝地帯」に

猪股　哲
（南西諸島ピースネット共同代表）

私は16年前、縁あって与那国島へきて以来、人生の三分の一以上をこの島で過ごしています。与那国島での最初の印象は、海洋に散りばめられた宝石のような島だと素直に圧倒されたのを、鮮明に記憶しています。

与那国島が多くの観光客を受け入れながら魅了しているのも、自然のかけがえのない魅力ではないかとではないかと思います。私が与那国島と出会った初夏の４月、熱帯の太陽の下で輝いている命は、緑濃く鮮烈な色を放っており、海はどこまでも深い蒼を湛え、島を渡る風は清浄な海の息吹そのものでした。

しかし、一方で違和感も感じていました。島のあちこちで砂埃を巻き上げながら重機が走り、たくさんの工事をしていました。何の必要があって工事をしているのか感覚としてはわからないのだけれど、工事現場には沖縄県や国の予算で発注したことがわかる看板が立っていました。

豊かな自然と、他方で容赦なく行われる破壊。それを島の人々が自らの手で行っている、当時の私にはそのギャップが腑に落ちませんでした。

与那国島と聞いただけで、何かを具体的にイメージすることは、多くの人にとって困難なことだと思います。与那国島の最大の特徴は「地理的な条件」です。北は鹿児島の奄美列島、沖縄、宮古・石垣島を含む先島諸島と呼ばれる、沖縄のさらに南西に位置する先島諸島の西端が、日本最西端に位置する国境の与那国島です。

与那国島から一番近い島は台湾で、その距離はなんと、わずか111㎞。隣の行政区石垣島まで127㎞、那覇まで540㎞、東京まで2000㎞。北端の北海道から与那国島まで引いた線が3000㎞。そんな紛れもなく日本の一番はしっこに位置する、人口わずか1500名の島が、大きく揺さぶられる事態に直面しました。

それは陸上自衛隊の南西諸島への配備計画です。

日本の安全保障の名において起こっている軍拡については、与那国島のみならず、沖縄島、石垣島、宮古島、奄美大島も今後無縁ではありません。

与那国島西水道を通過する中国軍艦船を常時監視する与那国島自衛隊基地のレーダーサイト

国境の島・与那国島の自衛隊基地には沿岸監視隊の部隊名にそぐわない兵站施設（弾薬庫）も造られている。

辺野古の問題が全国的にも取り上げられるようにはなりましたが、米軍にかわり、今後、自衛隊という組織がどのように変容し、私たちの将来にわたってどのような影響を与えるのか、注視していくことが必要です。与那国島での出来事は、「南西シフト」における最前線からの問題提起であると認識しています。

私が与那国島に住み始めてから３年後、与那国島が軍事戦略と無関係ではないということを思い知らされる事件が起こります。

米軍の掃海艇出現

2007年6月24日に、当時のケビン・メア沖縄総領事が、米軍佐世保基地から与那国に掃海艦２隻で与那国島の祖納（そない）港に入ってきました。与那国では復帰後、初めてのことです。この小さな島に米軍が入ってきたことは島民を驚かせました。全く青天の霹靂で、米軍に対して抗議などしたことのない住民は港に集まりながらも戸惑っていました。

重要なことですが、国境に住む人々が軍事的な緊張感を常に意識しながら生活しているかと言われれば、全国の皆さんが感じているのとはだいぶ違います。与那国島に限られた特異な感覚と言われればそれまでかもしれませんが、皮膚感覚として、日本中で喧伝されるような、「隣国の脅威」の話は聞いたことがありませんでした。

島の海んちゅのおじーが洋上で台湾の船と物々交換したとか、自慢げに話すのを聞いたことが何度もあります。この外国との交流はいつも笑顔で話す思い出であり、憎しみとか恐怖の文脈で語られることはありませんでした。そもそも海に対する所有の概念がないのだと思います。戦後の密貿易の「ケーキ時代」（景気）を経験した人間には、現在の不自由な経済交流の足かせを振り切って海外と交流した、力強い記憶すらあります。

むしろ権利を主張して国境線を引きたがる感覚は、おそらく今でも希薄であろうと思います。彼らは「サバニ」と呼ばれる小さな船で外洋に漕ぎ出し、数百キロのカジキを命がけで釣ってくる、海に生きた人々です。「海は誰のものでもない」という、日本人が失いかけている共有の感覚が、与那国島の海んちゅにはありました。

しかし後に、尖閣諸島関連の補助金が落ちるようになると、与那国漁協を中心として自衛隊誘致に大きく舵を切るようになりました。

この掃海艇寄港の理由は、ケビン・メアの外交公電がウィキリークスによって公表された内容によってわかりました。文書を拾うと、メア氏は、「祖納港は掃海艦が接岸するのに十分な深さがあり、一度に４隻が入れる」「港近くにある民間空港を利用して掃海艦を支援するヘリコプターも展開すれば、与那国島が台湾有事の際に掃海作戦の拠点になりうる」と分析していました。この事件をきっかけとして、与那国島への自衛隊誘致は、住民を置き去りにしたまま、そして与那国島の陸上自衛隊基地建設は、なぜ空自や海自、その前段階の警察力である海上保安庁ではいけないのかという議論を飛ばしたまま、配備計画は加速度的に進みました。

掃海艇の与那国寄港から１年後、自民党・佐藤正久参議院議員を含む防衛関係者の来島が増え、2008年6月与那国防衛協会が発足。石垣や宮古でも同様にそれぞれ防衛協会が作られ、住民からの要請で自衛隊の誘致が進むという方程式が作られ始めました。防衛協会は自衛隊誘致署名514筆を集めますが、この署名の信憑性に関し議会で公開を求めるも、外間町長は拒否。未だこの署名は闇の中です。

2009年6月町長・町議長らが与那国島への自衛隊配備を防衛省へ要請。7月自民党の浜田防衛大臣が与那国島視察。同年9月与那国町長選挙において外間守吉氏再選。「自治と自律の島」などを目指すとした「与那国自立ビジョン」の策定に深く関わっていた田里千代基氏をくだしました。

2010年12月に閣議決定された「新防衛大綱」では、南西地域の防衛態勢の強化方針が示され、2011年9月、与那国改革会議が自衛隊誘致反対の署名556筆を集めるも、議会において否決。

2012年7月、条例制定の法定数50分の1をはるかに超え、自衛隊誘致の賛否を問う住民投票の実施を求める署名588筆を町選挙管理委員会に提出。住民のほぼ半数に近いこの署名は、誘致派の非公開の署名とは異なり、与那国町役場の玄関口で閲覧可能になりました。

しかも、署名した個人への圧力が職場や親戚関係を通じて加えられる事件が続出し、署名の取り消し要請も相次ぎます。一方、署名用紙が破られ持ち去られる事件も発生。与那国町議会で条例制定の願いは賛成２、反対３で否決。この裏で用地買収など、防衛省の地権者への働きかけは水面下で進み、既成事実が積み重ねられていきました。

自衛隊配備推進派の勝利

2013年3月、町長・外間守吉氏が、自衛隊配備計画を進める国に対し、「迷惑料」として約10億円を要求すると発言。この発言が全国で大きく報道されるなか、町議会において陸上自衛隊沿岸監視部隊に関連した町有地21.4haを防衛省へ賃貸する仮契約が可決。8月与那国町長選挙で、自衛隊配備推進派の外間守吉氏が再選553票対506票の差で勝利、のちに、「選挙によって民意は示された」と繰り返し発言しました。

2014年4月、陸上自衛隊基地建設造成工事着工式典に、小野寺防衛大臣が出席。住民およそ80名の抗議行動により、開場が30分遅れる。小野寺五典防衛相は配備撤回を求める声が地元で根強いことについて、「町長が『反対する住民はほとんどいない』と言っていた。(抗議している人々は)島外からこられたのでしょう」と主張。さらに、自民党沖縄県連副会長・新垣哲司氏が、抗議する地元住民に対して、「ないちゃー（内地人）は帰れ！」と吐き捨てるなど、問題発言が相次ぎました。同年9月、与那国町議会議員選挙にて、与野党が３対３の同数で拮抗することに。11月、自衛隊基地建設を問う住民投票条例で、紆余曲折を経て住民投票条例案が可決。2015年2月、住民投票実施、賛成632票対反対445票で、「自衛隊配備に賛成」が過半数を占めました。5月、本体工事が開始されました。

そして2016年3月28日、与那国島で、陸上自衛隊沿岸監視部隊編成完結式が行われました。

これまでの流れを、時系列を説明する形で追っていくとこのような流れになります。その間に住民説明会が行われたのは2011年7月（防衛省主催)、11月（防衛省主催)、2014年2月（与那国町主催)、2015年1月（防衛省・与那国町）の４回だけです。この数少ない話し合いの機会も、上から「ご説明に上がります」とでもいうように、背広組と専門家をずらっと並べた高圧的なもので、住民の声を封じるためのものだったと思います。

2007年に端を発する、与那国島の歴史上の転換点とも言って過言では無い駐屯地の恒久的な土地使用に関して、９年あまりの間、住民との対話を避けて何をしようとしていたのでしょうか。答えは、民主主義を標榜しながらも、民主的な話し合いのプロセスを徹底的に避けたということです。住民の団体は島内での話し合いの機会を度々要請していたにもかかわらず、行政は最後まで実施しませんでした。

このような経緯で進んでいった与那国島の陸上自衛隊基地ですが、最初から賛成が多数を占めていたわけではありません。2011年8月の琉球新報による世論調査では賛成が13.3%反対が77.3%と反対が保守・革新を超えて圧倒しており、多くの住民がデモや集会で反対の意思を表明し、小さな民主主義のモデルケースとしては涙ぐましいほど行動をしていました。

しかしながら、基地の建設に異議を唱える住民に対して、選挙で民意を確認すると言いながら、用地買収や実質的な予算付けによって、工事はすでに着手されていました。本来であれば、自衛隊基地を与那国島に置くべきか、最初に議論を尽くした後で進められるべき作業が先行して行われていました。そうした土木工事などを通して島の住民の雇用が握られ、次第に締め付けられていった結果、反対の声をあげにくい雰囲気が作られていきました。

「すでに作られてしまっているんだから、いまさら基地建設に反対してもどうしようもない」「もう国がやるって言って動いているんだから止まるはずがないじゃないか」

そんな空気が大勢を支配するようになっていきました。

基地建設の是非を問う議論の前に、仮調査や仮契約の名目で既成事実が積み重ねられてきました。陸上自衛隊が与那国島で発足するまで、数回の選挙を経験してきましたが、選挙のたびに争点は曖昧になり、選挙が終わると民意は示されたという開き直りの繰り返しで、議論が熟す前に結論だけが先行したという感は否めません。

このように責任の所在を明確にせず正体不明の空気が支配を始めると、転がっていく先の歯止めが効かなくなっていきます。今年に入り与那国の居酒屋で、海上自衛隊の制服を着た幹部と島の有力者がお酒の席の最後に万歳三唱をしていたなど、陸自の次は海自だと、誘致の署名を集める動きがあるとも聞いています。

度重なる選挙で、住民の声を聞く代表を送り込んで島の政治状況をなんとか改善したいと願っていた住民にとって、自衛隊員とその家族を含め250名とも言われる新住民の投票行動は、与那国島の自己決定権と住民自治にとって、壊滅的な打撃を与えることになるのだろうと思います。民主的な選挙を通じたプロセスで島の未来を自律的に変えていくことの困難さに、打ちひしがれ、力尽きた感じはしますが、最後のたった一人になるまで諦めない誰かがいること、どんなに困難であっても、自立の火は与那国島に燃え続けていると私は信じています。

投票率97%の問題点

不条理によって打ちひしがれていく人々を間近で見ていると、「もっと頑張れ」とは言えなくなります。沖縄本島でも選挙におけるしがらみの強さは有名ですが、そのさらに上をいっているであろう与那国島は、選挙のたびに苛烈な葛藤の渦に投げ込まれることになり、沖縄でも「最も激しい選挙の島」として勇名を馳せています。2014年9月の統一地方選挙での、与那国島における投票率は、97%にものぼります。これは健全な投票率ではなく、「異常」な数字です。棄権する自由も、投票する自由も奪われていると見るほうが健全な判断ではないでしょうか。

メディアの報道ベースでは、この自衛隊の南西シフトについて、注目度も情報量も圧倒的に足りないのは悲しいことですが、1972年の沖縄の日本復帰以来、「沖縄の基地負担の軽減」を中央政府が繰り返し語る背後で、このような自衛隊基地が沖縄に「新設」されるということの意味を深く知ってほしいと思います。

メディアが時間的・金銭的な事情により離島の与那国島まで取材できない事情もあるのかもしれませんが、大手新聞社などは与那国駐屯地の発足式の取材の際に那覇基地から自衛隊機に乗せられて来島したりと、公共性や権力との距離の取り方に疑問を感じることも多々あり、与那国のことだけではなく、正確な南西シフトの現状を伝えていない報道ばかりを目にしています。こうした情報力の格差を利用した地方潰しは、辺野古でも見られてきたのと同じように、さらに小さな先島諸島の現状は沖縄島にすら届かないという相似形をなしているのではないでしょうか。奄美・沖縄・宮古・石垣・与那国へと連なる第一列島線上に、米軍の下請けとしての自衛隊を展開配備することは、本来の日本の国防とどのような関係があるのか、真剣に考えるに値するテーマのはずです。今後とも注視しなくてはいけないし、同様の手口で、誰のための戦いかわからない戦いの準備が中国脅威論を背景に着々となされてゆくことは、もはや沖縄の地域的な問題ではなく、イージスアショアの問題で見るように、日本列島全体が超大国の間で最前線の戦場になりかねないエスカレーションを孕んで動き出してるように思えます。

基地建設の問題がこの与那国島に持ち込まれてからは、対立の歴史がずっと続いてきたと回顧します。「分断して統治せよ」という言葉そのままに、小さな島では自衛隊基地をめぐって、中央から制服を着た自衛官が多数来島し、住民の対立が作られていきました。

多くの原発立地自治体と同じように、有事の際の住民保護計画はなおざりにされながら、税金やお金や人員を自在に投入できる権力は、強大な力を持って地域を破壊していったのだと、この10数年を肌身に感じ未だ終わらぬ分断に苦しめられています。

力で押さえつけられ、もの言えぬ空気が作られていく感覚は、差別の感情なしには語りえぬ悲しさがあります。選挙戦の激しさとダーティーさでは、おそらく日本の中でも屈指の部類に入るだろう与那国島の選挙は、この島の人々をへとへとに疲れさせている反面、勝ち負けを巡る祭りのような狂乱のエネルギーが毎回渦巻きながら、どんどん底の方へ引きずりこまれていくような昏い感覚に陥ってしまいます。

全員で意見表明する伝統

しかし、与那国島にはかつて「どぅらい」というアテネの直接民主制にも似た仕組みがありました。大きな問題が起こった時には、広場に人々が集まり女性も子供も意見を表明するのです。大人から子供まで、等しく政治に関わる土壌が、歴史の中で培われてきたのももう一つの与那国島の姿です。近代になり、中央集権の強化に伴い地方の自治が削られていくと、孤高の自立の精神は「非文明的」というレッテルが貼られ、「本土並み、沖縄（本島）並み」という言葉とともに急速に文化も自立心も廃れていき、自らの価値を見失っていったが故に、人口減少にも拍車がかかったのではないかという反省は今からでも遅くないと思っています。

これは現在でも、日本政府がアメリカだけを見て国の舵取りをしているのと同じように、与那国が日本の東京だけを見続け、東アジア全体を俯瞰する視点を失ったという結果が、この与那国島への自衛隊配備につながっていることを、与那国島の住民として指摘せざるを得ません。

私が最初に与那国島に来島して感じた、腑に落ちないギャップとは、自立と支配が混在する社会の両面を、この与那国島で見たからだと思います。

日本という国の成り立ちを考えるとき、朝鮮半島を経由した人の移動があり、混じり合ってその多様性や文化の源泉としていっただけではなく、黒潮に乗って北上し人々が渡った海のシルクロードともいうべき海流文化も同時に日本という国の記憶に深く刻まれていて、その最初の入り口が与那国島でもあります。

私たちはどのように生きるべきかを一人一人の幸せを考えながら、小さな共同体を単位として積み重ねながら生きている、そういった社会的な生き物であることは言うまでもありません。その中で培われてきた先人の知恵や歴史や文化の蓄積から汲み取って、今現在を生きるという営みをそれぞれの地域で行っていくことで、トップダウンだけでは描けない、より良い未来を開くことができるのだと思います。

沖縄の歴史を考えるとき、アメリカが出現する前までは、日本と中国の二大勢力の間にあってどのような外交・安全保障をしてきたかというと、言うまでもなくソフトパワーを主軸に据えて東アジア全体に向けて開かれていた交流と貿易の結節点として存在していたのであって、ハードパワー（軍事）に過剰に傾斜し、さらに加速しようとしている現在は、全く日本としての方向性を見失った愚策であると、歴史が悲劇を伴って断罪する日がまたあの戦争のように不幸にも来るかもしれません。

今起こっている与那国島を含めた南西シフトの全体像は、軍事力増強の一択しか選択肢がないように見えているかもしれませんが、私たちにはもっと平和的な手段で南西諸島全域をバッファーゾーン（緩衝地帯）として東アジアの未来に向けて作り上げるもう一つの道があるのだということ、そしてその役割を担うことが沖縄にできる重要な選択肢であることを、これまでもこれからもずっと諦めずにあり続けるのだということを、与那国島から訴え続けていきたいと思っています。

https://iwj.co.jp/wj/fellow/archives/293889

❖ 国境を越える社会を造ろう

スコットランド独立の夢はかなうのか

琉球大学名誉教授 **江上 能義**

1．スコットランド独立運動の背景と歴史

「蛍の光」「アニーローリー」「故郷の空」などの歌やバグパイプの音色で私たちに親しみのあるスコットランドはかつて独立王国だったが、現在はイングランド、ウェールズ、北アイルランドと共に、「グレートブリテン及び北アイルランド連合王国」(略称の「連合王国」“the United Kingdom”は、通称の「英国」もしくは「イギリス」を指す) の一地域である。

スコットランドの人口は2019年現在、約545万人で、英国全体の人口約6,680万人の8.2%だが、面積は78,400km²で英国全体の面積 (約 24.5万km²) の３分の１を占める。平坦なイングランドと異なり、スコットランドのとくにハイランドは山岳地帯で起伏に富み、美しい景観に恵まれている。また歴史的にケルト系のスコットランド人は、アングロサクソン系のイングランド人とは民族的にかなり異なっていて、独自の音楽や舞踊や民族衣装など、その伝統文化に誇りをもっている。

スコットランド王国が独立を失った経緯は、悲劇の女王と言われるメアリー・スチュアートにまでさかのぼる。1542年、父王の死によって誕生してわずか６日後にスコットランド国王となったメアリーは、夫のフランス国王の早逝によってスコットランドに戻り、宗教改革と権力闘争の嵐の中で波乱の運命をたどった。そして血のつながったエリザベス女王 (１世) を頼ってイングランドに逃亡した。だが自分の王位への危険な存在と考えたエリザベスは、メアリーを18年間幽閉した後で1587年に処刑した。処刑の３年前に、メアリーは「私の終わりに私の始まりがある」という謎の言葉を刺繍に残している。

未婚で子がいなかったエリザベス女王は1603年に逝去したが、遺言でメアリーの息子ジェームス６世を後継者として指名したので、同年、スコットランド国王のジェームス６世がジェームス１世としてイングランド王国の王位を継いだ。このことによって、長い間、争ってきたスコットランドとイングランドは同君連合王国となった。

メアリー・スチュアート

そしてその後、経済的に困窮していたスコットランド王国は1707年合同法によってイングランド王国と合併してグレートブリテン連合王国を建国、同時にイングランド議会とスコットランド議会も合同して、元イングランド議会の議場であるウェストミンスター宮殿を議場とするグレートブリテン議会が設立された。実質的にはイングランド王国がスコットランド王国を吸収合併した。ここで名実ともに、スコットランドはイングランドと一体化し、スコットランドの独立性は失われた。その後、ローランドを中心にイングランド化が進み、スコットランドらしさが失われていった。

18世紀後半になってから、イングランドとの合同の経済効果がようやく現れてきた。アメリカ大陸との交易が活発になった。そこから製造業がひろがり、畜産物・穀物・綿織物から19世紀にいたって鉄鋼業・石炭業も活発になった。スコットランドの都市化・人口増が急速に進んだ。

大英帝国の繁栄でスコットランドも繁栄した。世界中の植民地を交易先とすることでスコットランド産業は成長を続け、スコットランドの造船業・機械工業は大英帝国の経済を牽引した。

19世紀後半から20世紀初頭にかけて、スコットランドとりわけグラスゴーの造船業・機械工業は大英帝国経済にとって不可欠な存在だった。世界の工場ともよばれ、大英帝国の中でも「発展は北にあり」といわれるほどの繁栄ぶりだった。ちなみに新型蒸気機関で英国のみならず世界の産業革命に貢献したジェームズ・ワットもスコットランド人である。

また明治初期に工部省から派遣された渡邊嘉一はグラスゴー大学で土木工学を学んで著名なフォース鉄道橋の建設に関わり、その名はいまもスコットランドの20ポンド紙幣にその橋と共に刻まれている。アドレナリンの結晶化に成功した高峰譲吉やニッカウィスキー創業者の竹鶴政孝など、著名な日本人が当時のスコットランドで学んだ後に偉大な功績を残している。しかし、20世紀初めごろから大英帝国の経済は失速し、それと共に、しだいにスコットランドの地位は低下していった。

とくに２つの世界大戦はスコットランドに大きな打撃を与えた。第１次大戦の頃からスコットランド経済は地盤沈下していた。資本家と労働者が対立し、貧富の格差が拡がっていった。貧困のために兵士を志願する者も

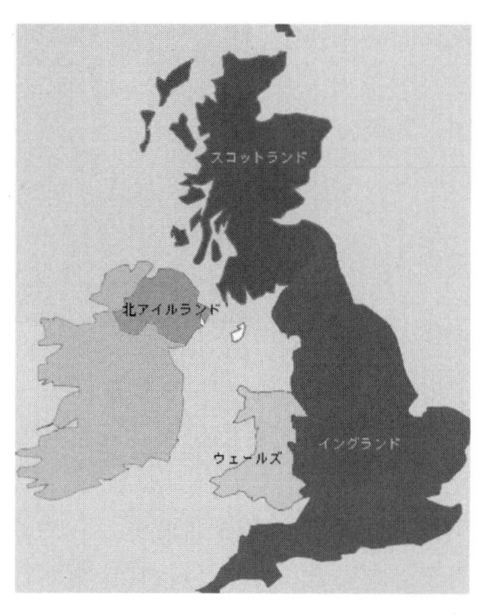

グレートブリテン及び北アイルランドの連合王国
出典：http://kobarin.livedoor.biz/archives/1871688.html

多く、その結果、多くの戦死者を出した。次第にスコットランドは連合王国のお荷物になっていった。1930年代の世界恐慌によってスコットランドはさらに深刻な不況に見舞われ、第２次大戦では、グラスゴーやエディンバラなどの主要都市がドイツ軍によって爆撃されて、スコットランドは甚大な被害を受けた。

２．スコットランド国民党(SNP)の結成とスコットランド議会の再生

この戦間期の1934年に、独立運動を先導するスコットランド国民党（Scottish National Party : SNP）が結成された。1919年に始まったアイルランド独立戦争とその結果、1922年に成立したアイルランド自由国が大きな刺激となった。反政府運動や徴兵拒否運動などを指導したので、英国政府から激しい弾圧を受けた。長い間、過激な主張と行動を展開する少数の異端的な存在の政党として存続してきたが、次第に政治基盤を拡充していき、スコットランド独立運動の旗手としての地位を固めていった。

1945年、大戦終結直後の補欠選挙でスコットランド国民党は英国下院において初の議席を獲得、その後、小選挙区制のために２大政党制の壁は厚かったが、それでも少しずつ議席を増やしていき、1997年の総選挙では６議席、2001年には５議席、2010年には６議席を確保した。そして後述するように、2015年の総選挙では50議席増の56議席へと驚異的な飛躍を遂げ、英国下院においてもSNPは存在感を示した。

1970年代、スコットランドに近い北海油田が開発され、イギリスに莫大な利益をもたらす一方で、スコットランドのナショナリズムを刺激した。スコットランドの議会は1707年のイングランドとの合併以来、ウェストミンスター議会に統合されていたが、独自の議会設置を求める声が高まった。

1979年の議会設置の是非を問うレファレンダム（住民投票）では、賛成派の投票者が過半数を超えたが、結果的に否決された。スコットランド国民党はこの分権案を、独立からほど遠いものとして承服しなかった。同年、サッチャーが登場し、スコットランドは民営化や人頭税の嵐に見舞われ、苦境に陥った。

1970年代に勢力を拡大してきたSNPは当時、スコットランドの欧州共同体からの離脱を主張していた。英国からの分離と欧州からの分離が同党の基本政策だった。だが80年代に政策転換をした。80年代に急速に充実する欧州の地域政策（Regional Policy）によって、スコットランドは欧州基金の最大の受益地域となったのである。この基金がスコットランドの経済再生に非常に有用であることがわかった。SNPは「欧州の中の独立スコットランド」というスローガンを掲げるようになった。

1990年代は過酷な英国政府の政策に対する反発が分権・自治への要求を強めていった。最大の役割を果たしたのが、諸団体、政党、個人の集合体で市民参加型のスコットランド憲法会議（Scottish Constitutional Convention）であり、①スコットランド議会の計画に同意すること、②そのための国民の支持を獲得すること、③スコットランド人の権利の要求を実現すること、を目的とした運動を展開した。こうした目的と具体的な提案は1997年英国下院総選挙における労働党と自民党のマニフェストに採り入れられた。

1997年、英国下院の総選挙の結果、18年ぶりに労働党が政権を掌握した。そしてエディンバラ出身のトニー・ブレア首相の下で再度、レファレンダムが実施され、今度は地域分権（devolution）が可決され、スコットランド議会（Scottish Parliament）が復活することになった。賛成74.3%、反対25.7%と、圧倒的な多数で地域分権が支持された。

1999年5月、スコットランド議会選挙（議員定数：129議席）が実施され、労働党のドナルド・デュアー（Donald Dewar）を初代スコットランド首席大臣とした自治政府が発足した。議会には、所得税を上下３%の範囲内で調整する権限が付与され、教育、医療など特定の政策分野において一次的立法権がある。

スコットランド議会議場

2011年5月の選挙では、スコットランド国民党（SNP）が過半数を占めて、スコットランド議会で初めて単一の政党が過半数を握ることになった。SNPが過半数を占めたことは、議会がスコットランド独立へ向けた住民投票の発議を行える十分な条件を満たしたことを意味する。

スコットランド議会における政党別議席数

	1999年	2003年	2007年	2011年	2016年
スコットランド国民党	35	27	47	69	63
労働党	56	50	46	37	24
保守党	18	18	17	15	31
自民党	17	17	16	5	5
その他	3	17	3	3	6
計	129	129	129	129	129

3．2014年スコットランド独立レファレンダム

2012年10月「エディンバラ合意」(Edinburgh Agreement)

キャメロン英国首相（David Cameron）とスコットランドのサモンド首席大臣（Alex Salmond）は、スコットランドの独立の是非を問うレファレンダム（住民投票）の実施に向けて両政府が協力することで合意する合意書に署名した。両者はエディンバラにあるスコットランド行政府庁舎で会談した後、合意書に署名して握手を交わした。

キャメロン首相は「きょうは英国にとって重要な日だ。ある国をその国民の意に反して英国の構成体としてとどめることはできない」と述べ、「スコットランドの人々は住民投票の実施を目指す党を選んだ。スコットランドと英国にとって、今回のレファレンダム実施に関する合意は人々に選択肢を与える望ましい成果だ」と加えた。

その一方で同首相は「連合王国が現状のまま維持されることにスコットランドの人々が賛成するものと強く期待し、信じている。連合を組むことでより良い状態になり、一層強く、より安全でいられる」と訴えた。なぜキャメロン首相は「スコットランドの賭け」(Scottish Gamble)と称されたスコットランド独立レファレンダムの実施を応諾したのか？　その理由は、この時点で彼には確固とした勝算があったのであり、レファレンダムを実施することでスコットランド独立派を大敗させ、その息の根を止めること

ができると考えたからである。

スコットランドは独立した法体系を持ち、行政府は医療や教育などの分野を担当している。2011年5月のスコットランド議会選で勝利したスコットランド国民党（SNP）党首のサモンド首席大臣は、行政府が外交、防衛、経済も担当できるようにすべきだとしてレファレンダムの実施に突き進んできた。

実は、英国保守党の基本政策が公共福祉を削除して緊縮予算を重視する新自由主義的な性向を有しているのに対し、スコットランド国民党の基本政策は公共福祉を重視する社会民主主義的な性向を有していて、根本的に対立している。2013年11月、サモンド首席大臣は、スコットランドの独立の是非を問う住民投票に対する公約となる独立国家スコットランドの青写真、SCOTLAND'S FUTURE を発表した。

独立レファレンダム投票日の直前の情勢

スコットランド独立を問うレファレンダムが実施された2014年の初頭は、圧倒的にNOの予測がYESを上回り、スコットランド独立は当然、否決されることが自明の理であって、英国（連合王国、UK）全体では関心が薄かった。もちろん日本を始め世界の諸国も気に留めた様子はなかった。４月中旬から７月末までの世論調査の諸結果も、NOが60～55％、ＹＥSが40～45％と反対優勢の傾向が明らかだった。

ところが8月25日のテレビ討論で、YESキャンペーン代表のサモンド首席大臣が、NOキャンペーン代表で労働党内閣元財務大臣のアリスター・ダーリング（Alistair Darling）を圧倒したときからその差が縮小し始め、NOが53％、YESが47％と6％差にまで縮まった。９月に近づくにつれて、YESが次第に勢いを増してきてさらにその差を縮め、拮抗状態にまでなり、投票日（9月18日）の11日前の9月7日付けのサンデー・タイムズ紙掲載のユーガヴ（YouGov）の世論調査結果では、ついにYES 51％、NO49％となって、初めて逆転した。

この世論調査の速報を聞いたサモンド首席大臣は最初、この数値を勘違いし、NO 51％、YES 49％でNOにYESが2％差まで縮めたのかと思った。しかしそうではないことがわかった。その時、YESキャンペーン・チームは、逆転のタイミングが早すぎたのではないかと懸念した。NO派の反撃に十分な時間が残っていると感じたからである。とはいえ気を引き締めてこの勢いを持続する努力を目指した。
この逆転劇にスコットランドの群衆は熱狂した。サモンドは演説に行く先々で群衆の興奮のるつぼに包まれ、演説では大喝采を浴びた。
それから英国民はレファレンダムの重大さにやっと気づき、ウェストミンスターの政治指導者たちは敗北する危険が迫っている事態に直面して大騒ぎとなった。世界中もこのレファレンダムの行方に注目するようになった。パニックになった与党の保守党党首であるキャメロン首相と自由民主党党首のニック・クレッグ（Nick Clegg）は野党の労働党党首ミリバンド（Edward Miliband）と連合し、緊急にdevolution（権限移譲）の拡大の約束をスコットランドに対して公表した。とくにまだ、どちらに投票するか決めかねている有権者にアピールするのが狙いだった。NOがレファレンダムで勝利すれば、数日以内に「最大限の権限移譲」(devo-max)を実施すると約束したのである。投票の結果がYESの勝利となって連合王国が失われたら、キャメロン首相は国民の激しい怒りに直面して辞任は必至だった。
投票日の 1 週間前の9月11日、スコットランドのタブロイド紙で、スコットランド国民党（SNP）やスコットランド独立に反対の立場をとるデイリー・レコード紙が世論調査結果を掲載し、NOが53%、YESが47%となって再びNO側が逆転、6%のリードは2ヶ月前の比率と同じになったと報じた。そしてこの調査結果は、サモンドにとっては「暗い水曜日」になったことだろうと付け加えた。さらに、スコットランドが地域によって独立をめぐる意見が分かれ、西部地方はYES優勢（YES51.3% NO39.4%）、南部はNO優勢（YES38% NO55.1%）であり、男女差では、男性はほぼ互角で、女性はNO優勢（YES38.6% NO55.1%）であることも報じた。
9月6日のYESリードの衝撃の後、キャメロン政権は労働党とも組んで懸命にNOキャンーペンに取り組んだ。キャメロン首相は、「スコットランドの人たちはこのレファレンダムを総選挙と同程度に考えている。いまいましい保守党にうんざりだったら、選挙で敗北させればよい。しかしレファレンダムの場合は事情が違う。これは次の世紀に関わる投票だ」と、涙を流さんばかりに訴えた。
経済的な圧力も強まり、レファレンダムでYESが勝てば、ロイズ銀行グループの傘下にあるロイヤルバンク・オブ・スコットランド（RBS）やスコットランド銀行の本社をエディンバラからロンドンに移すだろうとか、通貨としてポンドを使えなくなるとか、通貨への不安から銀行が貸し渋るので、スコットランドの不動産業は苦境に立たされるなど、生活に響く経済的な圧力がYESキャンペーンを直撃した。キャンペーンにかけた費用は、NO側が約242万ポンド、YES側が138万ポンドと、NOがはるかに上回った。外国からもYESキャンペーンに圧力がかかった。ドイツ銀行は、「YESが勝てば、スコットランドは経済苦境に陥る」と警告した。

9月12日、ガーディアン紙はICMの世論調査結果を掲載し、YES 49%、NO 51%で僅かにＮＯ陣営がリードしていることを伝えた。インディペンデント紙は、「YESとNOの差が縮まったことによって、連合王国はナイフの刃の上に座っている。ユニオンの運命はまだどちらか決めていない数十万の有権者の手に握られている」と指摘した。

投票前日の9月17日付けのスコッツマン紙はICM Pollの世論調査結果を掲載し、YES48%、NO52%でNOが依然として僅かに優勢だが、両者の差が縮まっていると報じた。投票当日の9月18日、翌日の19日にも各メディアは直前の世論調査結果を報じたが、総じてNOがYESを僅かにリードしていて、NOのユニオン陣営の勝利を予測した。いずれにせよ接戦が予想されたので、キャンペーン最終日はYES、NOの両グループ共に熱狂の渦に包まれた。

独立レファレンダムの投票結果（2014年9月18日）

しかし、実際の投票結果は予想よりも大きな差がついて、NO55.27% YES44.65%と約10パーセントの差となった。9月6日 Yougov のYES逆転の衝撃をきっかけに、３党結束しての最大限の権限移譲などの約束（VOW）を始めとして、NOキャンペーンが猛烈な反撃を開始し、結果的にそれが功を奏したといえよう。女性票と65歳以上の高齢者票がＮＯキャンペーン（Better Together）の秘密兵器の的だったとスコッツマン紙は指摘した。

勝敗の行方とは別に，このレファレンダムがスコットランドのみならず英国全体の歴史的な出来事であり、民主主義を前進させた、という評価は共通していた。

そしてもうひとつ注目されていたのが投票率だった。このレファレンダムでは有権者が16歳にまで引き下げられたが、若者たちは政治に関心を示さないから投票に行かないだろうという大方の予想をくつがえし、彼らの間でも関心が高まり、各種の討論でも若者たちは積極的に発言した。YES陣営が草の根キャンペーンを最重視して有権者が投票所に足を運ばせる努力を惜しまなかった。その結果、84.59％という驚異的な投票率を記録した。従来の選挙の投票率が60％前後であったことを考えると、このレファレンダムがいかにスコットランドの政治的関心を高めたかが理解できる。

4．独立レファレンダム以後―キャメロン首相の“裏切り”と独立の夢の再燃

レファレンダム敗北の責任をとって、翌日の19日、サモンドはただちにスコットランド国民党の党首とスコットランド政府首席大臣の座を退き、彼が信頼する副党首・副首席大臣のニコラ・スタージョンに代わることを表明した。スタージョンはスコットランド議会で初の女性首席大臣に任命された。

辞任に当たってサモンドは、「進歩の真の守護者はウェストミンスターの政治家たちではなく、またホーリールードの政治家たちでもなく、無数の人々の活動のエネルギーであり、彼らは政治の陰に戻ることを穏やかに拒否するであろう」と述べた。そして報道機関には前もって渡してあった原稿にはない最後の言葉を述べた。「リーダーとしての私の時代はまもなく終わる。しかしスコットランドでは独立キャンペーンは続く。夢は決して消え去ることはない」と。彼が最後に述べた「夢は決して消え去ることはない」(“The dream shall never die”) は、スコットランド独立に政治生命を賭けてきた政治家の言葉として、「サモンドはスコットランド人に希望の伝説を残した」(David Torrance) と表現された。

しかしサモンドのこの言葉は、実は辞任する者の単なる感傷的な言葉ではなかった。YES陣営が敗北で打ちのめされていたとき、サモンドは明け方にキャメロン首相に祝福の電話をした。キャメロンもYESキャンペーンの健闘を讃えた。電話を切ったキャメロン首相は官邸の外に出て勝利の記者会見に臨んだ。この模様をサモンドはテレビで見ていた。キャメロンがそこで、「スコットランドの改革は、イングランドの変革と同時に、かつ同じペースで行わなければならない」と表明したとき、サモンドはこの言葉の重要な問題をただちに悟った。投票日の直前に、レファレンダムの投票結果の接戦予測で、完全にキャメロンがパニックに陥って最大限の権限移譲をひたすら叫んでいた時には決して述べなかった言葉だった。

愚かで傲慢な男だ、とサモンドは思った。キャメロンがたったいま開けた扉のことを誰もわかっていなかった。サモンドはいますべきことがわかった。キャメロンはレファレンダムの投票日前にスコットランド人に対して誓った約束（VOW）を破った。この首相のスコットランド人に対する裏切りによって、スコットランドの独立運動は終焉するどころか、ますます強まるとサモンドは確信したのである。サモンドの「夢は決して消え去ることはない」という言葉には、実はこうした彼の確信に裏付けられていたのである。

5．2015年英国下院総選挙とスコットランド国民党の勝利

2015年5月総選挙に向けての始動

スコットランド国民党（SNP）はレファレンダム敗北の直後、支持率が下がった。だがその後、すぐに回復してレファレンダム以前の勢いを持続し、さらに上昇していった。サモンドの予測通り、キャメロン首相の裏切りへの怒りがSNPへの入党者の急増になって表れた。5万だった党員数が8万から10万となり、さらに13万へと膨らんでいった。新党首のスタージョンは翌年5月の英国下院総選挙で保守党の政権の座から追い落とすことを最大の目標であることを公言して、労働党との連携を訴え、総選挙後の労働党とSNPの連立政権に言及した。だが労働党の影の内閣の財務大臣であるエド・ボールズ（Ed Balls）はSNPとの連立に反対を表明した。労働党の内部はSNP対策で混乱した。キャメロン首相は、労働党がSNPとの関係をめぐって混乱していることを攻撃した。

スタージョンはキャメロン保守政権の緊縮財政を激しく批判した。そして総選挙後にSNPが労働党と組む際には、財政緊縮政策をとらないことを条件に挙げた。家庭に借金を負わせるこの政策は倫理的に認められず、経済的に持続可能ではない、英国が経済成長しているのもかかわらず緊縮財政を継続すれば、経済的な弱者に強い不安感と窮乏を強いることになり、キャメロン首相は、緊縮財政政策がうまくいっていないので、さらに財政を緊縮すると言っているようなものだ、英国の財政赤字は経済的困難の兆候であって、原因ではないと述べてキャメロン政権の財政緊縮政策を批判した。そして労働党は財政赤字削減にもっと穏当なやり方で対処すべきだと主張した。保守党政権は反論し、院内総務のジョン・ラモント（John

スコットランド独立運動の先頭に立つスタージョン首席大臣

Lamont）は、「SNPは独立レファレンダムでブリテンを破壊しようとし、今度はブリテンを破産させようとしている」とスタージョンに反論した。労働党も「SNPは財政赤字に取り組もうとしない」と批判した。

このように、スタージョンの呼びかけには労働党は応じようとはしなかった。レファレンダムでSNPに敵対して保守党と組んだ労働党が、今度は総選挙でSNPと組めば、英国の有権者の支持を得られないのではないかという懸念が根底にあった。

2015年5月総選挙の結果

ところが選挙結果は、事前の予測に反して、保守党が過半数の議席を獲得して圧勝した。保守党331議席、労働党232議席、自由民主党8議席、スコットランド国民党（SNP）56議席、英国独立党（UKIP）１議席、緑の党１議席となって、保守党が単独で政権を再び担うことになった。この結果に一番、驚いたのはキャメロン首相自身だったと言われる。キャメロン首相は、「私は連合王国を危機にさらすことはない」「ブリテンを癒すためにスタージョンと協力することを約束する」と述べた。UKIPは１議席しか取れなかったが、得票率では３位だった。

スコットランドではスコットランド国民党が圧勝した。スコットランド選挙区議員定数 59のうち、SNPは56議席を獲得し、残りは保守党１、労働党１、自由民主党１の結果となった。前回の2010年総選挙で獲得した6議席から驚異的な50議席増の圧勝となった。SNPは140万票を獲得し、50％の得票率だった。

労働党はスコットランドの独立レファレンダムで保守党に散々、利用された挙句、この総選挙では一転、保守党から猛攻撃を受けて大敗した。レファレンダムで保守党と組んでNOキャンペーンに加わった労働党は、政策でも保守党との争点の違いを明確にできずに、SNPとの関係で保守党の攻撃にさらされ、防戦一方となった。

そしてハング・パーラメント（宙づり議会）の予想が広まる中で、総選挙キャンペーンの最中でもスコットランド国民党の存在が際立ち、キャメロン首相が訴える連合王国崩壊の危機感から、英国の有権者は最終的に保守党に投票したといえよう。その意味では、この総選挙では保守党のしたたかな戦いぶりと当時に、レファレンダムに敗れたものの、スコットランド独立の勢いが持続して大きな影を落とし、その結果を左右したように思われる。キャメロン首相は2016年6月にEU離脱を問うレファレンダムを実施すると発表した。このレファレンダムにスコットランド独立問題がどのように絡むのかが注目された。

6．英国のEU離脱とスコットランドの最新動向

2016年6月EUとの関係についての国民投票（レファレンダム）

キャメロン首相の意図に反して、英国民は2016年6月の国民投票でEU離脱を選択した。キャメロン首相はただちに辞任することを発表した。この結果はEUとの親交関係が深いスコットランドに大きな衝撃を与えた。事実、この国民投票でスコットランドでは、EU残留が62%、EU離脱が38%と、EU残留支持者が大多数を占めていたのである。この結果を受けてスタージョンは、英国が本当にEUを離脱することになれば、スコットランドを取り巻く状況が急変するので、近い将来、スコットランド独立をめぐる２度目のレファレンダムを実施すると発表した。だがスコットランド人の多くは、EU離脱というこの歴史的な出来事がスコットランドを含めて英国全体にどのような影響を及ぼすことになるのか見極めることが先決だという雰囲気が強く、必ずしも直ちにスコットランド独立への支持拡大にはつながらなかった。

英国政治の激動とスコットランド独立運動の最新動向

キャメロン辞任を受けて登場したメイ保守党政権も、EU離脱手続きをめぐって保守党内の支持を得られず、総選挙にも敗れて辞任、2019年にジョンソン政権が誕生した。EUとの離脱交渉で決裂も辞さない強硬姿勢を貫こうとするジョンソン首相は、新型コロナウィルス感染への対応を軽視して失敗、英国はコロナ感染大国となり、自らも感染してしまった。一方、スコットランドのスタージョンは堅実な対応でイングランドと比べ、対照的にコロナ感染者を抑え込んでその評価が高い。

このコロナ対応のリーダーシップの違いが浮き彫りになって、スコットランド独立支持派は各種世論調査で上昇しつつある。だがジョンソン首相

はスコットランドの２度目の独立投票実施を容認しない姿勢を崩していない。スタージョンは前回の独立投票敗北の経験から、事前の世論調査で独立支持が60％台で固まれば、独立投票を実施する意向であるといわれている。ストラスクライド大学のジョン・カーティス教授は、ジョンソン首相があくまで２度目のスコットランド独立投票を拒否するのであれば、来年2021年5月に実施予定のスコットランド議会選挙で代替できると主張して注目されている。

英国のEU離脱をめぐるジョンソン政権とEU首脳部の今後の交渉の成り行きも、スコットランド独立の動向に少なからぬ影響を及ぼすだろう。

かつて連合王国の中での自治を求めて実現させ、スコットランド議会を再生させたスコットランドはいま、さらに英国政治においてはスコットランドの民意が反映されない「民主主義の赤字」を解消して民主主義を前進させるには結局、独立しかないと、ねばり強くスコットランド独立を目指し続けている。

おわりに

我が国でこのスコットランドの独立運動の動向に最も強い関心を示すのは沖縄だろう。英国の中で唯一の核基地がスコットランドに置かれている。すなわち英国の唯一の核戦力であるトライデント核搭載潜水艦部隊は、スコットランドのファスレーン基地に置かれているのである。この核基地の負担に対するスコットランド人の不満は根強く、独立運動の根拠のひとつになっている。日本に復帰して半世紀になろうとしているのに、依然として過大な米軍基地の存在に苦しんでいる沖縄と共通する点である。沖縄の世論にまったく聞く耳を持たない日本政府の姿勢に、本当に日本は民主主義国家なのかと沖縄の人々は疑問を抱いている。

またスコットランド王国が滅亡したのは1707年、琉球王国が滅亡したのは1879年であり、琉球王国の方が近年まで存在していた。洋の東西にあって事情はかなり異なるとはいえ、このスコットランド独立運動の今後の動向は沖縄の未来にとっても示唆に富むと思われ、注目に値しよう。

〈主要参考文献〉

・石見豊「スコットランドの英国からの独立をめぐる住民投票に関する一考察—

政治過程を中心に—」『国士舘大學政經論叢』通号第165号（2013年第3号）（http://kiss.kokushikan.ac.jp/contents/0/data/006800/0000/registfile/0586_9746_170_01.pdf）

・David Torrance, *The Battle for Britain - Scotland and The Independence Referendum*, Biteback Publishing: London, 2013.

・Alex Salmond, *The Dream Shall Never die*, HarperCollins Publishers, UK, 2015.

「超国境平和安定社会」への道筋
国家がグローバル社会の「地方自治体」になる日

同志社大学名誉教授 **渡辺 武達**

1．議論の前提

コロナ禍で世界中が大騒ぎするなか、そうした混乱への対処についての先覚的警鐘、視点として国境の枠を超えた平和安定社会展望の基点となる作品を残したとして筆者が尊敬の念を持つ「表現者」が二人いる。その一人は同志社大学英文学科の学生時代に『ロビンソン・クルーソー』や『ペストの記憶』を読んだ18世紀の英国作家ダニエル・デフォー、もう一人はSF『日本沈没』や『復活の日』を書いた日本の小松左京で、二人ともすでに故人である。

前者の『ペストの記憶』（1722年刊、原題 *A Journal of the Plague Year*）は1665年、疫病ペストが首都ロンドンを襲い、その人口の約2割もが死亡したパンデミック情況を残された資料から徹底調査し、必死に生き延びた人物を創作、ノンフィクション手法で克明に描いた。後者の小松は映画などにもなった『日本沈没』で有名だが、彼が梅棹忠夫や加藤秀俊などと協力し1970年、京都で国際未来学会を開催した時、私はその事務局を手伝い、彼の著作『復活の日』（1964年刊）のような日が実際に来るのか？と直接に尋ねたことがある。そこでは謎のウィルスで人類が滅亡の危機に陥りながら社会を再興しようともがく過程が科学的知見を総動員して描かれていたからである。彼はその時、未来学とはバラ色の未来を想い描くだけではない、社会が不測の事態を迎えたとき、どう対応できるかを最新の科学的知見とその創造的応用力を駆使して示すのがその存在価値じゃないかな？と言っていた。

今、私たちがグローバル化（超国境化・地球社会化）という進行中の流れを語る時にもこれら二人の先覚的表現者の知見と行動は私たちの時代把握と将来構想の参考になる。実際、現在の私たちの日々の暮らしに目を向けても、すでに私たち日本人が消費している食材料のおよそ6割が輸入品だから、日々身体に摂り入れている基本的栄養からして国境の外への依存なしに私たちは生きていけない。皮肉な言い方になるが私たちの身体の多くの部分がすでに「国際化≒超国化」もしくは「地球化＝グローバル化」してしまっている。しかもそのことは食糧調達や気候を含む生活面だけではなく学問や科学を含めあらゆる局面で進行している。にもかかわらず、政治家や官僚たちの少なからずが国家枠思考や職階上昇に関する桎梏や忖度から抜けられずにいる。前と現総理は日本によるアジア諸国侵略の否定という学問的にも国際的にも通用しない歴史観を持ち、情報社会化の結果として必然的な「デジタル化」などで右往左往し、経済学者たちもグローバル化を金融や株価、貿易額などで解説しているあいだに新型コロナウイルスはやすやすと国境を超え、人びとの生活を脅かしている。にもかかわらず、開発中の抗ウィルスワクチンについても国家間での取り合い競争さえ現実に起きている。

加えて、表に現れたそうしたメディア的事象の裏側でＡ・Ａ・ＬＡ（アジア・アフリカ・ラテンアメリカ）諸地域だけではなく欧米諸国においてさえ生存が脅かされる貧困層が減ることはなく、人類の共存・共益哲学が政治の場で活用されないから「民族」紛争も絶えることがない。加えて、そこで使われる「民族」という言葉さえ権力を持つ者たちが民衆をだまして戦場に駆りだすために創られたものであることを知る時、権力者たちの残酷さとその言葉の魔力によって日本に限っただけでも戦死者300万人以上、うち半数近くが餓死に至ったという…指導者たちの無策によって文字通り無駄に命を落としたことに想いを馳せざるを得ない（参考：小熊英二『単一民族神話の起源―「日本人」の自画像の系譜』、小坂井敏晶『民族という虚構』）。

問題はそのような不条理が今でもこの地球上にあるということである。財政力のない途上国や地域では強国やその連合体が勝手に引いた「国境」への抵抗をしている弱小「民族」が少なくない。彼等は国連やWHO（世界保健機構）などによってさえ守られないばかりか、強国はその災禍を利用して抵抗者を弾圧さえしている。この日本においてさえ、沖縄や先住のアイヌの人たちの立場は権利として受けられる各種社会保障や政治参加の現実問題として「被差別」的である。法的手続きとしては国民に選ばれている政治家とその議会による決定事項の実行を実務的に助ける官僚の集合体もまた議員たちの多くによる裏工作と関係利害団体の意向に沿った利権枠組みで動いている場合が多い。

国際的にも覇権諸国家の「談合」や法理としてはそれぞれの国境内で通

用するだけの取り決めが弱小諸国家に強制されている。その結果、新しいグローバル社会の法と政治の哲学は地球社会を展望した公益（社会性と公共性のプラス価値）を認識の基本におき、人類社会を全体的に包み込んだ建設的かつ長期的視点での根底的対応をする「共和・共栄」原則（basic principles and ground rules）に基づいてはいない（参考：宇佐美誠『公共的決定としての法』）。

グローバル社会のそうした現実環境の中で右往左往している今日の日本、その中の私たちの日常生活はとても「心理的安心」を保証されたものにはなり得ないし、現実生活においてもあらゆる局面での不安の蔓延がある。それが今日の我が国・日本における現実である。安倍晋三政権に続く菅義偉政権でもその標榜する「互助（自助・共助・公助）と絆」の実態が公益＝民衆の幸せを軽視し、近過去の日本による侵略戦争とその中で起きた従軍慰安婦問題等の認識で政府の見解を否定する学者を日本学術会議会員として認証しないという暴挙を平然と行ったことに如実に表れている。それこそまさに憲法16条の定める学問・研究の自由の侵害であり、あらゆる公人に求められる公益性原理に依拠した活動への妨害そのものである。論法としても本質的議論をないがしろにしているばかりか、地球的規模の人類愛に基づく発想法とその実践手法としての法理に基づいた為政の姿勢がまるで見られない。

私たちが日々目にしている政治が善悪の基準を無視した「パワーゲーム」でしかなく、有権者の大半もまた残念なことにそのゲームに取り込まれざるを得なくなっている。だがたとえ、現実政治がそのようなものであったとしてもそこで諦めて終わったのでは単なる愚痴にしかならない。本稿では筆者自身が実際に経験し、小さいながらも自らそれらの活動に携わってきたいくつかの例を挙げ、試行錯誤しながら実行してきた「平和で安定し、普通の人たちが楽しく暮らせる」と同時に「余力をそうした地球社会の実現のために使える仕組みづくり」にたとえわずかでも役立ち効力のあった実行例を具体的に記し、私たちが協力してその実現に傾注できる方向性デザインの一端を示しておきたい。

以下はそうした立場からの生活者が国境を超えて相互尊重し、民族紛争や宗教対立などを超え、相互依存の基礎となるグローバルヒューマニズムと「共和」思想の更なる展開とその基本構図の作成と熟成、さらにはその実行に有益だと筆者が考える体験記録とそれらから得たささやかな提言でである。

2．超大国米中をつないだ「ピンポン」外交

第二次大戦後の国際関係論の中でしばしば具体例として言及される第31回世界卓球選手権大会は1971年の春、日本の名古屋で開催された（3月28日～4月7日）。この大会は米中の国交関係樹立の橋渡しとなった「ピンポン（卓球）外交」の舞台として有名だが、現実の世界政治が動く力学には多様な経路（チャネル＝中継路）がある。だが実際に成功したケースでは卓越した指導者がそこに存在していることが多い。米中の政治的対立が現在以上に激しかったこの時代、卓球がその役割をオモテの場で果たすことが出来た背景には当時の日本卓球協会会長後藤鉀二（愛工大学長）の先見の明とそれを実行する勇断があった。

その彼が卓球界において「世界ナンバーワン」の実力を持つ中国が参加しない大会を「世界選手権」と呼べないという当たり前の判断をした。しかしその実行に関して暴力右翼からの殺害予告を含む文字通りの「脅迫」があった。が非政府系市民団体の日中文化交流協会等の協力と仲介で訪中を実現、周恩来を含む中国政府の要人に働きかけて選手団の来日を実現させた。

後藤の要請行動のあちこちに文字通り命の危険が少なからずあったし、国内政治的にも妨害を含めて面倒なことがいくつもあった。当時の自民党政権の一部からのイヤガラセには地元愛知県出身で旧民主党の重鎮、春日一幸を含む超党派政治家たちの助けがあった。そうした人たちの努力に当時の中国政治の実務的トップであった周恩来が反応し毛沢東を説得して訪日選手団の具体的準備にあたった。名古屋で米国卓球代表団との「合理的」接触がなんらかのかたちで実際に出来た時、「準備してきた布陣で即座に外交的対応できる」よう、中国外務省アジア局の専門家を代表団事務局担当者として組み込んできていた。

当時の中国は外から見れば文化大革命で混乱していたとはいえ、長い歴史の中で幾多の困難、政治の負の諸側面にも耐えてきた関係者の体験とそこから得た権力闘争の収め方を併せ知る幹部を有していた。そうした関係者助言と支持によって中央政府は緊張していた米中関係の緩和が文化大革命収束後の自国の更なる発展にプラスになることを見越していた。名古屋

での「卓球大会」がそのためのもっとも適切な国際チャネルとなり得る、しかもスポーツと政治は違うと世間では考えていることが逆に利用できると確信、もろもろの準備をして代表団を構成した。もちろん、選手は世界のトップクラスばかりであったから弱小国選手団が見せ場を作れる「演出」のできる布陣であることはもちろん、政治的にどのような事態が起きても迅速かつ効果的に対応できる役員構成と知的準備をして来日してきていた。その背景には「政治的なことは外部からは非政治的に見えるかたちで運ぶことがベスト」だということを熟知し、その代表団役員構成もいついかなる事態にも対応できるという周到な準備があった。

もちろん、米国の同盟国（実際には従属者）である日本政府の公安当局は中国選手団の宿舎での出入り者のチェックはもちろん、宿舎内での電話通話などもすべて「録音傍受」していたとはのちに電電公社（当時）の関係者から確認できたし、試合会場にも警備の名目で公安関係者が多く派遣されてきていた。筆者もそれまでの市民運動の体験から「政治的な決定が必要になること」は出来るだけ「非政治的に運ぶのがベスト」であるとは経験的にも知っていたが、当時の筆者は学生時代からアジア研究会という学内組織（同志社大学）に関係し、朝鮮半島での南北対立や米中の対立が世界の不安定要素であることを初歩的レベルだとはいえ大枠として理解していた。そうした情況下、当時の日本卓球協会会長の後藤鉀二から大会中の会長付通訳担当特別専属秘書を依頼され、期間中、氏に常時付き添って行動するという幸運に恵まれた。また当時の緊張した世界情勢から、今度の大会中での米中間の接触で何かびっくりするようなことが起きるかもしれない……という期待と高揚感をもっていた。

50年前の米中の対立は「冷戦」と呼ばれながら現在のような「政治ゲーム」とは様相を異にし、それぞれの大国の意地に同盟諸国の期待も加わり「熱戦争」という物理的ぶつかり合いに発展するかもしれない思わせるほど激しいものであった。が、外交や実際の戦争とは違いスポーツでは明確なルールがある。外では中国批判の右翼街宣車ががなりたてていたが、試合会場内では人びとの多くが文字通りスポーツ（sports の原意は「楽しみ」）として公平な声援を送り、自然な友好の雰囲気が醸し出されていた。中国選手団とその役員はそれで安心したかのように、開催国日本の卓球協会になにかと敬意を表しながら米国を含むすべての国の選手団との友好の雰囲気づくりに努めた。当時の中国は卓球で世界一の実力を誇りながら、日本でいえば中学選手にも劣る米国代表選手を含む「卓球後進国」選手たちが「見せ場」写真を祖国への土産として持ち帰れるよう、素人観客向けの高度な「演出」(平たく言えば「やらせ」ゲーム) までして相手選手に「花を持たせ」ていたし、試合後も求められればにこやかな微笑みでだれとも記念写真におさまり、差し出された色紙にも気軽にサインしていた。それがまたマスコミ好みの素材となり拡散された。

私たち関係者はフェアな実力勝負の場であるはずの世界選手権であるにもかかわらず、何が中国選手にそこまでさせるのか?と不思議に思っていた。ちなみに男子団体では実力通り中国が優勝、女子団体では日本が優勝した。そのことで開催国としてのメンツが保たれたし、試合会場の観客も接戦に沸きに沸いた。メディアも日本チームの予想外の健闘を華やかに報じてくれたおかげで、主催者の日本卓球協会にも開催中も協賛金が続々と寄せられるという副次効果も出た。その裏で、私たち関係者の一部にはそうしたことにも中国の配慮があったのだろうか?という疑念と感謝の気持ちが同時にあったし、その思いは今でも消えない。しかしそうした試合ができ、外交的にもそのような振る舞いができたのも実力世界ナンバーワンの中国選手団だからであり、それを支えたのが全体の構図を読み切った中国の見事な「政治的演出」と歴史的錯誤者からの脅迫等に抗う勇気と胆力が後藤会長にはあったからである。

そうした中国代表団による「対応」は試合会場の外でも展開され、大会当初は中国選手に対して表情の硬かった政治的に「純朴」な米国選手も、しだいに軟らかくなった。試合会場内通路や宿舎送迎バスの駐車場等での選手団と一般市民との接触も自然になり贈り物の個人的交換などもなされ、「スポーツは国家の対立を超える……」という雰囲気も高まった。そうした中、アメリカの卓球代表団長のハリソン氏が後藤会長の秘書役であった筆者のところにやってきて「中国選手団の宋中 (Mr.スンチュン) 秘書長が名古屋大会後に米国代表団を北京に招待したいと伝えてきた。自分たちもワシントン政府に政治的意味と安全性を含めてその是非を確認するつもりだが、大会主催者の日本側はどう考えるか?　後藤会長に伝えて意見を聞いてくれないか」と言ってきた。

その当時、私たち日本関係者は「宋中」氏のことを日本語読みで「ソーチュー」さんと呼んでいたから私は一瞬それが誰だか分からず、私が再確認していた時、たまたまそこを通りかかった共同通信記者がそれを漏れ聞いて、すぐさま中国代表団役員に確認しに向かった。そしてその30分後には「米国選手団中国訪問か？」という特大の臨時ニュースとして世界中に打電され、当時の米中対立という世界の冷戦抗争力学の中で驚天動地の情報として駆け巡った。

名古屋での米中ピンポン外交後に北京を訪れた後藤鉀二日本卓球協会会長を迎える周恩来総理

先述のように、中国はあらゆる事態を想定し、自国代表団に外務省のアジア担当者を同行させており、米国政府もまたそれが自国にとってマイナスとはならないと踏んで即座に対応したからその後は事前に両国がシミュレーションしていたシナリオ通りに事態は進行した。それが戦後世界の危険要素を平和安全の方向に確実に前進させた「米中ピンポン外交」の発端である。その縁で私自身もその後、後藤日本卓球協会会長夫妻に同行する訪中などで周恩来総理夫妻とも数回面会する機会に恵まれたし、こうした卓球を通して学んだ「超国的」平和、親善活動の実務的体験から私が得た世界の政治力学的知見には計り知れないものがある。そして実際、その後の米中は友好と敵対の往復運動を繰り返し、世界諸国もその動向に敏感に反応しながら現在にいたっている。

そのことから判断するとドナルド・トランプと習近平両氏の率いた現在の米中せめぎ合いと実際の両者の歩み寄りもまた時間の問題であるとも思える。両国の対立が永久に続くことが両者にも世界にも何らのプラスをもたらさないことを米中の賢者たちは知っていると筆者は確信しているからだ。

3．教育に果せられる役割～OECD教育調査団来日から

ピンポンはあくまで競技スポーツの一種目にすぎず、たとえそれが世界選手権大会であったとしても第一義的にはそれ以上のものではない。しかし選手や関係協会が何らかの他の意図を持って関わった場合はその限りではない。2020年春の全米オープンテニス大会もその好例の一つで、女子シングルスで優勝した大坂なおみ選手が人種差別の結果として殺された黒人の名前を一人づつ書いた7枚のマスクを試合ごとに付け替え、差別の非人

間性に抗議しながら7試合目の決勝まで駆け上がったその行為とそのメッセージ効果は彼女の知名度の高さによってより大きくなった。

強者によって形成、操作された「社会通念」と「収益構造」に飼いならされた選手自身を含め、スポーツイベントの企画者あるいは後援者は選手の政治的活動を好まない。なぜなら、現在の著名アスリートにはほぼ例外なく自らの既得権益構造の変革を好まない巨大企業や国家が財政面を含めてその活動支援をしており、現行社会体制への抗議を「スポーツと政治は別」という自分たちの有利に働く身勝手論理を用いて、自分たちにとっての利権構造を破壊しかねないアピールとその行為を許さないことを当然としているからである。

そうした社会的雰囲気にもかかわらず、彼女の「とんがった」アイディアとその実行力に多くの人たちが別種の感動と尊敬をせざるを得なかった。また彼女ハーフで褐色の肌を持ちながらも国籍が日本であることも日本での彼女への共感を増大させた。

彼女はそうした意味を持つマスクを準備し、決勝で最後の7枚目を勝利という形で使い切った。それは差別の撤廃アピールだけではなく、国境や国籍の違いなどもまた便宜的かつちっぽけなものだと印象づけ、同じ生きるならそんな区別に拘泥するよりも人類益・市民益に資する活動こそ大事であることを世界中の多くの良識的市民に知らしめることになった。しかし世界の政治力学や「貪欲」経済主義はその程度のことで直接に大きく動かされるほどやわではない。根本的には生まれ青年期まで育った地域あるいは環境で「慣れ親しむ」ようにさせられた多様な次元での教育理念およびその実際の検証とその改善努力の積み上げがなければ彼女のアピールも一回こっきりで終わりかねない。その観点から歴史と社会の進歩をもうすこし根底部分から再構成するための試みを私の経験からもう一つ紹介させていただきたい。

先述した名古屋でのピンポン外交の現場体験の直後（1971年の春）、経済協力開発機構（OECD）が世界の高等教育のあり方についての調査団を日本にも派遣した。その構成員の一人、平和学者のヨハン・ガルトゥングが当時、筆者が専任講師として勤務していた京都産業大学にやってきた。その対応にあたった私は氏の妻の日本人女性とともに調査に協力し、夫妻から直接に多くを学ぶ機会を得た。帰国後に出されたその正式報告書冒頭で氏は「日本人は２度生まれる……」と記し話題となった。「誕生の日」と

「18歳の大学入試の日」の２回でその残りの人生がほぼ定まってしまうということで、「生まれ」の重視と日本型学歴決定社会の批判として知られる。が、氏がそこで訴えたかったのはそうした問題の解決に教育行政そのものは何ができるか、どうすればそうした非民主的な社会の現実力学に対抗できる人材を育成できるかという社会変革を目指した創造的問題提起であった。

よりよい地球社会の構築の基礎として、国境を超えた共通の利害認識枠組みに準拠しながらその「超国的プラス面を強化する教育理念」の追求とそのための教育現場の社会的整備如何が日本だけではなく今後の世界平和の基礎となる、健全な社会の創造はひとえにそうした教育の制度的実践を私たちがどのようになし得るかということにかかっているとの信念を氏は持っていた。平たくいえば、これまでの教育がそれぞれの国が自分たちの決めた「国家利害」の枠内だけで考え実行していることを今一度考え直し、人類社会の発展の基礎形成に資する普遍的プラス価値を共通項として再構築していこうとする教育制度と教育内容の改革提言であり、氏の提唱する平和学の教育分野からの基本構想でもあった。

数学者でもあった氏の緻密な問いかけはその後世界的に盛んになってきた「平和研究」の基本姿勢の一つとして「積極的平和学」との呼称を得ることになるのだが、筆者はEU創設の理念でもある「超国境の平和社会建設」の思想とその実現にいたる組織論の積み上げ方などを氏から直接に学ぶことができた。その主張の基軸は①平和とは国家間に戦争のない状態だけではなく、②個々の人間とその家族が社会構造的抑圧に苦しむことなく、③自己の能力を最大限に活かし、それぞれの居住地に貧困や差別のない社会をグローバルに実現する、④現時点での国際紛争地域をとりあえず関係当事国・者だけによる専横的位置付けから切り離し、公平な「共同管理区域」もしくは「共通課題」として現場の生活者・直接の関係者の視点から現実的効果のある安定化を図ること……などのプラクティカルな実行提言でもあった。

筆者はそうした方向性を持った国際活動をみずから具体的展開することを氏との直接の接触以前から興味を持っていた。それらを先述した名古屋での世界卓球選手権会場で起きた米中ピンポン外交や西インド洋の小さな海洋国家セイシェル共和国との超国的な友好関係確立への新たな具体的な諸活動に活かすため1981年、日本セイシェル協会を創設することになった

(次節で後述)。

「ピンポン外交」もその例のひとつだが、1970年前後からのマスメディアの送出情報、関心条項は同時期に展開していた米ソの対立、そしてその20年後に起きたソ連の崩壊まで続く中国の政治と経済両面における世界的台頭がその背景にあり、表面的には米中の軍事対立と緊張の増大と並行した経済と情報両面における猛スピードのグローバル社会化があった。だがそれもまた対立と表面的融和の繰り返しで、平和学の立場からいえば、対立が国内の引き締めに利用され、本質的な緊張緩和に結びつくことはなかった。

そうしたソ連が舞台から退場したグローバル社会の特徴は2007年、ファーガソンらによって「チャイメリカ」時代(Chi-Merica、経済が主として中国とアメリカの動きと相互力学で動くこと)と名づけられたが、それもまた米中対立の基軸を経済の大枠から眺めた力学的見方、いわゆる「評論家的見解」にすぎないと筆者には思われた。しかし思うだけで行動が伴わなければ文字通り「評論家的見解」で終わってしまうし、その考え方への共感を他の人たちからいただき、その実行を財力も権力もない民間の私たちにも出来る形で実行するには、①小さな規模でもいいから、②誰もが身近な視点から関心を持てる「国際活動」はないか……と考えながら、そのずっと前から具体的な準備活動を開始していた。それが次節で述べる日本セイシェル協会の設立とそれを通した小さいながらも各層から小さくない関心を呼べる活動であった。

それを支える私なりの超国的平和活動の実践的な活動枠組は実効的な政治思想と地球社会が有益に機能するプラクティカルな活動手法が同時に学べ、私たちの手弁当と善意の寄付で支えられる程度の小さな予算で実行できるものであった。だがそんな小さな運動体だからこそその運営法と活動の方向性の確定にはそれを支える市民の善意とその組織化が不可欠となる。そのことはあらゆる社会運動が市民益に資するようにデザインされ実行するために必要なことだ。その基本思想はナチス時代や奴隷制時代の一部のアメリカ社会、そして今でも世界各地で隠然と行われている特定「民族」への差別、かつては特定人種を残虐な差別や医学的実験材料としたこと等の再発防止には最低限求められる。いずれにせよ、権力を持つ者は外向けに標榜していることと正反対のことをしばしば密かに行ってきた、現在も隠れて行っているらしいことが各種の研究や調査から明らかになってきているという現実認識が求められる。

研究や学問はもちろん、とりわけ人びとの暮らしと命を支える政治活動にはとくに個人的利害を超えてグローバルに受容される有効性と有益性を保障する①正義と友愛に基づく政治、②個人と家族から始まり、国家からグローバル社会までを展望した共和の社会観（倫理観・歴史観・世界観）と「共働社会」を支える美徳を備えることが必須の常識となる、③そうした共和主義の地球的拡がりを目指した基本哲学の修得が公教育の現場で実践されれば、自動的・漸進的に文字通り「平和」な社会が普遍的に実現してくることになるだろう。

そして後年、このような私の社会観（世界観・倫理観・歴史観）の実践に役立ちそうな提言を実践している活動体、考え方の一つとして元日本国総理大臣、鳩山友紀夫らが別の場で提唱し実践しようとしてきた『脱 大日本主義』（副題「成熟時代の国のかたち」2018年）、『次の日本へ　共和主義宣言』（首藤信彦との共著、2019年）で提起された基本哲学「共和主義」の日本国内からの提言を知ることになる。

4．超ミニ国家「セイシェル」との交流の意味

先述した名古屋が発端の場となったピンポン外交からちょうど10年後の1981年、私たちはピンポン外交の立役者後藤鉀二の女婿、後藤淳（愛工大学長、2018年没）を会長に推挙、筆者が事務局長として、当時、世界で三番目に小さかった人口73,000人の西インド洋に浮かぶ超ミニ国家セイシェル共和国大統領アルバート・ルネに書簡を送った。そしてその快諾を得て民間親善団体「日本セイシェル協会」を外部にも分かる形で立ちあげた（詳細は拙著『市民社会のパラダイム』、『セイシェル・ガイド～インド洋に浮かぶ地上最後の楽園』）。

セイシェル諸島の位置

当時の日本ではまだ普通の生活をしている人がセイシェルの名前を見たり聞いたりすることはあまりなかった。だが同国は屈指の海の美しさと厳し

い動植物の保全政策をとっており、ヒッチコックが監督した映画『鳥』（1963年）のロケ地の一部であったし、おなじく映画『エマニュエル夫人』三部作（1974年～）で美しい自然の中での甘美な生活が紹介された。その結果、今でもそのイメージで憶えている年配者がかなりいる。最近では同国産のマグロの切り身のパックがスーパーなどに並んでおり、その産地証明から、「胃袋レベル」での認知もある。

セイシェルの海岸

だが大事な点は同国は国際政治的にも国連加盟国だから、総会では米・中・ロなどと同じ１票を持っている、つまり１票の力関係としては大国と同等ということだ。だがその頃、そうした国際政治力学の説明を日本政府、とりわけ水産庁の関係者にしても馬耳東風であった。その裏側の現実としては同国領海を含む経済専管区域内での日本漁船の密猟が後を絶たず、相手国政府関係者からの苦情もあったから、見せしめに一隻拿捕してみては？と冗談交じりに伝えたら実際に日本からのマグロ漁船第二五純丸が密漁の現行犯で拿捕された。日本のメディアがこの件を報じた後、それを丸く治めるために私たちは水産庁を訪れた。その時に応対した係官は「セイシェルのような小国は自国防衛もできないくせに領海を主張するなどおこがましい……海に線が引いてあるわけでもないし……」とぬけぬけといい、別の機会に松浦昭水産庁長官に会ったときにも「セイシェルはわが国水産業界にとって不倶戴天の敵だから、水産分野での技術援助など考えられない」といった（この経緯は1981年12月12日、朝日新聞夕刊掲載の拙稿に詳述）。

今ではこれらの役人たちも退職しているだろうが、私たちはその頃、彼等の世界観、グローバルな友愛・共和の精神の欠如に本当に落胆した。

５．これからの「民際」交流とグローバル社会

今私たちが問われているのは「国家」「国民」「民族」概念の再検討とグローバルな共存・共栄の精神=グローバルヒューマニズムを基本にした政治哲学で、各人の協力が超国境的に活かされる政治手法の方向性の確認と是認、その思想をベースにした具体的方策・政策の検討である。あらゆる

レベルでそうした超国境機関・組織ができ、それらが各方面で通称「グローバルヴィレッジの集会所」(Global Village Meeting House) として機能するようになれば世界は今よりもはるかに安定し安心して暮らせる平和社会になる。

一連のごたごたの収束後、私たちが仲介して日本かつお・まぐろ漁業連合の関係者を連れて同国を訪問し、先方と相互協力の場をもった。その後は協定に準拠した漁業が行われるようになったし、1985年にはベースボールマガジン社／恒文社の協力で「国際科学技術博覧会」(つくば科学万博)、つづいて1990年の大阪花博では全電通 (NTT労組) 近畿 (石原史朗委員長、当時) など各界の協力を得てセイシェル館を出展し、同国を代表する稀少動植物のゾウガメやフタゴヤシを展示、多くの来館者とマスコミ接触者に小さな国の大きな地球的役割を理解してもらうことができた。また大学での先輩に当たる松本隆の作詞で松田聖子が「セイシェルの夕陽」を歌いリリース、若い人を中心に大ブレイクした。

同時期から私自身も専門のメディア学とこの国の官民組織との人脈を活かし、ラジオの報道系番組に出演したり (その最初の現地への実況電話中継取材者は元文化放送報道緒方修記者)、複数局のテレビ番組の制作にも関わるようになりこれまで多くの自然ドキュメンタリー作品撮影にコーディネイターとして現地同行した。セイシェル関係だけでも2020年度に入ってから私がコーディネイトしたテレビ番組計４本 (NHKの『ダーウィンが来た！』と『ワイルドライフ』、TBSの『世界遺産』２本) が放映され、幸いにして好評で視聴率も高かった。

セイシェル日本大使館にて
冨永真大使(左)と筆者

小さいとはいえ美しく保たれた自然と一生懸命生きている人種混淆クレオールの民……そうした国が世界中に少なからずある。だが、現実の世界政治の現場では多くの問題が関係諸国家の大きさを基準に議論されるのが当然とされ、その過程での小国の発言権は大きくはなく大国の横暴がまかり通ることが少なくない。日本政府も2019年度からセイシェルの首都ビクトリアにようやく大使館を設置した。筆者も2019年12月に同館を直接に訪問し冨永真大使との面会、懇談の機会を得たが識見、人格とも申し分ない方であると確信でき嬉しかった。

現在の世界で最大かつもっとも信頼性のある政治的集合体は国連で、そこには200カ国近い国が加盟している。国と地域を安定的に統括し政治的に統治している代表的組織がそれだとしても現実には、社会的に不安定な地域や中央組織をよしとしない人びとがいる。それが原因で当該地域居住者の多くが生命の維持に不安を覚えざるを得ないようなケースでも当該組織が「国家」を自称し、それを他の国家が承認すればその時点でそれは「国家」となる。国家とはその程度のものにすぎないのだが、現実問題としてもシリアなどの紛争地域や一部の途上地域だけではなく中国のような大国においてもその政策によって民族／宗教紛争等が絶えない。また日本の場合でも近過去において「純粋日本人」（ヤマト）という概念を捏造し、戦艦の名前にも流用するなど、「大和民族」として虚偽の正当性を主張し、朝鮮半島、中国大陸、東南アジア諸地域に侵略戦争を仕掛けた。

その意味でも現在を生きる私たちにとって、鳩山由紀夫らの提唱する「共和主義」社会構想に耳を傾け、まずは東アジア地域からでも一定の理解と共感を相互に示すことが最低でも社会的弱者を差し迫った苦悩から救い、それを基礎にいずれは安定した平和社会のグローバルは展開に結びつけるための助けになるのではなかろうか。

沖縄の社会思想と東アジア共同体論

川満信一と琉球共和社会憲法の生成

成城大学教授 **西原 和久**

沖縄の1972年の日本復帰と前後して、主として当時の沖縄の若い世代がいわゆる「反復帰論」を展開していたことはよく知られている＊1。しかしそれらは、当時の祖国復帰運動への痛烈な批判として機能していただけではない。そこでの反復帰論の議論は、じつは今日でも十分に顧慮すべき内容を含んだ沖縄発の社会思想として存在している。本稿では、こうした反復帰論を展開して新たな思想地平を切り拓いた「思想家」、すなわち新川明、岡本恵徳、川満信一のうち、とくに川満信一の思想展開を中心に論じる＊2。そしてここでの焦点は、彼の1981年の「琉球共和社会憲法Ｃ私（試）案」（本稿では「社会憲法」と略記する）の成立に至る川満の思想展開を内在的に追い、さらに現時点におけるこの「社会憲法」を踏まえた「川満思想」の立ち位置にも言及したいと思う＊3。

なお、本稿は「沖縄の社会思想」というタイトルを掲げてあるが、その主題は筆者が現在取り組んでいるプロジェクト全体の試みであって、この小論で沖縄全体の社会思想史的系譜を見渡すわけではないことはあらかじめ断っておく。ねらいは、川満が「社会憲法」を執筆するに至る思索の軌跡を追うことで、この「社会憲法」の射程の一端を明示することにある。

序 川満の出発点 国家それ自体を問う思想

1969年の夏、「沖縄にとって『本土』とは何か」という討論会が沖縄で開催された。参加者は、沖縄の労働組合や教職員会などの活動家４名と、「沖縄タイムス記者」の川満信一であった。この討論会は、タイトルから想像できるように、沖縄教職員会をはじめとする祖国復帰運動が大きな流れとなっているなかで、しかも1972年の沖縄の「本土」への「返還」がまだ最終決定していない段階で、「祖国」復帰を目指す「『復帰運動の思想』というものを問い返してゆく」（吉原 1968、32頁）という司会者の意図のもとでなされたものであった。

この討論会で川満は、開始早々にいきなり大きな問題提起をした。すなわち、「ぼくらの内部で『国家』という概念が一体どういったものであるのかという、このことが問題にされなければならない……」（同書、34頁）と。さらにそこで川満は、沖縄の「『復帰』といい、『返還』という言葉に表現されている発想や思考は、すべて『国家』を前提にした上で、そこに帰る……」ものとしてあるのであって、「『国家』という概念」を「どうとらえてきたか」、「国家権力への洞察というものを欠いたままにきていたのではないか」と問題提起する。

川満信一は、1932年4月30日に沖縄・宮古島で生まれた。アジア太平洋戦争終了時には13歳であった。その後、地元の高校を卒業後の1952年に琉球大学国文学科に入学した＊4。のちの一種の回想風の論述「飢餓の原基――伊佐浜土地闘争と移民」（1980年発表）のなかで、学生時代は、授業と港湾労働のアルバイトと雑誌『琉大文学』の仕事に明け暮れていたという様子を語っている（川満 1987、140～156頁）。そして『琉大文学』の第九号が発刊されたすぐ後の、1955年7月に沖縄・伊佐浜における米軍による強制土地収用（米軍基地建設のためのいわゆる「銃剣とブルドーザー」による米軍の暴力的な農地没収）に対する抵抗運動に参加した。それは、川満にとって「初めての戦い」（同書、148頁）であり、この「伊佐浜土地闘争の体験は、いわばわたしの思想の核となっている」（同書、156頁）もので＊5、その「伊佐浜区民の抵抗は、人間が生きのびていくための原点的な戦いだったのである」（川満 1987、154頁）と総括している。

以下では、川満の「社会憲法」案成立までの彼の思索を中心に追い、この憲法私案成立の背景の思想生成史的文脈を確認する。こうした作業ゆえに、使用文献は基本的に「社会憲法」成立の1981年までの川満の文献―いわば前期川満の文献―である。ただし、必要に応じて、彼自身が「社会憲法」を回想している文献も参照している。ではさっそく、この憲法私案成立までの川満の問題意識と思索過程を見ていきたい。

1．「社会憲法」成立前史としての国家と天皇制への問い

「……幻の祖国などどこにもないから 幻の海深く沈もう そして 激しい渦巻になろう……」

これは詩人としても知られている川満が、1969年に雑誌『情況』に掲載

した論考「転換期に立つ沖縄闘争—復帰のスローガンを捨てよ！」の冒頭に掲げた自作の詩の一部である（川満 2010、38頁）。この論考では、1960年に結成された復帰協（沖縄県祖国復帰協議会）の「危険な民族主義」への批判や、日米資本と系列化された沖縄地域資本との連携による東南アジアへの進出構想への批判などといった論点とともに、彼は「亡命者の思想」を表明する。それは、「本姿を現した牢固たる国家と、熔樹の樹根のように喰いこんだ民族という得体の知れない拘束の中で、物質的にも精神的にも建設への意志を剥奪され、参与を拒まれているものたちは、一人の亡命者意識を持つことによってしか出発しえない」（同書、84頁）として、「祖国を拒絶し、たたかう亡命者の思想を構築すること」が必要だという問題提起を（ここでも）行ったのである*6。そして核基地問題が十分に解消されないままに1972年の沖縄返還が決まったのちに川満は、「沖縄はこれから後も核基地があるだけで、そこに居住する百万の人間は、あとにも先にも、生きたままで死亡者台帳の中の頭数とみなされて」おり、「沖縄ではその『死者』としての位相からすべてを発想するほかない」と「わが沖縄・遺恨二十四年」で述べていた（同書、137頁）。

そうした立場から、国家概念や「祖国」問題の再検討を行おうとすれば、川満にとって出発点となるのは、まず「天皇制」の問題であろう。事実、1970年に刊行された『沖縄の思想』（叢書 わが沖縄 第六巻）には彼の長い論文「沖縄における天皇制思想」が掲載されている。そこでの問いは、「沖縄において、国家とのかかわり方や天皇（制）とのかかわり方がどのようなものとなっているのか」というものである（川満 1978、102頁）。

天皇制に関するこの論考は5つの節からなるが、その冒頭の節が「肥大化した国家主義」という項目である*7。そこではまず、戦後日本で「国民理念の結節点としての天皇（制）思想が、十分な分析と批判をなされなかった」（川満 1978、101頁）という認識の下で、沖縄において、国家とのかかわり方や天皇（制）とのかかわり方がどのようになっているかを問うことになる。こうした問いが提示されるのは、沖縄では、「白い被衣を着て、神歌をうたいながら村のお嶽で踊る司女（のろ）たちの祭式にくらべて、天皇（制）にまつわる種々の儀式は、いってみれば『異神』の祭りとして感受されていた」と思われるからである（同書、103頁）。そしてこの問いに深く関連したもうひとつの思考の契機は、沖縄の「祖国」復帰運動にあった。この運動は「凄まじいばかりの国家求心志向を推し進め」て

「肥大化した国家主義」となりつつあるので、「国家を相対化し、支配のイデオロギーを無化させることによって、国家目的にねじふせられない個々の人民の自立の根を深化させる」べく、「近代に遡及して、沖縄の歴史的特質を探り」ながら「天皇（制）の問題」を主題としたのである（同書、104頁）。

そこで、川満はまず「琉球処分の意味」から問い直す。「琉球処分が、単なる国家体制への包摂であるとか、民族の統一の要請からきたものではなく、……国際外交の舞台で日本の地位の優越性をはかり、国力を拡張していくための……国家目的があった」（同書、110頁）のであって、琉球処分後の沖縄での政府の諸政策は20年から30年ほど本土に遅れることになったのに、「強兵政策だけは置県の翌年」（1880年）から実施され「天皇制国家に従順にしたが」う強制的実践が進められた。だが、同時に川満は、そうした目的下での「国家的搾取は下層農民にとっては負担に耐えない過酷な」もので、「最下層農民である宮古の農民は、一八九三年に農民運動を起こし、国会へ請願団を派遣」するなどして「歴史をつくる主体として奴隷状態から自らを解放していく契機をつくった」（同書、114頁）という点に着目する。つまり、「歴史の主体を国家意思ではなく、被支配者の最下層の生存様式においてとらえていく視野」（同書、同頁）が重視されたのである。

それゆえ、天皇制の問題も、いかなる民衆の意識と行動のなかで定着していったのかが問われる。そして、1880年から実施された「沖縄の皇民化教育は、下からの選民志向（権力への上昇志向）を誘発するかたちで実績を収めていった」（同書、118頁）のであり、「維新時における天皇（制）思想の内実にあった一種の変革性は、官僚主義による『たてまえ』教育と、『選民』という沖縄の知識人たちの社会意識によって二重に遮断され、薄っぺらなイデオロギー次元での認識にとどまった」（同書、128頁）とされた。

だが、歴史文化的な意味では、琉球の土着の宗教・祭礼思想と「天皇信仰」とは相容れなかった。歴史的にみれば、琉球統一のころ「共同体の『祭』を取りしきる地方の“のろ”たちの最高位である聞得大君」への中央集権化が進み、「民族的次元での人々の宗教意識を、吸い上げることによって、聞得大君の祭儀権を至上化し」て琉球の「王の統治権を強化」していたので（同書、136頁）、基本的には「そういう人びとの宗教的感受性の場へ、いきなり神々の位階秩序の明確な概念としての『現人神』を持ち込んできてもそれは映像を結ばなかった、とみてよい」（同書、143頁）と川満は述べる*8。沖縄で語られる「海のかなたのニライ・カナイからおとずれる神と天皇を置き換えることは不可能である」（同書、144頁）という言い方も川満はする。

2．資本の論理と民衆——アジアと共生への模索

しかしながら、川満のこうした議論のねらいは、沖縄における天皇制の受容の問題をこえて、次の点、すなわち「国家を前提とする思想は、この流れに抗して逆流の渦を民衆の生存様式のなかにつくりだすことはついにできないし、したがって人民の可能性としての思想を探り当てることもできない」としたうえで、鍵は「日常の中で非日常を不連続に喚起し、思想の、精神の自由な領域への脱出を試み続けることで、国家機能を越え得る可能性を導き出していくことが変革への展望を開く」ことになる点だとする（同書、153頁）。そこから結論的に導き出される方向性は、民衆の「巨大なエネルギー」を「資本の論理に収斂させせず、その矢印の逆向きをはねかえす民衆の自立の根の進化を推し進めることによって国家廃滅にまでいきつこうとするのが思想の闘いとなるだろう」という展望である（同書、166頁）。実は、すでにお気づきの方もあろうが、こうした指摘は川満の「社会憲法」に盛り込まれる思想の多くが、すでにこの時期に孕まれていたことを意味する。

とはいえ、この60年代後半から「社会憲法」成立の80年代初頭までは15年近くの歳月が流れている。そしてその間に、「本土」復帰とその後の沖縄社会の変容という出来事がつづく。そのことも意識して、もう少し他の文献に依拠するかたちで、書誌風に、川満の思考の流れを追っておきたい。

上述の「沖縄における天皇制思想」を論じた後に、川満は沖縄返還後も、1972年「沖縄と日本の断層——小共同体と天皇制」や1975年「戦後思想と天皇制」、さらに1977年「沖縄と天皇制——差別の構造」などでも天皇制を論じている。だがこの時期の関心は、むしろ民衆論および共同体論に向かっているようにも思われる。それは、1971年に「ミクロ言語帯からの発想」公表の後、1976〜77年に『新沖縄文学』に発表された「共同体論」（上、中、下）に至ることで明らかだが、こうした共同体論の核には、上述のような「民衆の自立の根の進化」への思いがある。それが明確にされ

ている論文上の出発点は、1972年の『中央公論』6月号に掲載された「民衆論——アジア的共生志向の模索」であろう（川満 1978、50〜78頁）。おそらく「復帰」直前の時期に書かれたであろうこの論考は、「アジア」と「共生」というキータームが論文のタイトルとしては初めて現れるものである。

この「民衆論」の後、1975年には「宮古島・島共同体の正と負——共生志向の模索」が書かれており（川満 1978所収）、さらにいえばアジアのなかでも台湾問題論や大国主義批判をともなう中国論も登場している。すなわち、1971年「日本と中国の谷間で——日中接近に思う」や1972年「沖縄における中国認識」も書かれている（ともに川満 1987所収）。そして、1978年に単著の論文集『沖縄・根からの問い——共生への渇望』が出版されるのである。

かくして、アジアを視野に入れながら、共同性を問い直しつつ、自立と共生が川満の思索の主題を形成していく。1980年「沖縄・自立と共生の思想」を『新沖縄文学』44号に掲載して（川満 1987所収）、彼の「社会憲法」案への前史が閉じられていく。もちろん、その間にも、いくつかの小論が書かれてはいるが、それらを含めて、彼の事実上の２冊目の論文集『沖縄・自立と共生の思想——「未来の縄文」へ架ける橋』が、「社会憲法」後の1987年に刊行されることになる。そこで次に、簡潔ではあるが、民衆論の補足を含めて、彼の共同体論と共生論への視点を概観しておこう。

川満は、上述の「民衆論」の冒頭で、なぜ「アジア」への「当惑する」ような思いがあるのかを語る。「どうやらその原因は、近代主義に基づく個体優位の論理しか語ってくれなかった戦後の思想状況のなかで、自らもまた個体優位の発想において世界を対象化しようとしてきたことにあるようだ」（川満 1978、50頁）と自己批判交じりに語る。「資本の側の体制的論理はやれ市民の権利だ、自由だという“たてまえ”にたって、人々の社会的存在をアトム化し」、いってみれば市民社会のような「空洞化した擬制を成立させ」、「社会的諸関係の総体」としての人間のあり方を遠ざけてしまうのである（同書：53〜54頁）。

そこで川満は、そのような「呪縛をどう打破すればよいのか」という課題に直面するとし、「現在の国家、社会の構造原理に対して、いまひとつの異なった構造原理を想定し、発見することができるか」という思考の「冒険」の必要を強調する。そして「その冒険への手がかり」が、「民衆における《共生》と《共死》の橋梁」だとイメージするのである（同書、58頁）。

もちろん、共死は「集団自決」（強制集団死）という側面をもった。だが共生と共死は、「個人としての人間が契約的に寄り集まって構成する共同性や社会性」ではない、いわば「当為としての『共同性人間』」――つまり、「人即全体、全体即個人の合一存在としての人間」――の創造へと向かう「ダイナミズム」あるいは「歴史のドラスティックな展開のイメージ」をも思い描かせるものである（同書、66～67頁）。そこで思い描かれているのは「当為として考えられている“全体主義”」であって、ナチズムやファシズムのような「歴史的犯罪としての“全体主義”」ではない（同書、69頁）。それは「強者の論理」ではなく、いってみれば「弱者が弱者の論理をつらぬくことによって、社会の構造的な基盤をつくり替えていくという思想」（同書、70頁）である。ただし、それは「弱者と強者という対立概念の域外で、全体への合一化を成立させる可能性を内在させている」ものだ、と川満は急いで付け加える（同書、71頁）。そして「アジア」との関係でいえば、「全体性への自己同一化を、自らの救済や解放の方法として実体化しようとしているのが、わたしのイメージする“アジア”である」（同書、74頁）と川満は述べるのである。

いうまでもなく、そうしたイメージは「沖縄はいまだにアジア的社会の特質たる共同性の伝統を存続させ、その力を理念的社会の創造へと転化させていく可能性を失っていない」（同書、77頁）という川満の共同体論の認識からきている。そしてそれが、「民衆の自発的エネルギーの基盤たる全体化の志向を理念的社会創造の視点から掘り起こし、それに方向性を与える方法を見出したとき」（同書、同頁）、天皇制批判を含めた沖縄の特質をも踏まえたアジア・イメージを介して、「社会的諸関係の総体」としての人間のあり方を求めることになる、と川満は結論づけているように思われる＊9。

3．もうひとつの契機としての仏教思想と「社会憲法」における国家論

だが、こうした物言いは、戦中のファシズム的な京都学派の「近代の超克」論の一節を読むかのような際どい道行きである。イメージで理念としての方向性を語ることがもつ際どさだと言ってもよい。イメージだけでは

未来への具体的な方向性を思い描くことは難しい。だが、ここで確実に言えることは、川満の思考・思想の展開は、ここからさらに次の段階へと進もうとしていたことである。そしてそれが、実は「社会憲法」案ではなかったであろうか。それは、「沖縄の歴史的固有性を掘り進めて、その底を掘り抜き、アジアへの通路を発見することによって、グローバルな思想を開いていけるはずだ、という確信」（川満 1987、21頁）のもとで切り拓かれた地平である。

しかしながら、「社会憲法」にたどり着くには、もうひとつの契機、すなわち「二元論的思考」（川満 1987、40頁）や「二元的対立の図式」（川満 1987、43頁）の否定、そして「関係概念の展開」（同書、48頁）へと進んでいく契機が必要だったと思われる。それは、1950〜60年代の運動や理論の流れを「知識主導型」「教育主導型」と捉え、60〜70年代を「情念主導型」「叛乱騒擾型」と捉えたうえで（同書、66頁）、80年代には（「共生の思想」も含めた「冒険的な試み」として）「仏教の思想が鍵になるのではないか」（同書、70頁）という彼の《読み》と深く関係する。

紙幅上、この点には簡潔に触れざるを得ないが、彼自身がノートしたとされている文章に次のような一節がある。「遍計所執性を離脱し、依他起性に目覚め、然して、円成実性を得度す」（同書、63頁）。これは、まさに彼自身の「『共生の思想』の創造的な実践」の個人レベルにおける社会的認識の実現として掲げられているのである。遍計所執性の離脱とは自我中心主義の克服であり、依他起性はまさに関係主義の認識であり、円成実性は体得すべき目標であろう。この議論の中心のひとつは依他起性である。川満はここで、「人間が人間を支配し、殺生するという自然史的な思想の悪循環から離脱して、依他起性の世界を、どこまでも中断しないで見極め、依存関係の法則性にもとらない共生の思想を生きる道」を切り拓こうとしているのである（同書、77頁）。こうした思想は、「紀元二世紀には龍樹菩薩（ナーガールジュナ）が……大乗経で、論理的に展開を進めたもので、現代の『現象学』はそこに淵源して」いると川満は言及する（同書、65頁）。こうした立ち位置が戦後思想においてどのようなものであるのかは最後の方で触れることにして、ここでは先を急ごう。

このような契機をふくめて川満は、次のような認識に達していた。少し長いが引用してみよう。すなわち、「現実社会の醜悪さ、非理念性を、私たちが生々しく感受し、認識するためには、人間の資質性としての夢見る能力、その壮大な空想能力をあらゆる機会に拡大し、群出するそれらのイマジネーションを集約して、二十世紀末の現在の段階における『理想社会』、理念的基準となる『ユートピア』の映像を作り上げることが必要だ」(同書、72頁)という認識である。そしてそれが、仏教思想をも内に秘めた川満「琉球共和社会憲法」に結実するのである。ここでようやく、この「社会憲法」のポイント部分を確認する段階にきた。

「琉球共和社会憲法C私(試)案」の冒頭では、「琉球共和社会の全人民は、数世紀にわたる歴史的反省と、そのうえにたった悲願を達成し、ここに完全自治社会建設の礎を定める」ことを深く喜ぶと記したうえで、前文が付されている(川満・仲里編 2014、9頁)。

「国家を求めれば国家の牢獄に住む。集中し、巨大化した国権のもと、搾取と圧迫と殺りくと不平等と貧困と不安の果てに戦争が求められる」と認識する川満は、沖縄戦で「戦争が国内の民を殺りくするからくり」を知ったがゆえに、「われわれは国民的反省に立って『戦争放棄』『非戦、非軍備』を冒頭に掲げた『日本国憲法』」に「期待をかけた」(同書、10〜11頁)。だが、「結果は無残な裏切りとなって返ってきた。日本国民の反省はあまりにも底浅く淡雪となって消えた」(同書、同頁)。いうまでもなく、これは、米軍基地の存在とそれを支える日本の国民と権力者への決別の辞とも読める。

さて、この憲法私案本文の基本理念に進もう。よく知られているように、その第一条は、「人類発生史以来の権力集中機能による一切の悪業の根拠を止揚し、ここに国家を廃絶することを高らかに宣言する」である(同書、10頁)。「社会憲法」が「国家憲法」(琉球共和国憲法案)ではない理由がここに明確に示されている。しかしながら、この第一条には後半部があり、そこでは「万物に対する慈悲の原理に依り、互恵互助の制度を不断に創造する行為」こそが、「この憲法が共和社会人民に保障し、確定する」ことだとされる(同書、11頁)。この後半部は、思いのほか一般には知られていないようにも思われる。

この箇所を含め、「社会憲法」では、「慈悲の原理」「慈悲の戒律」「慈悲の海」といったように「慈悲」という言葉が多用されている。しかしそこには、すぐ気づくような仏教的意味合いだけではなく、「九死に一生を得て廃墟にたった」「焦土」のうえでの「歴史的反省と悲願」が込められているのであって、「悲」の意味合いにも着目すべきであろう。だからこそ、すぐ後の第三条では、「いかなる理由によっても人間を殺傷してはならない」という「慈悲の戒律」が述べられるのである（同書、同頁）。そして「豊かさの意味をつねに慈悲の海に問い照ら」（第六条）しつつ、「貧困と災害を克服し、備荒の策を衆議して共生のために力を合わさなければならない」（第七条）とされて、「共生」という言葉も付け加えられるのである（同書、12頁）。

しかし、国家ならぬ共和社会とは具体的にいかなる形をとるのだろうか。「社会憲法」の「基本理念」後の本文第二章以下では、かなり具体的な社会形態が論じられる。たとえば、第八条から第十条では、琉球弧をセンター領域として、奄美州、沖縄州、宮古州、八重山州の四州が設けられて、各自治体が「直接民主主義の徹底を」「衆議に支障をきたさない規模で設ける」ことなどが記されていく。だが、もっとも着目すべき点は、第十一条の「琉球共和社会の人民は、定められたセンター領域内の居住者に限らず、この憲法の基本理念に賛同し、遵守する意思のあるものは人種、民族、性別、国籍のいかんを問わず、その所在地において資格を認められる」という条文であろう。これは近代国民国家の「国家の三要素」とされる「領土・国民・主権」の領土概念を大きく切り崩す発想である*10。

そしてそのうえで——条文の番号表記の多くは省略するが——具体的に「ひめゆり」をイメージする「白一色に白ゆり一輪のデザイン」である象徴旗（国旗とはもちろん言わない）や非武装・非核・非軍事などを条文化し、さらに「入学試験の廃止」や「専門教育センター」の設置、そして「知識・思想の所産」の社会還元や「技術文明の成果」を「集中と巨大化から分散と微小化へ転換」することなども謳うなどして、最後の第五十六条では「従来の国家が発想しえなかった方法を創造」することを提唱している（同書、26頁）。

以上、沖縄に関心を持つ人びとには実際にはかなり知られている川満「社会憲法」案ではあるが、本稿での着目点を中心に——あえて言えば、関心を持つ本土の人びとにもわかるように——そのポイントだけを概観してきた。そこでいよいよ、本稿の議論の先にある「東アジア共同体」論への示唆として、川満自身の「東アジア幻想共同体」に関して最後に見ておこう。

4.「東アジア幻想共同体」という思想

かくして生成した「琉球共和社会憲法」案には、東アジアという言葉は出てこない。川満は竹内好や吉本隆明などの影響もあって、すでに触れたように、(東) アジアへの関心を少なからぬ場所で示してきた。しかし、明確に「東アジア」や「東アジア共同体」に言及するようになるのは、管見の限りで、もう少し後だと思われる。おそらく、この意味での転機のひとつは、「沖縄独立の可能性をめぐる激論会」前後ではなかっただろうか。

周知のように、この「激論会」は1995年のあの忌まわしい少女暴行事件をうけて、沖縄県民総決起大会や辺野古新基地建設の方向が示された沖縄の基地問題の「特別行動委員会」(SACO) の最終報告がなされた後の1997年に、喜納昌吉らの呼びかけで開催されたものだった。その喜納は言う。「独立とは一人で立つ意味である。……独立イコールすなわち国家ではない」のであって、「私にとっての沖縄独立の定義は人類の進むべき自由を勝ち取ることを意味する」(「沖縄独立の可能性をめぐる激論会」実行委員会1997、6頁)。

この「激論会」の特徴のひとつは、その会合の2日目に、韓国、台湾、アイヌ、奄美などの「沖縄を取り巻く地域からの発言」を積極的に求めた点にある。その各地からの報告のあとで、川満は長い詩を朗読している。そのなかに、「『時』と『空』に『間』を仕切り 『人』にも『間』を設けて 時間、空間、人間と分別方便の記号は工夫したが 方便の安楽椅子にゆられているうちに 記号の落とし穴にはまるとは! 『佛・法』の精妙な鍵穴からのぞくと 意識という魔物に呪縛されて 身もだえしている吃音の不在記号たちだ」(同書、108頁) と記している。すでに本稿で述べてきた川満の思考の軌跡から、この詩の要諦を了解することができるだろう。そしてまた、この本に川満自身も寄稿している。そこで彼はその寄稿文の最後に、「東アジアの国々へ、非暴力の手本を示した時、沖縄はすでに独立 (自立) しているだろう。いや、それは『独立』という国家ではない。自分の足で立つ立つ社会というイメージである」と結ぶ (同書、173頁)。

そして21世紀に入ってからは、川満はしばしば東アジア (共同体) に言及する。そのもっとも明示的な文脈は、韓国の済州島で開催された四・三済州島虐殺60周年集会への招聘後に記したと思われる2008年の「済州島の海風」という小論だ。「チェジュ、沖縄、台湾など東アジアのエッジ諸島」（川満 2010、203頁）に言及し、「東アジアの大陸国民国家のエッジとして連なっている済州・沖縄・台湾、そして共通の歴史体験をもつヴェトナム、フィリピンなどが、平和創造の砦として、コミュニケーションを深め、これからの歴史創造に参加することが大切だ」（同書、206頁）と川満は記す。「歴史への悔恨は未来創造へのジャンプ台でなければ意味がない」（同書、207頁）し、「現代の思想的スタンスは、世界を視野に入れた越境性にある」（同書、210頁）と見つつ、問題ある「グローバリズムのシステム」は「その方向をアジア的理念へ転換したとき『賢者の政治』を実現できるかもしれない」（同書、209頁）と表現する。

ここでいう「アジア的理念」とは未だ抽象的であるが、そこからこの小論は次の段階の「東アジア幻想共同体」の節に進んで具体化されていく。なお、「幻想共同体」という表現は、吉本の共同幻想論のみならず、マルクスが『ドイツ・イデオロギー』で述べた「幻想共同体」としての国家論を念頭に置いているものと思われるが、新たな共同体が容易に国家に転化するような危惧を抱きつつ、あえて乗り越えていくプロセスとして「幻想的」なる語を付加していると思われる。「ここに提起する『東アジア幻想共同体』構想は、沖縄が弱者の論理によって、弱者だからこそ可能性が開けるという逆転の発想である」（同書、213頁）。その逆転の発想（本稿２の後半での弱者の発想も想起されたい）は、「大国間の軍事的力関係を逆用」して「沖縄を軍事上のエアポケットにし、バランス地帯とすること」（同書、同頁）である。そして――「だからこそ」と筆者は付け加えたいが――「そのためには……『越境憲法案』を構想するのがベターだ。『越境憲法』は『黒潮ロード』の非武装地帯憲法である」（同書、214頁）。この黒潮ロードという言葉には、島尾敏雄のヤポネシア論や柳田国男などの影響を読み取ることは可能だが、それ以上に筆者は「『越境憲法案』を構想するのがベターだ」と述べる際の「越境憲法案」や「ベター」に大いに着目したい。それはベストではないが、ベターなのである。

そこで川満は、「黒潮ロード」の連帯のためには「インテリゼンスと文化交流形式のコミュニケーションからまず始めよ」としつつ、具体的には、「東アジア国連本部の設置構想」と「東アジア共同体の新機軸通貨発行元の構想」つまり「東アジア共同体基軸通貨発行庁」の設置を提案する（同書、214～215頁）。そうした「東アジア基軸通貨」圏の共同体を「黒潮ロード」内に設けるに際に、「沖縄はすでに、歴史的経験を経て、固有のナショナリズムにもとづいたプライドを超えており、ナショナリズムに拘らない寛容さをもっている」(同書、215頁)ので、積極的にこうした方向で動きうるという読みがある。そしてさらに、「越境憲法によって保障された非武装地帯の海洋領域の資源は、その使いようによっては、人類の未来を左右する価値をもつかもしれない。基本線が引かれれば、具体的なアイディアは世界中から押し寄せるであろう」(同書、217頁)と付け加えていく＊11。いずれにせよ、ここでのポイントは、「資本と覇権主義のグローバリズムを、アイディア提供と実践のグローバリズムへ転換する」(同書、同頁)とする川満の言葉に示されている。筆者としてここに、「社会憲法」に至った「前期」川満思想の、「越境憲法」に至る「後期」川満思想の展開を読み取っていきたいと考えている。

結びに代えて――川満思想の立ち位置

川満信一はとくに2010年代に、いくつかの論稿で「琉球共和社会憲法」案への道程を振り返っている。たとえば2014年の「琉球共和社会憲法私案の経緯――共和国と共和社会はどう違うのか」という論考では、「国家を前提とする憲法は統治のための制度法であり、社会を前提とした憲法は個人が社会参加するための、主体の基本倫理を定めるもの」(川満・仲里編 2014、37頁)と述べて、他の憲法案との違いを示している＊12。さらに同じ2014年の沖縄タイムスに寄せた「追悼・吉本隆明氏への借り――異族論・南島論の立ち位置」では、川満の1970年の「沖縄における天皇制思想」論が「吉本氏が書いていることに、何一つ付け加えてもいないのに、バカをいっているという批判」がなされたことに触れていたり(川満 2018、119頁)、2015年に中国社会科学院の孫歌教授への手紙というかたちで、1970年のこの「天皇制思想」論が「支離滅裂である」という批判を受けたことなどに触れている(川満 2015、42頁)。

だが、当時の川満自身の目論見は、「復帰を急ぐ前に、内部の思想的課題をまず解くこと」にこそあったと振り返る。そして、1970年以来のこの論考から10年余で「社会憲法」が生成したわけだが、その際には「『共同体論』とか『民衆論』で手がけてきた底辺民衆の生活原理を片方に置きながら」、もう一方の重要な基本倫理として、権力、国家、愛、人間主義ではダメで、「社会活動を主体的にすると同時に、関係性という存在の在り方を社会通念とする。すると理念としてかろうじて均衡のとれる概念は『慈悲』にしかない」として発想したのが「琉球共和社会憲法」案だ、と川満自らは総括している（川満 2015、45頁)。

……もはや与えられた字数を大幅にオーバーした。ここでは、上述の吉本隆明などとの思想史的な連関にも言及したかったが、紙幅が尽きた。しかしながら、まとめに代えるかたちで、かつ今後の課題として、最後に一点だけ指摘しておきたい。それは、川満の以上で見てきた思想的内容は、吉本は言うまでもないとして、さらには廣松渉との意外な思想的近しさを指摘できるように思われる点だ。それは、廣松による1992年の『哲学の越境――行為論の領野へ』、1993年に実践論をまとめ上げた『存在と意味』第二巻、さらに1994年の彼の死の直前に朝日新聞文化欄に掲載された「東北アジアが歴史の主役に――日中を軸に『東亜』の新体制を」(3月16日付）へと至る廣松の後期哲学*13の歩みと、大いに思想的な――思想史的ではない――系譜として重なり合う点だ。その重なり合いとは、「二元論批判」に代表される西洋近代知への批判や「関係概念」への着目、「仏教」などの広義の文化を含めて考える「東アジア」の可能性、そして「現象学」的な思潮への批判的共感などである*14。これらの括弧を付した二元論批判、関係概念、仏教、東アジア、現象学は、あくまでも例示に過ぎないが、川満の思想が――あえて言えば――吉本というよりも廣松の哲学と響き合うところにこそ今日的な着目点があるように思われる。

とはいえ、東アジアの「新体制」に廣松が具体的に論及しているわけではない。その点で、川満の「社会憲法」および「越境憲法」は一歩先に進んでいるともいえる。そして、そこが出発点だ。高良勉の言葉を借りれば、「数多くの憲法私案」を提示して論じあうこと*15、そして同時に、「越境憲法」の創造を含む東アジアの人的交流のネットワークを――コロナにめげずにオンライン会合も含めて――活性化していくこと。最後もまた川満の言葉で閉めるとすれば、「体制の策謀に先手を打っていく方法」としての「草の根憲法の創憲運動」こそが、いまこそ必要ではないだろうか（川満・仲里編 2014、29頁)。残された検討課題は少なくないが、慌ただしくここでいったん筆を擱いておこう*16。

注

*1 ただし、「本土」の人びと（とくに若者）には、現在このことはほとんど知ら

れていない。本稿は、そうした人びとにも理解できるように書き進めていくつもりである。

＊2 反復帰論者に関しては、小松寛がかなり的確にまとめているが、新川明が中心である（小松 2015）。川満思想の内在的な展開を本格的に追う論考はほとんどないので、本稿はこの点に集中し、少なからず存在する川満信一論に関しては紙幅上割愛せざる得ない。。

＊3 最後にも触れるが、「社会憲法」後の川満思想の展開と思想史的系譜に関しては別稿で触れていくつもりである。

＊4 川満の略年譜は、2017年の雑誌『脈』94号の105〜107頁に記されている。

＊5 この点に関しては、筆者自身も同時期の東京の砂川闘争と関連づけて別の機会に触れたことがある（西原 2020、77〜101頁）

＊6 亡命者の思想という語は、川満が「異族」論への批判的検討との関係で使用する「国民という規定性を脱し」ていく思想としての「非国民の思想」と密接に関連するが（川満 1987、180頁）、ここでは立ち入らない。

＊7 他の節は「琉球処分の意味」「皇民化教育のなかで」「琉球王と天皇信仰」そして「本土志向の新たな偽意識」であり、ここでは紙幅上とくに節を分けて論じることはしない。

＊8 ただし、沖縄の共同体と天皇制との関係には、形式上の（錯視的な）同型視や皇民化教育の影響など、もう少し微妙な点があるが、紙幅上この点には立ち入らない。

＊9 この論点に関連した川満の別の表現もある。それは、弥生式文化に由来する天皇勢力とその国家を「寸断する」標語としての「縄文」の、その「未来」への可能性であり、それゆえ川満は「未来の縄文」を語るのである（川満 1987）。いうまでもなく、そこに吉本や島尾の影響を見ることができる。

＊10 筆者自身、他でも比較して論じたことであるが（Nishihara 2017、西原 2018）、高良勉の民族概念（「世界のウチナーンチュ」）を前提とする「琉球共和社会ネットワーク型連邦」案（川満・仲里編 2014、286頁ff.）に対して、川満は「『民族』という概念は、あくまで近代国民国家という幻想を成立させるためのカモフラージュ概念でしかない」（川満 2012、138頁f.）と批判する。ただし、高良の憲法案の第一条における「琉球共和社会連邦は全世界にネットワーク型の領域（エリア）を保有する。人類がかつて経験したことのない最大領域をもつ最新型の連邦である」とする点はたいへん興味深いことだと述べておく。

＊11 尖閣の「領土」問題に関して、新川明や新崎盛暉らの「帰属」議論や「生活圏」問題を念頭に、川満は2013年に「尖閣、魚釣島は出来れば原初のまま魚や鳥たちの楽園に戻す。次策は東アジアの共同開発、そのための『東アジア共同体』の構想ということになる」と述べて「東アジア共同体」に言及しつつ、尖

閣という「アホウドリの楽園はアホウドリに返せ」と主張する（川満 2013、11頁）。

＊12 ここで言及されているのは、「地球連合政府」にも論及する仲宗根勇の「琉球共和国憲法F私（試）案」である（川満・仲里編 2014、36頁）。

＊13 ここで廣松渉の「後期哲学」と称するのは、1982年の彼の『存在と意味』第一巻以後に廣松がシュッツの現象学的社会学をはじめとして社会的行為論という実践論——認識論ではない——の領域を検討しはじめる時期から『存在と意味』第二巻へと至る廣松哲学の展開期を指している。ここでは詳細を論じる場ではないので、拙著の『意味の社会学』（西原 1998）のIX章や『間主観性の社会学理論——国家を超える社の可能性［1］』所収の論稿（これは拙稿(西原 2005、170～177頁)の再掲である)、あるいは他の『情況』論稿（西原 2007）などの廣松論を参照いただければ幸いである。なお、後期の川満思想の展開とともに、川満と廣松の対比を含めた論考を現在準備中であると申し添えておく。

＊14 あくまでも念のための確認だが、「重なり合い」の場面では、廣松の広義の現象学的思潮にもとづく共同主観性論（『共同主観性の現象学』)、あるいは白井聡が「慧眼」だとした上述の朝日の「アジア」への言及（白井 2016)、そして京都学派の「超克」論批判（『〈近代の超克〉論』）や仏教者との対話（『仏教と事的世界観』）などが念頭に置かれている。

＊15 この点において川満・仲里編の諸論稿はたいへん興味深いが、同時にこうした議論は、国内的には鳩山由紀夫の「新憲法試案」（鳩山 2005）や国際的には中村民雄ほかの「東アジア共同体憲章案」（中村ほか 2008）などのような、多様なレベル、多様なリージョンにおいて、展開されるべきだと筆者は考えている。いずれにせよ、いまや——政府（政策）批判を超えて——トランスナショナルな東アジア共同体論の構想の具体的展開が求められている段階にきている、と筆者は判断している。

＊16 コロナ禍以前の2019年に、川満信一氏とは「居酒屋」を含めて、長時間対話する機会があった。深夜の別れ際に彼は、「何という美しい 棺の桶だ さあ、静かに寝るという倖せのおこぼれに 今日もあずかろう。」という即興の詩を居酒屋のナプキンに記して手渡してくれた。米寿となった彼に、「棺」や「桶」でなく、ともかくも「今日も」しっかり布団の中で睡眠をとって、「共生と共死」を含めた「越境」を「明日も」また論じあえることを心から念じていると伝えたい。

〈文献〉

川満信一 1978 『沖縄・根からの問い——共生への渇望』泰流社
川満信一 1987 『沖縄・自立と共生の思想——「未来の縄文」へ架ける橋』海風社
川満信一 2010 『沖縄発——復帰運動から40年』世界書院（情況新書）

川満信一 2012 「原体験から思想へ――戦略的プロセスと理念との差異」『うるまネシア』第14号
川満信一・仲里効編 2014 『琉球共和社会憲法の潜勢力――群島・アジア・越境の思想』未來社
川満信一 2013 「尖閣・魚釣島って何処?=アホウドリのものはアホウドリに返せ=」『情況』第四期1･2月合併号
川満信一 2015 「琉球共和社会憲法(試案)への道程」『ワセダアジアレビュー』No,17.
川満信一 2018 「追悼・吉本隆明氏への借り――異族論・南島論の立ち位置」『カオスの貌』12号

鳩山由紀夫 2005 『新憲法試案――尊厳ある日本を創る』PHP研究所
廣松渉 1994 「北東アジアが歴史の主役に――日中を軸に「東亜」の新体制を」『朝日新聞』3月16日付
小松寛 2015 『日本復帰と反復帰――戦後沖縄ナショナリズムの展開』早稲田大学出版部
中村民雄・須網隆夫・臼井陽一郎・佐藤義明 2008 『東アジア共同体憲章案』昭和堂
「沖縄独立の可能性をめぐる激論会」実行委員会編 1997 『激論・沖縄「独立」の可能性』紫翠会出版
白井聡 2016 「廣松渉の慧眼」進藤榮一・木村朗編『沖縄自立と東アジア共同体』花伝社
吉原公一郎編 1968 『沖縄――本土復帰の幻想』三一書房

西原和久 1998 『意味の社会学――現象学的社会学の冒険』弘文堂
西原和久 2005 「廣松社会哲学の現代的意義――〈社会的行為論〉の射程」『情況』第三期2005年8/9月号
西原和久 2007 「廣松渉と―東アジアと―社会学」『情況』第三期2007年5月号別冊
西原和久 2010 『間主観性の社会学理論――国家を超える社会の可能性[1]』新泉社
Nishihara, Kazuhisa, 2017, *The Challenge of Okinawan Social Thoughts: Okinawan Glocal Network and Independence Movements after the Ryukyu Kingdom*, ed. by Nishihara, K., The Glocal Perspectives on the Contemporary Socio-Cultural Movements, Center for Glocal Studies.
西原和久 2018 『トランスナショナリズム論序説――移民・沖縄・国家』新泉社
西原和久 2020 『現代国際社会学のフロンティア――アジア太平洋の越境者をめぐるトランスナショナル社会学』東信堂

琉球・沖縄の自立、国際的視野から見た沖縄問題
先住民族ネットワーク、琉球・沖縄との連携

AIPP（アジア先住民族機構）理事 **当真 嗣清**

1．はじめに―先住民族とは

ハイサイ、グスーヨー　チューウガナビラ。ワンネーウチナーヌ　ユンタンジャカラ　ユシリティチャービタン　ト-マシセイヤイビーン。ミーシッチョーティクィミソーリ。
（ハイサイ、皆さん、こんにちわ。私は沖縄（ウチナー）の読谷山（ユンタンジャ）から参りました、当真嗣清と申します。どうぞよろしくお願いします。）

沖縄島の言葉（ウチナーグチ）を初めて聞かれる方には一種異様な響きに、戸惑いがあるかもしれません。日本列島の南端にある琉球諸島には日本語とは違う言葉（琉球諸語）があることをご承知下さい。琉球諸島で話される言葉は日本の一地方の方言ではなく、国連が定める「先住民族（indigenous peoples）」の言語として位置づけられています。

国連教育科学文化機関（UNESCO＝ユネスコ）は2009年2月に、世界の消滅危機言語、約2500言語をリストアップし発表しました。消滅の危機にある言語は日本においては、北からアイヌ語、八丈語、奄美語（シマユムタ）、国頭語（ヤンバルクトゥバ）、沖縄語（ウチナーグチ）、宮古語（ミャークフツ）、八重山語（ヤイマムニ）、与那国語（ドゥナンムヌイ）の８言語が挙げられ、喜んでいいのか、悲しんでいいのか、その中になんと南西諸島から６つの琉球諸語が入っています。

言葉が変われば文化が違う、異なる地域は異なる文化を形成する。異なる言語・文化・宗教・生活観・血縁関係などにより他と区別することの出来る共同体、その単位は民族と呼ばれ、民族が違えば言葉や文化が違うことは至極当然のことです。その中でも、その国や地域で独自の言語、文化を有する先住民族は世界中におり、彼らの存在が否定されたり、差別されることが多いのも事実です。

先住民族の定義

国連の定義によれば、「先住民族」とは、近代以降の植民地政策や同化政策により、自らの社会や文化、土地などを奪われ、場合によっては否定され、苦しんできた人々で、自らの伝統的な土地や暮らしを引き継ぎ、社会の多数派とは異なる自分たちの社会や文化を次世代に伝えようとしている人々、と規定しています。

先住民族は、近代国家に自らの意思で統合されたかどうか、植民地政策が行われたかどうかによって確認される政治学の概念であり、民族学や人類学の概念ではありません。（先住民＝indigenous populationsという言葉は国連で1982年から2006年まで使用されていましたが、対象とされる人々の強い要望で2008年から先住民族＝indigenous peoplesいう言葉に置き換えられた経緯がある。）

先住民族の権利は、基本的な人権に加え、自己決定権、同化を強要されない権利、先住民族の持つ土地の権利、言語や宗教など固有の文化を守る権利も含まれます。

先住民族の実情

東京に本部を置く、国連NGO市民外交センター（SGC）のホームページ（HP）によれば、先住民族とは、近代化によって一方的に土地を奪われ、虐殺や同化政策の犠牲となってきた人びとで、北米の『ネイティブ・アメリカン』、豪州の『アボリジニ』をはじめ、日本にも『アイヌ』や『琉球・沖縄の人々』が存在する。先住民族の土地には、軍事基地や核実験場が建設され、森林の大規模伐採やダム開発での強制移住なども行われています。また、先住民族女性の貧困や子どもの教育の機会の少なさも問題となっています。近年、自然と共生する文化をもつ先住民族とその権利回復への関心が国際的に高まっています。その権利を守ることは、軍事化や核汚染に反対し、地球環境と人権を守り、多様な文化をもつ国際社会を21世紀に作ることである、とSGCのHPで説明されています。

一般的に、民族とは、言葉・文化・宗教・生活観・血縁関係などにより他と区別することの出来る共同体のことです。その中でも先住民族は特別なジャンルとして、土地権や自己決定権を有する民族として区別されます。国連においても独自の委員会やフォーラムが組織され、長い期間にわたり議論が重ねられ、その結果として2007年の総会で「先住民族の権利に関する国連宣言」が採択され、2014年の「先住民族世界会議」が開催されました。

2．世界の先住民族

国連広報センターによると、現在少なくとも5,000の先住民族が存在し、その数は3億7000万人を数え、５大陸90カ国以上の国々に住んでいます。「先住民族は世界のもっとも不利な立場に置かれているグループの１つ」（国連広報センター）とされています。多くが植民地化により固有の文化、土地を奪われてきた歴史を持ち、政策決定プロセスから除外されました。先住民族はぎりぎりの生活を強いられ、搾取され、社会に強制的に同化させられました。自分の権利を主張すると弾圧、拷問、殺害の対象となる場合もあります。

いろんな地域の先住民族

『オラン・アスリ』はマレー語で“先住の人々”という意味で、マレー半島に暮らす18の先住民族の総称です。そのうち17民族はマレーシア、あと一つの民族はインドネシアに居住しています。現在、主に北海道に住む『アイヌ』は、アイヌ語で“人間”という意味です。ニュージーランドの先住民族で『マオリ』という言葉は、マオリ語で“普通の人”を表すタンガタ・マオリに由来します。このように先住民族と呼ばれる人々は、自分のことを人間だとはっきり認識して、表明していることになります。ラテンアメリカの先住民族の多くは、コロンブスがインドと勘違いしてアメリカに到達した日を、「奴隷制度や病気、植民地化、大量虐殺をヨーロッパからアメリカ大陸に持ち込んだ厄日」と考えています。

再度申し上げれば、先住民族は人類学の概念ではなく、政治学の概念であり、典型的な先住民族としては、北米の『ファースト・ネイションズ』や『ネイティブ・アメリカン』、中米グアテマラの『マヤ民族』、北極圏の『サーミ』、オーストラリアの『アボリジニー』、ニュージーランドの『マオリ』、日本の『アイヌ』、ボルネオ島の『プナン族』、インドシナ（ラオス、カンボジア、ベトナム）地域の山岳地帯に住む『リス族』や『アカ族』、中国の『ウイグル族』等々……。世界の各地に、先住民族が暮らしています。

国連宣言の実情

「先住民族の権利に関する国連宣言」が2007年9月13日、国連総会において採択されました。この宣言の第26条には「伝統的に領有もしくは他の方法で占有または使用してきた土地および領土を領有し、開発し、統制し、そして使用する権利を有する」ことを明記しています。しかし、先住民族による土地の管理や利用は認められていないところのほうが多いと言えます。例えば、マレーシアのサラワク州、サバ州などでは、先住民族の慣習地が法律で認められているにもかかわらず、実際には尊重されていないため、開発に反対する先住民族が逮捕、襲撃されるといった事件が多発しています。パナマでは、憲法で先住民族コミュニティに必要な土地の留保と集団的土地所有が保障されていますが、警察とその土地の所有権を主張する企業によって、先住民族が強制的に立ち退かされる事件なども起きています。

国連の公文書と先住民族

ILO169号条約およびホセ・マルチネス・コーボ（Jose R. Martinez Cobo）特別報告者による報告書などによれば、先住民族とは、「自らの伝統的な土地や暮らしを引き継ぎ、社会の多数派とは異なる自分たちの社会や文化を次世代に伝えようとしている人びとである」という定義もされています。

3．国連と先住民族

これまでに述べたように国連は、国際社会において、あまり知られていなかった先住民族の暗い歴史に光を当て、大きく燦然と輝く功績を持っています。この章では、国連が如何に先住民族問題に関わり、どの様にその役割を果たして来たかについて考察したいと思います。

国連の先住民族に関する作業部会、PFII設置

1982年、国連の人権小委員会は先住民族に関する作業部会を設置しました。作業部会は「先住民族の権利に関する宣言（Declaration on the Rights of Indigenous Peoples）」の草案を作成しました。

総会は、1993年を「世界の先住民族の国際年（International Year of the World's Indigenous People）」と宣言し、それに続いて、1995～2004年が

「第一次世界の先住民族の国際10年（International Decade of the World's Indigenous People)」、2005～2014年が「第二次世界の先住民族の国際10年（Second International Decade of the World's Indigenous People)」に指定しました。この様に国連は、先住民族の地位確立に寄与してきた事実があります。

経済、社会開発、文化、教育、環境、健康、人権に関連する先住民族問題を審議する「先住民族問題に関する常設フォーラム（Permanent Forum on Indigenous Issues = PFII)」は2000年に経済社会理事会により設置されました。PFIIは、専門家のアドバイスや勧告を経済社会理事会に行い、また理事会を通して、国連の計画や基金、各種機関にアドバイスや勧告を行います。PFIIは先住民族についての理解を深め、国連システムの中で先住民族問題に関連した活動の統合と調整を行い、先住民族に関する情報も配布します。また、多くの国で先住民族コミュニティへ注意を払うことが2030年までの目標達成に直接貢献する事実を踏まえて、SDGs（持続可能な開発目標）が達成される形で、先住民族問題を取り上げる方法にも取り組んでいます。

UNDRIP採択までの経緯

2007年、国連総会で『先住民族の権利に関する国際連合宣言（Declaratioion on the Rights of Indigenous Peoples = UNDRIP)』を採択しました。この宣言は土地、領土と資源、文化、アイデンティティ、言語、雇用、健康、教育の権利も含め、先住民族の個人、集団としての権利を提示している。この宣言、UNDRIPは、先住民族自身の制度、文化、伝統を維持強化し、自身のニーズと願望に従って開発を進める権利を持つと強調しました。また、先住民族に対する差別を禁じ、彼らに関係するあらゆる事項について完全かつ効果的に参加できるようにすると同時に先住民族としての特色を維持し、自身の構想する経済社会開発を追求する権利も促進するとしました。UNDRIPはグローバルなコンセンサスを反映し、世界の先住民族の生存、尊厳、福祉のための最低基準を定めています。再度、強調しますが『先住民族の権利に関する国際連合宣言(UNDRIP)』は、2007年9月13日、ニューヨークの国連本部で行われた第61期の国連総会において採択された決議です。

国連広報官は「UNDRIPは国際的な法律基準のダイナミックな発展を

意味し、また国際連合の加盟国の関心や関与が一定の方向に動いたことを示した」と報告しています。UNDRIPは、「世界の先住民族の待遇を整備する重要な基準であり、これはこの惑星の3億7000万人の先住民族に対して、人権侵害を無くし、彼らが差別やマージナライゼーション（周辺化）と戦うのを援助するための疑う余地のない重要なツールである」と評価したことでも知られる存在になりました。UNDRIPは起草から採択までに22年の歳月を経過して採択された、先住民族にとって大変重要な国際法の基準です。

1982年に「経済社会理事会(ECOSOC)」は、エクアドルの人権専門家、ホセ・マルチネス・コーボ特別報告者の作成した、先住民への差別問題に関する調査報告書を受け、「国連先住民作業部会(WGIP)」を立ち上げました。WGIPは先住民保護のための人権基準を開発することを任務とし、1985年に、その権利宣言の草案策定に取り組みました（その後、先住民を先住民族に読み替えた）。草案は1993年に仕上がり、少数者の差別防止および保護に関する国連人権小委員会に提出され、1994年に承認されました。宣言はそれから総会に諮られ、第61期の会期中の2007年9月13日に提案を受けて採決されました。総会で採択されたUNDRIPは、「文化、アイデンティティ、言語、労働、健康、教育、その他の問題」に対して、国際法に承認された人権の享受、権利と同様に、先住民族の権利を明記しました。宣言は、先住民族の慣習、文化と伝統を守り、強化し、先住民族自身の必要と目標に合わせて先住民族の発展を持続するために、先住民族の権利を強調しました。UNDRIPは、先住民族に対する差別を禁止し、彼らが懸念する問題への彼らの完全で有効な参加を促しました。また、先住民族の権利保持を明確にし、先住民族自身が目指す経済・社会的開発の継続を促進することも目的としました。

OHCHRの役割

国連人権高等弁務官事務所（OHCHR）は、UNDRIP宣言の実施に関してきわめて重要な役割を果たし、現在でもこのことはOHCHRの優先課題です。同事務所は「先住民族問題に関する機関間支援グループ」を積極的に支援し、国連の国別チームやOHCHRの現地事務所のために先住民族問題に関する研修を実施しています。また、「先住民族のための任意基金評議員会」にサービスを提供しています。任意基金は、先住民族コミュニティの５人の代表から構成され、先住民族社会と団体の代表が先住民族問題に関する常設フォーラムと「先住民族の権利に関する専門家機構（Expert Mechanism on the Rights of Indigenous Peoples = EMRIP）」の年次会期に参加できるように支援します。EMRIPは2007年に設置され、５人の専門家で構成され、先住民族の権利に関連する問題について人権理事会を支援します。OHCHRはまた、EMRIPを支援するとともに、先住民族の人権と基本的自由の状況に関する特別報告者を支援、さらに、先住民族の権利を向上させるために特定の国や地域を対象にした活動も行っています。

WCIP参加報告

2014年9月、国連は「先住民族世界会議（World Conference on Indigenous Peoples = WCIP）」を開催し、全員一致で採択された成果文書は、宣言の目的を達成する一連の約束事を含有しています。私はWCIPに参加したので、以下にレポートします。

2014年9月16日にスタートした第69会国連総会中に開催されたWCIPは9月22日の午前10時から始まり、いろいろな国や地域の先住民族の言葉を使用したパン・ギムン国連事務総長の挨拶がとても印象的な開会式でした。

その後、本論に入り、『先住民族の権利に関する国連宣言』の目標達成のコミットメントを載せた成果文書を採択し、決議されました。私は『先住民族の権利に関する国連宣言』を採択した本会議の後、引き続き開催された分科会に参加して、更に先住民族に関する認識を深めることができました。

日本政府との会合

日本政府との会合はSGCの猪子晶代さんの発案、糸数慶子議員の強力な後押しで実現しました。当初、政府側は何を話すのか、目的は、内容について文書で等とかなり注文をつけて会合に消極的な姿勢であったとのことを糸数議員から聞きました。それをはねのける形で会合は実現しました。いつの時間が可能か聞いたところ第三分科会が終わった直後の時間を指定され、その後に予定されていた公式日程の閉会式と重なるものの私達としては総会閉会式より日本政府との会合を重視し指定された国連内のカフェテリアに少し遅れて到着しました。まずは糸数議員からお礼を申し上げ、

国連内で行われた日本政府との会合
（2014/9/23）

琉球民族としての要請を行い日本政府の答えを聞くという形ですすめ、意見の交換をしながら政府の姿勢を質しました。

外務省の人権人道課課長が主に私達の質問に答えていただきました。これまでの勧告の政府の履行状況に関する質問に、何も変わらない今まで通りで、琉球民族を先住民族と認められないこと、アイヌの場合は国会決議があったこと、そして人権人道課課長の一存で決められるわけではないので簡単に答えられないこと、などを回答しました。それに対し糸数議員は、軍事基地の問題（30条）があることがアイヌとの違いであること、またそのために国会内でも沖縄に対する意見が分かれ、アイヌの場合よりも議論が難航していることや、NGOではなく国民の代表として3期当選した沖縄県民の意思に沿い発言していること、安倍政権が謳う沖縄の基地問題の負担軽減は実態と大きくかけ離れていること、それに関し11月の知事選が重要であること、などを伝え、簡単に変わる訳ではないことは分かっているが、少しずつでも歩み寄って欲しいと発言し、要望しました。当真からは、国連を始め、アジアコーカスなどでは琉球を先住民族として認めていること、取材は国内外から当真にきていること、5年くらい前から構造的差別という言葉にウチナーンチュが自身の状況を説明するようになったこと、その裏にあるいわゆる先住民族として権利の保障をして欲しいことなどを述べました。

これに対し課長は、市民社会やNGOなどの意見に沿わない報告書を書いている時でも、このようなミーティングでの話はいつも思い出していると話しました。猪子さんもSGCの活動や今後の協力を求める旨を発言し、永井さんも簡潔にそれを補足する意見を述べました。課長から唯一あった質問は、糸数議員の発言後の周りの反応はどうだったかに対して、糸数議員は、100部用意した英文パンフレットが沢山の人から要求され5部程度しか残らなかったことを伝えました。「沖縄県に居住する人あるいは沖縄県の出身者は日本民族であり、社会通念上、日本民族と異なる生物学的または文化的諸特徴を共有している人々であるとは考えられていない」とする政府見解に、HPから削除するよう再度迫りましたが、検討するという回答を得たのみでした。

会議の冒頭、私はNGOについて非政府組織であって決して反政府組織ではない旨話しました。この会合を終えて私が感じた印象的なエピソードがあります。途中で私が先住民族組織である「琉球弧の先住民族会」を陰に陽に支えている団体に「市民外交センター（SGC）」や「反差別国際運動（IMADR）」があると話し、そして特にSGCには海外の会議でとてもお世話になり感謝している、彼らこそ真の外交を市民がしていると話しました。続けて、外務省は国を代表して国民の税金で外交をしているがボランティアのNGO団体、市民外交センターにいつか追い越されるのではと話を向けたら、課長曰く、「まだ抜かれていません」と真面目な顔で答えました。

WCIP余話

外務省は糸数議員に最初はとても協力的で、そのお陰もあって8月中旬に開催された国連人種差別撤廃委員会には、すでに締め切っていたにも拘らず日本政府が押し込んで参加をすることができたことを議員から聞きました。このようなことを政府は国会議員に対する便宜供与というそうです。

8月の末に糸数議員を先頭にアイヌ、琉球・沖縄そして支援NGOのIMADR及び市民外交センターを伴って外務省に要請行動をしました。要請終了後、糸数議員が御自身のWCIP参加について質すと、その時点で外務省の返事は「進めています」だった。しかし翌日、糸数事務所に電話で今回の便宜供与はできない旨あったと聞き、私は急遽SGCの猪子さんに連絡を取り、彼女は直接世界の先住民族の有力者に琉球の先住民族の代表で国会議員をしている女性が、日本政府の協力拒否にあい今回のWCIP参加が危ぶまれる旨メールをしました。

すぐに反応があり、アジアの事務局を与るビノタ・モイ氏か私にAIPRの推薦状をすぐ送れと要請が来ました。ほどなく国連の事務局から糸数委員と知念秘書の招待状が送られたと糸数事務所から知らせを受けた次第です。まさにアジアの仲間が私達の苦境を救ったという事を私は即座に理解しました。下記にこの件で特に苦労した方々を列記して感謝の気持ちを表します。

＊Raja Devashisi Roy＝バングラデシュ、国連PFII専門委員、今回の成果文書作成にもかかわる、国連事務局に糸数氏参加要請を直接交渉した

＊ Binota　Moy ＝バングラデシュ、ＷＣＩＰアジア選出準備委員、AIPP 評議員、糸数議員の参加のため事務手続きをした
＊ Giovanni　Reyes ＝フィリッピン、先住民族活動家、弁護士、琉球に親近感持ち、応援メールで糸数氏参加の意義と賛同をみんなに表明した

WCＩP参加報告会（帰国後）

国連は長きに亘って先住民族の権利問題に取り組んできました。1993年の「国際先住民年」を決定し、1995年〜2004年の「第一次世界の先住民族の国際10年」、引き続き2005年〜2014年の「第二次世界の先住民族の国際10年」と運動の継続に奮闘した。その結果として2007年9月に国連総会が先住民族の人権基準として「国連先住民族権利宣言」を採択しました。「第二次国際10年」の最終年に当たる2014年、9月22日・23日にニューヨークの国連本部で、これまでの先住民族に関する国連政策を総括し、今後の政策を考える機会として、先住民族に関する国連ハイレベル本会議、通称「先住民族世界会議（WCIP）」が開催されました。日本からもアイヌ民族および琉球民族の代表が参加しました。「WCIP」は国連憲章の目的及び原則に対する公約を再確認し、先住民族の権利を促進し保護する国連の重要で継続している役割と「先住民族世界会議」の為の準備会議を含む、先住民族の準備プロセスを歓迎する旨を趣旨とする「成果文書」が採択されました（「成果文書」は後掲の国連第69会期先住民族世界会議総会のハイレベル本会議の成果文書を御参照ください）。

2014年WCIP国内報告会より−2014.11.17.（参議院議員会館）　左から原由利子（IMADR）、上村英明（SGC）、当真、糸数慶子（参議院議員）、阿部ユポ（アイヌ協会）、猪子晶代（SGC）

2014年11月17日に参議院議員会館で国連先住民族報告会が行われました。SGC、IMADR、アイヌと琉球の先住民族の協力の下、次の内容により報告会は進められました。

「先住民族の権利の国際法上の発展と世界会議の位置付け」――　猪子晶代（SGC、弁護士）

「先住民族世界会議に参加して」――　阿部ユポ（アイヌ民族評議会代表、

北海道アイヌ協会副理事長）
「琉球民族として世界会議に参加して」――　糸数慶子（参議院議員）
「琉球・沖縄から世界へ、世界から琉球・沖縄へ」――　当真嗣清（琉球弧の先住民族会（AIPR）代表代行）
「若者による先住民族世界会議参加と先住民族権利運動」――　永井文也（SGC、大学生）
「日本の先住民族政策の未来を考える」――　上村英明（SGC、代表）

世界会議を受けて　日本の先住民族政策の未来を考える

2014年11月17日に参議院議員会館にて国連先住民族報告会が行われ、市民外交センターの上村英明代表（恵泉女学園大学教授）は報告会のまとめとして下記の様に発表しました。

・世界会議の成果文書-上村報告①

2014年9月22日に先住民族世界会議（WCIP）で採択された成果文書は、それから何か新しいことがはっきりとした形で始まるものではない。それは、30年以上にわたる先住民族権利運動の成果が整理され、その重要なポイントの強化が謳われた文書であって、新しい内容はほとんど盛り込まれていません。ただ、先住民族の団体を国連システムにおける準国家として位置付けようとする新たな試みはありました。

これが提起される上で、2013年6月のWCIPに向けた先住民族のグローバル準備会議（通称アルタ会議）を主催した北欧のサーミという先住民族の政治体制が注目に価します。すなわち、サーミはノルウェーにおいては「サーミ議会」と呼ばれる独自の議会を持ち、サーミ語を主に用い、サーミ民族全体に関する問題に対しては、「サーミ評議会」を通して、スウェーデンやノルウェー、フィンランドといった地域の主権国家とほぼ同等な政治主体の地位を確立しています。

このような先住民族の政治的主体性に鑑み、国連システム内で、先住民族が主権国家と同等のポジションで、政治主体として国連に加盟するという試みがありました。この試みは大幅な国連改革を伴い、またウェストファリア体制と呼ばれる伝統的な主権国家体制に対して極めて難しい議論となるためか、結果的に今回の成果文書では合意に至らず、明文化はされませんでした。

この成果文書は全体として、次の２点が評価できます。すなわち、これまでの国連で議論されてきた先住民族権利運動の成果が網羅的に盛り込まれた文書であること、そしてその成果をこれからいかに強化するかの方向性が明示された文書であること、です。

今回の世界会議の特徴は、1990年代の世界会議のように何万人もの先住民族を含む参加者が数週間に渡って議論する国際会議とは異なり、国連の本会議場に入れる人数が限られ、また期間も正式には２日間だけの会議であったことです。参加人数を実質的に増やすためにも、アイヌ民族の阿部ユポさんが日本政府の代表団として参加したように、政府代表団として世界会議に出席することが世界の先住民族に奨励されていました。またこの日本政府代表団には外務省だけではなく、内閣官房アイヌ総合政策室の室長も参加しました。これは、行政官が国際的な場で先住民族に関する議論を直接聞くことで、こうした国際基準の国内適用を考えるきっかけの一つにもなったと考えられます。

・琉球民族と日本社会の「読み違い」―上村報告②

個人的に、日本を「想定外」と「読み違い」の国と呼ぶことがあるが、なぜそう呼ぶかを説明してみます。

普天間基地の撤去、新基地の辺野古移設反対などを公約に掲げる元那覇市長の翁長雄志さんが今回の沖縄県知事選挙に当選しました。この選挙結果を、翁長さんが自民党の有力な政治家で、４年前には仲井真弘多知事の選対責任者を務めたことなどから、日本の主要なメディアは、沖縄県内での「保守の分裂」による結果だと表現しました。しかし、本報告会で糸数慶子さんも指摘したように、実際には琉球民族の「民意」が表出した結果であることを「読み違」えています。構造的に差別されてきた琉球のアイデンティティと支配側の日本（大和）のアイデンティティの対決でした。琉球史上初めてのことかもしれません。

それを踏まえれば、その「民意」として県知事に選出された翁長雄志さんは、単なる地方自治体の長ではなく、琉球国の代表、日本の地方自治システムが米国型であることを考えれば「大統領」に匹敵するといえます。翁長さんにはこれを認識し、日本政府と話し合いに臨むことを期待したいです。このような琉球民族の現状を受け、今後はより国際基準へ訴える声が大きくなるダイナミズムが生じつつあるが、先のような日本社会の「読み違い」は、現在も先住民族政策に大きな影響を与えています。

・先住民族問題とは-上村報告③

現在、グローバル化の問題が認識される中で、植民地主義と新自由主義の議論は高まりをみせています。特に植民地主義に関しては、決して過去のものではなく、まだ存在していることを見直す必要があるといえるでしょう。先住民族問題というのは、その再認識のきっかけとなるものです。

国連第69会期先住民族世界会議総会のハイレベル本会議の成果文書

一般2014年9月25日第69会期議事日程議題 65　2014年9月22日に総会で採択された決議：総会配布

「先住民族世界会議として知られている総会のハイレベル本会議の成果文書」

総会は、以下の成果文書を採択する。

１．国際連合憲章の目的および原則に対する厳粛な公約を再確認しつつ、世界の先住民族との協力の精神で、私たち、国家および政府の長、加盟国の大臣および代表は、先住民族の権利を促進しまた保護する国際連合の重要且つ継続している役割をくり返し表明するために、先住民族世界会議として知られている総会のハイレベル本会議に際して、2014年9月 22 日および 23 日にニューヨークの国際連合本部に参集している。

２．私たちは、2013年6月にノルウェーのアルタで開催された世界先住民族準備会議を含む、世界会議のための先住民族の準備プロセスを歓迎する。私たちは、アルタ会議の成果文書１および先住民族により行われた他の貢献に留意する。私たちは、先住民族の代表の包括的な関与を含む、ハイレベル本会議のための包括的な準備プロセスもまた歓迎する。

琉球人ジャーナリストの活躍

2014年9月24日の沖縄タイムスは平安名純代・米国特約記者の取材で下記の様に先住民族世界会議の内容を伝えています。

【平安名純代・米国特約記者】米ニューヨークの国連本部で22日、世界の先住民族や各国代表による「先住民族世界会議」の分科会が開かれた。糸数慶子参院議員は「国家的、地域的レベルでの先住民族の権利の履行」を議題に演説し、2007年に採択された国連先住民族権利宣言（UNDRIP）を沖縄にも適用すべきだと主張し、日本政府に沖縄の人々を先住民として認めるよう訴えた。

会議では、先住民族に文化的伝統や慣習を実践する権利、土地や資源への権利などを広範囲に認めたUNDRIPが、各国でどのように政策に反映されているかなどについて発表が行われた。
糸数氏は
（１）UNDRIP18条で定められた意思決定に参加する権利を、沖縄にも認めてほしい
（２）日本の面積の0.6％にすぎない琉球・沖縄に、在日米軍専用施設の74％が集中している現状は明らかな差別
（３）琉球民族の多くが反対する基地建設の強行は、意思決定に参加する先住民族の権利の明白な違反であり、国連宣言30条の軍事活動の禁止にも反するーなどと主張した。
国連総会の議場で行われた開幕式では、国連の潘基文事務総長が「皆さんの権利を守るため、声を一つにしてほしい。国連は皆さんとともに取り組む」と呼び掛けた後、先住民族の福祉向上への決意を示した文書が採択された。
国連によると、先住民の総人口は約３億７千万人以上で、70カ国以上に少なくとも５千の先住民族が存在する。先住民族とは「国連憲章や市民および政治的権利に関する国際規約および経済的、社会的および文化的権利に関する国際規約の共通第１条において自己決定権を有する人民」の意味で使用されている。　（以上沖縄タイムスの記事より）

４．アジアの先住民族

次にアジアの先住民族の現状を報告します。
世界における先住民族の分布状況はアジア・太平洋地域に70.5％、アフリカ地域に16.3％、ラテンアメリカ・カリブ地域に11.5％、北米に1.6％、ヨーロッパ・中央アジア地域に0.1％の先住民族の分布割合です。この分布からも分かるように、アジア・太平洋地域の先住民族が占める割合が圧倒的に高いのが分かります。

インド

インドの先住民族は461の民族が「指定部族」（アディヴァシー＝ Adivasi.「元から住んでいた人」を意味するヒンディー語）として認定されており、先

住民族として位置づけられています。彼らはインドの総人口の約8%を占めるとも言われ、約8,000万人或いはそれ以上いると推定されています。また、指定以外にも先住民族はおり、合計で635部族とも言われています。これらの先住民族が多く住むのはインド東北部にあるラジャスタン州から西ベンガル州にまたがる７つの州です。

経済発展がめざましいインドでは、開発による住民の強制立ち退きが深刻な問題です。1951年から1990年の間で、2000万人以上の人々が、ダム建設、鉱物資源の採掘、灌漑事業などのために、強制立ち退きをさせられました。その人々のうち40%が先住民族と言われています。更に先住民族は土地の収奪、周辺環境の破壊、ビジネスによる権利の蹂躙などの被害にあっているとアムネスティのウェブサイトは掲載しています。（アムネスティのウェブサイト参照）

ネパール（David A. Hough「言語人権の確立：ネパールの先住民族と少数民族の声」『湘南工科大学紀要』第45巻第1号、2011年3月より抜粋）

ネパールの人口は3,000万人足らずで、先住民族の多くは標高の高いところに住み、全人口の52%を占めています。長年にわたり、先住民族は自分の子供たちが母語で教育を受けることを求める声をあげてきました。政府高官たちは、その声を無視してきた。先住民族の割合は全ネパールの人口の 52%（約1100万人）です。そのうちの一つであるシェルパ民族は約15万人で、小学校の１年生から５年生、またはそれ以上の学年にわたって、子供たちは自分たちの言語（母語）で教育を受けます。さらに、ネパール語は第二言語として、例えば３年生から学び、加えて、英語を第三言語として、その後で学ぶことになります。多言語教育は、ネパールの民主主義の道を開く方法であり、先住民族や少数民族が受けてきた 250 年の差別に打ち勝つ方法でもあります。

地域の先住民族や少数民族のコミュニティは、教育内容、学習教材、教授法を自分たちで開発し実践する権利を持つべきです。（以上は湘南工科大学紀要より）

2020年7月18日、ユネスコ世界遺産のチトワン国立公園で、チェパン族の居住地が国立公園当局の襲撃を受け、家屋10戸が破壊されました。この突然の襲撃で、チェパン族の人たちは、家ばかりか、金銭や身分証明書などの所持品すべてを失いました。家を追われた一人がアムネスティに語ったところによると、当局は象を連れて農地に入り込み、農作物を踏みつけながら家のほうに近づいてきました。そして、２軒の家屋に火を放ち、８軒を象に突進させて破壊しました。国立公園当局は、地元自治体への事前説明もなく、非情な強制立ち退きを執行したもようです。近くの学校の寄宿舎に避難したチェパン族の人たちは、国立公園内の他の居住地で生活する仲間も同じ目にあうのではないかと気が気ではなく、6月には、バルディィヤ国立公園の居住地で生活するタルー族が、当局の強制退去を受けており、国立公園当局による先住民族の強制立ち退きは、今回で２度目です。
（「アムネスティ国際ニュース」より）

バングラデシュ

バングラデシュの人口、約1億3000万人の大部分はベンガル人ですが、ベンガル人以外に約50もの先住民族が存在します。先住民族と呼ばれる人たちは100万人ほどいます。ミャンマーとの国境沿いのチッタゴン丘陵地帯には、代表的な民族の、チャクマ族、マルマ族、ボン族、トンチョンガ族等を中心とした先住民族が居住し、軍事化と巨大開発による人権侵害が頻発する地域でもあり、先住民族の人びとは、先祖伝来の土地に対する権利もしくは奪われた土地の適切な補償を否定されてきました。これは、明らかに国際人権法に違反します。

チッタゴン丘陵地帯では、ジュマ民族に土地の争いで長い間、紛争が続いてきました。土地所有権問題で９万人以上の住民、家族が国内避難の状況に置かれています。アムネスティは、バングラデシュ政府が、先住民族の人権に関する国連宣言や先住民と部族民に関するILO条約第107条といった国際人権法において、義務を重んじるように、土地返還への具体的措置をとるように要求しています。ジュマ民族はバングラデシュ政府の同化政策によって迫害を受けています。（アムネスティ・インターナショナルを参照）

ミャンマー

ミャンマーは約5,100万人の人口。130を超える先住民族が存在し、大きく次の８つの部族に分かれる。ビルマ族（3500万人）、モン族（800万人）、カレン族（700万人）、シャン族（600万人）、ラカイン族（300万人）、チン族（150万人）、カチン族（100万人）、カヤー族（30万人）、以上です。その他にインレー湖の近くにタウンヨー族、パラワン族、パオ族などがいます。

アムネスティはシャン州のカチン族、リス族、タアン族の住民に対する国軍と武装組織の戦争犯罪の調査をしました。国軍の師団（第99軽歩兵師団）は、2017年8月から始まったラカイン州ロヒンギャに対する凄惨な残虐行為にも関与しています。北部の先住民族は、今なお国軍の残虐行為の対象となっています。国軍による重大な人権侵害が、特にシャン州で後を絶たない。その中でもカチン族、シャン族、タアン族などの先住民族が制裁の対象となっており、停戦宣言後も残虐行為や人権侵害の被害が続いています。ミャンマーの紛争地での終わりが見えない人権侵害の中で、国連安全保障理事会は、長らく傍観してきました。（ウィキペディア、アムネスティ・インターナショナル等を参照）

タイ

タイの人口約6,000万人のうち、タイ族が約85%と圧倒的多数を占め、先住民族は全人口の約1.5%（約93万人）です。主な先住民族として、カレン族、モン族、ラフ族、アカ族、ミェン族、ティン族、リス族、ルワ族、カム族、マラブリ族等が挙げられます。彼らの多くは、200年以上前から中国南部雲南付近から南下し、ミャンマーやラオスを経てタイ北部にたどりついたと見られます。山岳地域の民族の四分の一は無国籍であるといわれ、国籍取得の条件が満たせないことや、満たしていても、政府の認定作業が遅れていることなどがその原因です。1974年、タイ政府は山岳民族にも国籍を与えることを決議しましたが、現在でも山岳民族の四分の一は無国籍であるといわれています。無国籍であると、移動の自由や土地所有の自由などがなく、教育、医療も十分に受けられません。山岳民族の女性が人身売買の対象となり、日本やマレーシア、アメリカ、カナダ、ヨーロッパ諸国などへ労働力として送られることもあります。（アムネスティインターナショナル等を参照）

ラオス

ラオスは68とも言われる民族集団（クムソンあるいはパオソン）から構成される多民族国家。総人口は約690万人（2019年）、半数以上がラオ族ですが、その他にモン族、ヤオ族、アカ族など先住民族がいてその数は49民族で住む地域、居住地の高低によりラオ・ルム（低地ラオ人）、ラオ・トゥン（山腹ラオ人）、ラオ・スーン（高地ラオ人）に分かれ、ラオ・ルムはタイ語系、ラオ・トゥンはモン・クメール語系で、ラオ・スーンにはミャオ・ヤオ語系とチベット・ビルマ語系が含まれる。カム族、タイデン族、タイダム族、モン族、青モン族、黒モン族、ヤオ族、モン族、アカ族、タイダム族、ランテン族、黒タイ族、タイルー族、タイダム族、アカ族、イゴー族、ヤオ族、モン族がいる。

ラオスのモン族は、19世紀にフランスによる植民地統治政策の一環で、差別、圧迫されます。これがきっかけとなり民族が分断してしまい、第二次世界大戦後の独立戦争で、モン族同士が敵味方に分かれて、戦うという悲しい現実がありました。その後、隣国のタイ、米国や国連を巻き込む難民問題が起こりました。

道路にゴミが落ちていない清潔な国としても有名です。(ウィキペディア、CHANG ラオスサポート等参照)

ベトナム

キン族（＝ベト族）はベトナム総人口（約9,460万人）の86％を占め、他に14％の53の先住民族がいる。その中で、それぞれ100万人以上いるモン族、ターイ族とザオ族（75万人）がその中心にいます。

ベトナムの先住民族が抱える問題として貧困があり、同時に教育問題や栄養問題も抱えています。深刻な状態に直面しています。ベトナムは54もの固有の文化と伝統を持った多種多様な文化が集まってできた多民族国家でもあります。公用語であるベトナム語も、世界一美しい民族衣装として話題に上がることの多いアオザイも、実はベトナムの大多数を占めるキン族という１民族の言葉であり、民族衣装にすぎません。(外務省、時事ドットコムニュース、旅ネズミゆーとさん等参照)

沖縄大学の人文学部教授吉井美知子さんによる2015年度の日本平和学会における報告によれば、ベトナムのチャム人は先住民族で、彼らの地に決定した原発建設はチャム人の父祖伝来の土地や事跡を失う恐れを生じさせます。多数民族が一方的に決定した原発建設は、先住民族の人権を侵害する計画であるといえます。そして初の原発建設地としてニントゥアンが選ばれた理由は、同省が周辺省に比して産業に乏しく貧しいということ以外に、その土地に執着を感じるのが弱者である少数民族だという要因が考えられます。これはベトナム国内での多数民族による先住民族差別であり、国連のいう先住民族の権利侵害に当たります。(日本平和学会2015年度春季

研究大会報告レジュメより）

カンボジア

インドからきたカンブ王子の子孫であるという神話があり、「カンボジア」は「カンブ王子の子孫」を意味します。20を超す先住民族グループが確認され、プノン族，スティアン族，クイ族、ポー族、タンブーン族等がよく知られ、カンボジア人口（約1,310万人）の1.3%（約10万人）は先住民族だと言われています。全国に445の先住民族の村があるとしていたが、カンボジア先住民族機関（Cambodian Indigenous People Organization＝CIPO）は2016年の報告で、現在把握できているだけでも573の先住民族の村があり、今後の調査によって632まで増える予測を示しました。先住民族の村はカンボジアの15州に存在している。前回の人口センサス調査で、政府の報告では18の先住民族が特定されているが、CIPOは24の民族を特定しています。（Kratie Home Stay Project 参照）

クメール語でアンコール（angkor）は都、ワット（wat）は寺院を意味するアンコールワットはヒンドゥー教の寺院です。多くの先住民族（ジャライ族、タムプアン族、クルン族、プラオ族など）の暮らしと文化は、密接に河川の自然サイクルと関連しています。インドシナ半島の中央に位置するカンボジアは、タイ、ベトナム、ラオスと隣接しており、大河メコンと東南アジア最大の湖であるトンレサップ湖の自然の恵みに支えられています。

先住民族の多くはカンボジア北東部のラタナキリ州に住んでいます。同地を流れるセサン川は1996年以来、水力発電が深刻な自然及び生態学的および社会的影響を与えました。

ドイツのハインリッヒ・ベル財団のカントリーディレクターは、カンボジア政府に、先住民族を重要な文化遺産だと捉え、もっと真剣に考えなければならないと批判しています。また先住民族は、国際法や国内法で保護されているが、これらの法は適切に運用される必要があることも訴えています。（goo ブログを参照）

マレーシア

オラン・アスリ（Orang Asli＝先住の人々という意味）は、マレー半島の先住民族の総称であり、18の民族からなる。17民族（約9万人）はマレーシアに、1民族はインドネシアに主な居住地区を持つオラン・アスリは1966

年にマレーシア政府によって先住民族として公認されました。サラワク州とサバ州にはイバン族、カヤン族、ビダユ族、ルンバワン族、ペナン族、カダザン族、メラナウ族などなど、合わせると30以上の民族が暮らしています。しかし、先住民族に対する人権侵害は多発しています。政府や企業は先住民族の暮らしていた森林を伐採し、ダムやニュータウン、プランテーションなど、次々と開発を優先しました。先住民族は慣習的土地利用権が州法によって認められていても、それは軽視され、政府や企業による開発が優先されています。また、年間3000件以上の強姦事件があり、先住民族の女性や少女が被害者となったケースが数多く報告されています。(アムネスティ・インターナショナル日本を参照)

インドネシア

人口2億5000万人のインドネシアは大小さまざまな民族が共存しています。「多様性の中の統一」のスローガンの下、どの民族も対等な立場で扱われるべきという多文化主義を採用しています。300を超えるの民族集団と240の言語が存在し、ジャワ人、スンダ人、マレー人、バリ人、スマトラ人やアンボン人等の多様な民族集団から構成されます。先住民族は入植者によって、資源を搾取される問題を抱えています。

インドネシア憲法には先住民族の権利に言及している2つの条文がありますが、これらの条文に一貫性がないため大きな問題を生んでいます。遂に1967年に制定された森林基本法により、先住民族や地域住民の森林の慣習的な土地所有権は排除されました。

IMADRの報告によると、西パプアの先住民族（メラネシア系の民族集団）はインドネシアのパプア州と西パプア州に居住していて、この地域は元々オランダの植民地だったが、1969年に国連の監視のもとに実施された「自由選択投票」と呼ばれる国民投票の後、インドネシアに併合されました。1969年にインドネシアに併合されてから今日まで、市民的及び政治的権利だけでなく、経済、社会、文化権に対する人権侵害が継続的に続いています。主にインドネシアの治安部隊による拷問、超法規的殺害、表現の自由に対する抑圧、女性への暴力、人権擁護者に対する抑圧が、人権団体によって数多く記録されています。(反差別国際運動（IMADR）のHPより)

フィリピン

フィリピンは7109の島に110の先住民族がおり、その人口は推計1200万人です。主なフィリピンの先住民族の、居住地と人口（概数）は下記のとおりです。

ルマド民族―ミンダナオ島山間部 18民族集団 210万人

コルディレラ民族―ルソン島北部 8民族集団 100万人

カラバーロ民族―ルソン島中央北部 5民族集団 16万人

アグダおよびアエタ民族―ルソン島南部 7民族集団 16万人

マンギャン民族―ミンドロ島 7民族集団 11万人

パラワン諸島の民族―グバヌア、バタック、カラミアネス、ケンウィの4民族集団5万人

最古の先住民族は、ネグリトでマレーシアを経てフィリピンに移住したと言われています。ネグリトの特徴を残す人々は、ルソン島、パラワン島、ネグロス島、 ミンダナオ島などの山岳地帯や海岸地帯に多く見られます。ネグリトに属するアエタ族は、フィリピンに最も早くから住んでいたとされる先住民族です。先住民族はフィリピン社会で最も恵まれない層をなし、貧困、栄養不良、搾取、差別、天然資源の収奪、人権侵害に苦しみ、基本的社会サービスの利用機会が極度に不足しています。フィリピンの先住民族が住む地域に開発によるエスノサイド（文化同化政策、文化殺戮）が大きくクローズアップされ、喫緊の問題として持ち上がっています。（CANPAN ブログ参照）

台湾

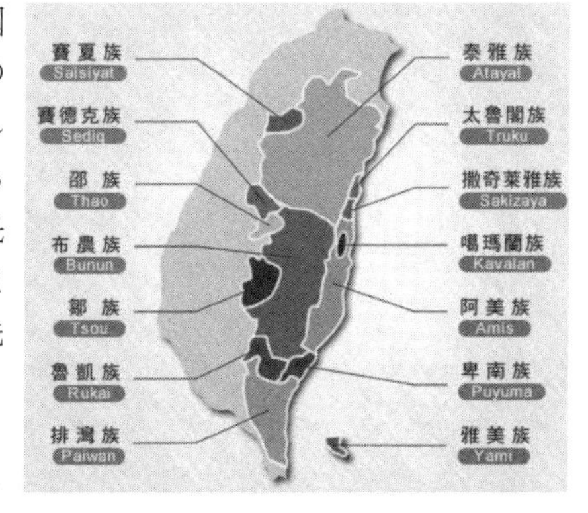

台湾は小さい島ながら、多民族国家で16世紀以降移住してきた98％の漢民族以外に、元々、台湾に先住していた2％の少数の原住民族が暮らしています（注：中国語で「先住民族」と表記すると、「すでに滅んでしまった民族」という意味があるため、「先住民族」は台湾では用いられていない。「原住民族」を使う）。

現在、台湾政府が「原住民族」と

して認定しているのは16部族。主に「高山（カオシャン）族」とも呼ばれた中央の高山地帯から東側にかけて暮らす民族です。（にこまるツアー参照）

台湾政府が認定する原住民族はこの16部族で、政府から認定はされていませんが、「平埔族」と呼ばれる原住民族もいます。政府は平埔族についても個別の民族認定を進める方針です。（国立民族学博物館調査報告104：75−87（2012）より）（にこまるツアーより）

●原住民族人口統計

1. アミ族（阿美族）	202,108人	9.ツォウ族（鄒族）	6,688人
2.パイワン族（排湾族）	97,078人	10.サイシャット族（賽夏族）	6,459人
3.タイヤル族（泰雅族）	86,523人	11.タオ族（達悟族＝ヤミ族）	4,452人
4.ブヌン族（布農族）	56,447人	12.クバラン族（噶瑪蘭族）	1,394人
5.タロコ族（太魯閣族）	30,014人	13.サキザヤ族（撒奇莱雅族）	858人
6.プユマ族（卑南族）	13,520人	14.サオ族（邵族）	764人
7.ルカイ族（魯凱族）	12,913人	15.サアロア族（拉阿魯哇族）	245人
8.セデック族（賽徳克族）	9,235人	16.カナカナブ族（卡那卡那富族）	234人

未申請　14,729人（2015年7月台湾・原住民族委員會調べ）
上記合計　528,932人（ウィキペディアより）

中国

中国には8600万人の少数民族（或いは先住民族）が55のグループに分かれています（下記に列記）。これらの少数民族には、各自の言語、文化を維持する権利が保証されています。しかし，実際は北京語以外による高等教育は認められず、また少数民族語を教授言語として、各少数民族史の授業を認めないことが同化政策として問題視されることも多々あります。次にその例を挙げます。

中国のチベット支配にともなって発生した各種の問題を「チベット問題」と言います。中国政府とチベット亡命政府の間で発生した過去の歴史認識、中国政府による「チベット統治の成果」に対する評価、また中国による多数のチベット人の人権侵害などがあり、朝日新聞によれば、中国がチベットの独立を認めない理由のひとつに、チベット地域にあると推定される大量鉱物の利権があるとされます。

1.アチャン族（阿昌族）　2.イ族（彝族）3.ウイグル族（維吾爾族）4.ウズベク族（烏孜別克族）5.エヴェンキ族（鄂温克族、オウンク族）6.オロチョン族

（鄂倫春族）7.回族（ホウェイ族、フェイ族）8.カザフ族（哈薩克族、ハザク族）9.キルギス族（柯爾克孜族、クルグズ族）10.高山族（カオシャン族）11.コーラオ族（仡佬族）12.サラール族（撒拉）13.ジーヌオ族（基諾族）14.シェ族（畲族）15.シベ族（錫伯族、シベ族）16.ジン族（京族、越族、ベトナム族）17.スイ族（水族）18.タジク族（塔吉克族）19.タタール族（塔塔爾族）20.タイ族（傣族、ダイ族）21.ダウール族（達斡爾族）22.チベット族（蔵族）23.チャン族（羌族）24.朝鮮族 25.チワン族（壮族）26.チンポー族（景頗族）27.トゥ族（土族）28.トゥチャ族（土家族）29.トーアン族（徳昂族、旧称パラウン族）30.トーロン族（独龍族）31.ドンシャン族（東郷族）32.トン族（侗族）33.ナシ族（納西族）34.ヌー族（怒族）35.ハニ族（哈尼族）36.バオアン族（保安族）37.プーラン族（布朗族）28.プイ族（布依族）39.プミ族（普米族）40.ペー族（白族）41.ホジェン族（赫哲族、ホーチォ族）42.マオナン族（毛南族）43.満州族（満族）44.ミャオ族（苗族）45.ムーラオ族（仫佬族）46.メンパ族（門巴族）47.モンゴル族（蒙古族）48.ヤオ族（瑶族）49.ユグル族（裕固族）50.ラフ族（拉祜族）51.リー族（黎族）52.リス族（傈僳族）53.ローバ族（珞巴族）54.オロス族（俄羅斯族、ロシア族）55.ワ族（佤族）（出典: フリー百科事典『ウィキペディア（Wikipedia）』より）

日本

日本にはアイヌと琉球の人々が先住民族として知られています。この２つの民族については別の章にそれぞれ詳しく述べてまいりますので、ご参照ください。（５. 日本の先住民族を参照）

ＡＩＰＰの設立目的、使命そして目標

アジアでの先住民族運動の高まりとその結果、１９９２年に Asia Indeginous Peoples Pact（AIPP）＝アジア先住民族機構が設立され、アジア地域に生存する先住民族の為に誕生した組織です。AIPPは、先住民族の権利と人権の促進およびそれを擁護し、先住民族に関連する問題を明確にするために尽力しています。現在、AIPPにはアジアの14か国から47組織メンバーが参加しており、その中に18の先住民族の同盟/ネットワーク（国の組織）、30の地方組織があります。 この中には、16の民族に基づく組織、６つの先住民族女性団体、４つの先住民族青年組織そして１つの先住民族の障害者組織も含まれています。

AIPPの目標はアジアの先住民族が、自らの権利、異なる文化やアイデンティティを完全に行使し、尊厳をもって生活し、平和、正義、平等の環境における自身の将来と発展のために、土地、地域、資源に関する持続可能な管理システムを強化することを目指します。

AIPPの使命は、アジアの先住民族の権利、文化、アイデンティティ、およびそれらの開発と自己決定権のための持続可能な資源管理システムを促進および保護するための連帯、協力、能力を強化します。

次の５つの目標に向かってアジアの先住民族の為に突き進んでいます。

１. アジアの先住民族に彼らの人権と基本的な自由を促進し擁護し、彼らのアイデンティティ、UNDRIPおよびその他の国際人権文書に基づく集団的権利に対する法的承認を主張する権限を与えること。

２. 先住民族の運動を強化するために、アジアの先住民族の最も広範な連帯と協力を構築する。

３. 環境の保全を促進および保護し、土地、地域、資源を完全に制御することにより、先住民族の伝統的な知識、食料安全保障、生物多様性を含む持続可能な資源管理システムを強化する。

４. 先住民族、特に女性と若者があらゆるレベルの意思決定で完全かつ効果的に参加できるようにする。

５. 平等、平和、民主主義、正義の実現に向けた他の社会運動との連帯と協力を強化する。

ＡＩＰＰの地区別加盟団体数

AIPPは下記団体により構成され、そして国連NGOの資格を有しています。

地域別内訳：(　)内の数字は加盟団体数

南アジア地区：バングラデシュ(4)、インド(5)、北東インド(5)、ネパール(5)

メコン地区：タイ(5)、ベトナム(1)、カンボジア(4)、ラオス(2)、ミャンマー(3)

南東アジア地区：マレーシア(2)、インドネシア(1)、フィリッピン(3)、東チモール(1)

東アジア地区：日本(2)、琉球・沖縄(1)、台湾(3)

Executive Counsel（EC）＝理事会及び理事

AIPPのEC理事の皆さん　2020年2月28日EC会議に全員集合　インドネシア、バリ島にて

AIPPの舵取りをする理事会は４年に一度の総会に於いて選挙で選ばれる議長と事務局長、アジア４地区から選出される理事８名、女性代表理事１名そして若者代表理事１名の総勢12名で構成されます。議長、事務局長、理事の任期は４年で、最低でも年２回の理事会が開催されます。AIPP理事会は年２回の内１回はタイのAIPP本部で開催され、あとの１回は毎回、各地区で開催されます。最近の地区開催は、2019年3月にマレーシアで、2020年の2月末にインドネシアのバリ島で開催されました。

AIPPの本部事務局はタイのチェンマイにあり、23名の事務局職員がいます（2020年8月末現在）。

５．日本の先住民族

日本には北の北海道に住むアイヌと南の琉球の島々に住む琉球・沖縄の人々が先住民族として存在します。日本政府は、ようやくアイヌを先住民族として認めましたが、琉球・沖縄の人々についてはまだ認めていません。

先住民族として認定した日本政府のアイヌ民族に対する対応は、先住民族的文化の承認だけで、文化的権利を与える代わりに、政治的な自治権や自己決定権には目を塞げということと等しい考え方です。

1997年に制定された「アイヌ文化振興法」でも民族自決や土地・生業の権利には触れていません。あくまでも「北海道旧土人保護法」（1899）を廃止したのみでした。不十分な1997年の「アイヌ文化振興法」を廃止し、2019年の「アイヌ新法」＝「アイヌの人々の誇りが尊重される社会を実現するための施策の推進に関する法律」を制定しました。先ずは詳しいアイヌ民族の状況、問題点を次に報告します。

アイヌ

日本には、現在2万3000～4000人のアイヌ民族がいるという北海道庁の調査結果が出ています。

アイヌ民族とは、日本が近代国家を成立する過程で抑圧を受けた人びとであり、国家と対等な自治権をもつ集団です。そして日本政府はアイヌ民族を先住民族と認めています。2019年の「アイヌ新法」に「先住民族」が明記されました。しかし、先住民族に対する日本政府の考え方と国連の立場は大きく異なります。今日の日本社会におけるアイヌ民族を理解するために、日本政府の考える新法について解説します。

日本政府は国連が認めた主権や自己決定権を認めていません。これはアイヌ民族が主張する土地に対する決定権がないことを意味します。すでに2019年に通常国会に提出され、可決された「アイヌ新法」は、アイヌ民族を先住民族として認める初の法律です。しかし、すべてのアイヌ民族から歓迎を受けなかった理由は、国際的に認められている自己決定権がない事です。北海道の土地に対する権利はもちろん、漁業権に関する権利も認められていません。

1997年、当時アイヌ新法と呼ばれた「アイヌ文化振興法（＝アイヌ文化の振興並びにアイヌの伝統等に関する知識の普及及び啓発に関する法律）」も民族自己決定権や土地・資源の権利には触れていませんでした。あくまでも「北海道旧土人保護法」(1899) を廃止したのみで、アイヌ新法とは名ばかりの、実際の中身が伴わない法律でした。土地や資源に対する先住民族の権利は明記されず、生活・教育の支援策も含まれていないなど、当事者から沢山の課題が指摘されました。

また、2019年4月19日の朝日新聞も下記のように、事実だけを簡単に触れているのみでした。

「アイヌ民族を“先住民族”と初めて明記したアイヌ新法が19日、参院本会議で採決され、賛成多数で成立した。アイヌ文化振興法に代わるもので、差別の禁止を定め、観光や産業の振興を支援する新たな交付金制度の創設などが盛り込まれている。」

東村岳史教授の指摘

2019年の「アイヌ新法」＝「アイヌの人々の誇りが尊重される社会を実現するための施策の推進に関する法律」について、名古屋大学の東村岳史教授はご自身のブログで次のように厳しく論評しています。

「アイヌ新法」とは、以前は北海道ウタリ協会（現北海道アイヌ協会）

が1984年に創案し制定を目指して政府に働きかけた法案のことを指していた。1997年に「旧土人保護法」は廃止されたものの、代わって制定された「アイヌ文化振興法」は狭義のアイヌ文化振興に特化しただけの内容で、民族の権利を求める人たちからの批判の対象となっていた。「アイヌ文化振興法」は、アイヌの人々の民族としての誇りが尊重される社会の実現を目的に掲げ、伝統的な漁法への規制の緩和なども盛り込んだ。先住民族への配慮を求める国際的な要請の高まりも背景にある。「アイヌ文化振興法」制定以降、新たな動きが見られたのは、2007年に国連で「先住民族の権利宣言」が採択されてからである。翌08年には日本の国会でも「アイヌ民族を先住民族とすることを求める決議」が採択され、それを受けて政府は「アイヌ政策のあり方に関する有識者懇談会」を設置した。この懇談会は09年に報告書を提出、それを受けて同年内閣府は「アイヌ政策推進会議」を発足させ、新たなアイヌ政策展開について検討してきた。その結果として出てきたのが、2019年の通常国会に提出された「アイヌ新法」案である。

第1条にアイヌを「先住民族」と認めながら、その先住権を保障する条文を一切持っていない点は、大いなる欠陥である。先行する「アイヌ文化振興法」（1997年制定施行、以下「振興法」）と比べたとき、先住民族という用語がともあれ使われた事実は、一歩前進であると評価できる。だが新法案では、先住民族との認知はただの言葉にとどまっている。本来なら、先住民族と明記されれば、それがおのずと権原（法的権利の根拠）となって、先住民族としての固有の法的権利すなわち先住権の認知と保障がなされるべきである。振興法の施行以降、国連において「先住民族の権利宣言」が採択され（2007年）、先住権に関する認識ならびに保障が進んだはずだが、その事実が踏まえられているとは思われない。2008年には衆参両議院において「アイヌ民族を先住民族とすることを求める決議」がなされ、内閣官房長官が、この趣旨を活かした総合的な施策の確立に取り組むという談話を発表したのに、新法案はそれを反映していない。そもそも法案には前文がなく、従って立法趣旨が、ひいては歴史認識が示されていない。だから自ずと、アイヌに対し日本政府がとってきた「同化政策」について、反省も謝罪もない。政府には「アイヌの人々の誇りが尊重される社会を実現する」気がどれだけあるのだろうか。近年日本社会ではアイヌ民族や外国籍者との「多文化共生」が口にされることが多くなってはきたものの、現状では政府に強制された「共生」ではないかと私は思ってしまう。

この様に東村教授は大変、厳しく「アイヌ新法」を論評しています。

6．琉球・沖縄と先住民族

北の北海道に存在するアイヌと対象的に、日本の南に長い縄のように浮かぶ、南西諸島に琉球・沖縄の人々は生活しています。国連そして日本政府に先住民族として認定されたアイヌと違い、国連や国際社会が認めているにも関わらず、なぜ琉球・沖縄の人々を日本政府は先住民族として認定しないのか、その事も含めて琉球・沖縄について、次に述べたいと思います。

琉球・沖縄の人々

沖縄県の前身である琉球国は、1429年から1879年の450年間、北の奄美群島から沖縄諸島、宮古列島、最南端の八重山列島までの琉球諸島に存在した、武力に頼らず、海外貿易を重視する独立国でした。1879年に日本国＝明治政府による強力な圧力（武力）を伴う併合により消滅させられました。日本政府はこれを称して“琉球処分”と、歴史の上では片付けています。しかし、琉球国には何ら処分される理由は見当たらず、近年の歴史家は“琉球処分”を“琉球併合”と言い換えるべきだと指摘しています。

沖縄県の統計によれば2020年8月1日現在の県人口は約146万人で、1平方kmあたり約640人が住んでいる計算になります（沖縄県の面積は約2,281平方km、363の大小の島々から成り、49の有人島がある）。

県の人口が即ち全てが先住民族とは言えないが、8割以上そうではないかと推測できる。ちなみにこの欄で言う先住民族としての琉球民族或いは琉球人とは琉球王国消滅（琉球併合）以前に琉球弧の島々に住んでいた人々の子孫を指します。琉球民族或いは琉球人の定義は「琉球弧の先住民族会」の定めた規定に準じています。

琉球・沖縄の歴史

1429年、中山の尚巴志（しょうはし）が北山、中山、南山の三山を知力と武力により統一し、統一王国を立ち上げました。中国や日本、アジアの国々に積極的に出かけていき、海外諸国との交易を盛んに行い、琉球繁栄の基礎をもたらし、財政を豊かにしました。この時代は「大交易時代」とよばれ、琉球は、「レキオ」という名前で、ポルトガルの資料にも記録され、知られています。レキオス或いはレキオ（Lequios、Lequeios）といい、ポルトガル語で琉球人のことで友好的で武器を持たず平和を愛する人達として、ヨーロッパ人による網羅的な海のシルクロード地誌として知られているトメ・ピレス『東方諸国記』（1512～15）で紹介されました。

1609年、琉球国の繁栄を横で見ていた薩摩は藩財政立て直しのために、琉球国の貿易利権に目を付け、「琉球征伐」という名の下に、侵攻を決行し、その支配下においた。ちょうど日本は将軍を頂点とする国、徳川家康の江戸幕府が始まったころで、徳川幕府も「琉球征伐」を認めました。

独立国として450年間続いた琉球国は日本国、明治政府による軍隊、警察など約600人を首里城に派遣して、国王尚泰を追放、侵略で消滅させられ、琉球国は日本国に併合されました。日本の中で47番目の沖縄県として、同化政策の下、琉球・沖縄の人々は、第二次大戦中は琉球方言を使ったらスパイとみなし、殺害するという様な民族差別を受けながら太平洋戦争に巻き込まれていった事実があります。

1945（昭和20）年3月、アメリカ軍が沖縄に上陸しました。はげしい戦いが行われ、沖縄に住んでいた一般人約10万人を含む、沢山の人たちが亡くなりました。これが「沖縄戦」です。

第二次世界大戦では、1944年10月10日に本土空襲に先駆けた激しい空襲により那覇市の90％が壊滅し、上陸戦開始前に学童疎開が始まりました。疎開学童らを乗せて那覇から九州に向かった貨物船の対馬丸が、米潜水艦の魚雷攻撃によって沈没し、乗船した学童のうち９割以上が犠牲になりました。1945年4月1日に米軍は沖縄島中部の読谷村から上陸し、すさまじい砲撃と空襲を加えて進攻してきました。圧倒的なアメリカ軍の戦力の前に、日本軍と壮絶な地上戦が行われ、多くの一般人も戦闘に巻き込まれ亡くなりました。

戦争が終わると、アメリカ軍は琉球政府を創設して彼らの軍政下に置き、琉球・沖縄の地にアメリカの占領統治が1972（昭和47）年5月15日に日本へ復帰するまで、27年間続きました。その間に「銃剣とブルドーザー」と呼ばれる強圧的な土地接収が続き、各地にアメリカ軍基地・施設が強制的に建設されました。アメリカ軍の統治下でアメリカ兵による事故・事件も頻発し、住民の犠牲者が相次ぐ状況に対し、県民有志は「島ぐるみ闘争」と呼ぶ抵抗運動を起こしました。また、このころから人々は日本復帰を目指して活発な祖国復帰運動を行い、1960年（昭和35年）に沖縄県祖国復帰協議会（復帰協）が結成されました。しかし、当時の米国アイゼンハワー大統領は、全く意に介さず返還する気は無かったようです。

1960年代のベトナム戦争により、沖縄が重要な前線基地とされ、駐留米軍が飛躍的に増加、これに伴って事件・事故も増加しました。また爆撃機が沖縄から直接戦地へ向かうことに対し、復帰運動は反米・反戦色を強める事となる。やがて1972年の日本復帰となるが、同時に人々は米軍基地の全面返還を望んだにも関わらず、米軍基地を維持したままの所謂「72年・核抜き・本土並み」と言われる日本への返還がされ、琉球政府は消滅し再び沖縄県となり、人々が望まない形の「日本復帰」となった次第です。
復帰を記念して国体、海洋博などの行事や、道路、公共施設等の公共事業も盛んに行われましたが、一時的な活況を呈したのみで、行事や事業が終わるとまた元の木阿弥となり、恒常的な不景気は続き、完成した施設の管理費が県民に重くのしかかる次第となりました。

1879年の琉球併合から141年、1972年の「日本復帰」から48年経つ2020年の今日、日本政府による沖縄政策は公共事業、土木工事を中心とするやり方は変わらず、辺野古の米軍新基地建設に代表される様に工事は強行され、注ぎ込まれた資金はヤマトの元請けの大手企業に還流する状況も相変わらず、琉球・沖縄に注ぎ込まれた資金がその地に滞留することはほとんどなく、工事が終了すれば経済が低迷し、相変わらずヤマトより高い失業率は続いています。更に悪いことは続き、人々が求めた「即時無条件全面返還」の要求は叶わないどころか、1972年5月15日の返還とともに日米安保が沖縄にも適用され、米軍基地はそのまま居座り、その上ヤマトから自衛隊の駐留が増えることも現実の事となりました。

琉球弧の先住民族会（ＡＩＰＲ）について

日本の先住民族運動におけるSGCやIMADRの果たす役割はとても大きい。琉球・沖縄の先住民族活動においても多大なご支援、ご協力をSGCやIMADRから頂きました。琉球の地に先住民族運動を根付かせた両者の役割は大変大きいです。

「琉球弧の先住民族会（Asociation of Indeginous Peoples in the Ryukyus=AIPR)」に所属する琉球人が国連の場で1999年から2006年まで先住民族作業部会（WGIP）に７年間継続して参加し、琉球・沖縄の現状を国連の場で世界に向け報告できたのもSGCやIMADRのお陰であり、物心両面のバックアップに対する感謝の気持ちは言葉に尽くせません。私もAIPRの設立メンバーの一人として、SGCやIMADRには心の底からの御礼を申し上げることにやぶさかではありません。その後も度々お世話になり、AIPRは国連NGOの資格取得にこぎつけました。国連のWGIPが2006年で終了するとその後に結成された先住民族問題常設フォーラム（PFII）に参加する際にも多大なご支援、ご協力を頂きました。

そのAIPRは 1999 年に結成されました。私達、AIPRは積極的に先住民族作業部会、人種差別撤廃委員会、子どもの権利条約委員会、先住民族問題常設フォーラムへ参加して琉球・沖縄の実情や課題を報告、発表し、自由権規約委員会（CERD）や人権理事会（ＨＲＣ）へレポートを提出してきました。

AIPRの積極的な国連要請活動の結果、日本政府に対する国連勧告をたびたび引き出すことができました。国連から有効な勧告を引き出すためには、継続した国連会議への参加と、日本政府へ勧告を出せる各委員会へのレポートの提出の他、当該委員会への人員の派遣が必要になります。AIPRの設立趣旨と目的は、世界人権宣言と先住民族の権利宣言の精神に従い、先住民族である琉球民族の自己決定権を中心とする権利の回復を目指して活動することを目的としています。

市民外交センター（SGC)とは

市民外交センターは、1982年3月に設立されました。設立当初は、国際社会に向けて「平和」という広い分野の中で最も声を挙げられない人たちの声を発信し、それを結びつけていこうという合意の下に活動を開始しました。

現在は人権問題、特に先住民族の権利問題に取り組んでいます。先住民族の権利は、人権、環境、教育、開発、平和など多くの分野にまたがり、私たちはこれらの問題に国際的に取り組 んでいます。長年の活動が評価され、1999年には国連・経済社会理事会の「特別協議資格」を取得しました。これによって国連会議での発 言や文書による意見表明ができるよう

になり、さらなる活動が期待されています。(SGCのHPを参照)

反差別国際運動 (The International Movement Against All Forms of Discrimination and Racism = IMADR) とは、世界からあらゆる差別と人種主義の撤廃をめざしている国際人権NGOです。日本の部落解放同盟の呼びかけにより、国内外の被差別団体や個人によって、1988年に設立され、1993年には、日本に基盤を持つ人権NGOとしては初めて国連との協議資格を取得しました。ジュネーブにも事務所を設置し、国連機関などへのはたらきかけにも力を入れています。日本では、特に被差別部落の人びとや、アイヌ民族、琉球・沖縄の人びと、在日コリアンなど日本の旧植民地出身者およびその子孫、移住労働者・外国人などに対する差別、また、それらの集団に属する女性に対する複合差別の問題に取り組んでいます。それらの声をつなげ、政府や国連に働きかけていくと共に、それが社会全体の課題として世の中に認識されるよう、積極的な発信を行なっています。(IMADRのHPを参照)

琉球・沖縄と国連人種差別撤廃委員会

AIPRやSGC、IMADRの働きもあって、国連の人権理事会や人種差別撤廃委員会などは、沖縄の人々を先住民族として認め、土地や天然資源に対する権利を保証するように日本政府に法改正を求めています。2014年8月に人種差別撤廃委員会は「琉球・沖縄の人々は先住民族」として、その権利を保護するよう勧告する「最終見解」を採択しました。

琉球・沖縄の人々は、日本政府により先住民族として認識されていないことを、これまで国連人種差別撤廃委員会 (CERD) に訴え、先住民族の権利の支柱である自己決定権の保障を求めてきました。特に米軍基地問題において、琉球・沖縄の代表者との協議が行われておらず、米軍基地が琉球・沖縄に集中している事実や、琉球・沖縄の文化や歴史、言語の教育に対する日本政府の対応が不十分であること、そして国際的な先住民族の権利全体の保障の欠如などを同委員会に訴えてきました。

2014年、国連の日本審査で、人種差別撤廃委員会は、琉球・沖縄の人々を先住民族として認めることを検討し、その権利保護のために具体的措置をとるよう日本政府に勧告しました。しかし、2016年、日本政府は琉球・沖縄の人々が先住民族であることを否定しました。「沖縄県に居住する人あるいは沖縄県の出身者は日本民族であり、社会通念上、日本民族と異なる生物学的または文化的諸特徴を共有している人々であるとは考えられていない」とする政府見解が示され、国連が認定しているにも関わらず、日本政府は琉球・沖縄の人々を先住民族として認めていません。

2018年8月30日国連人種差別撤廃委員会は琉球・沖縄の人々が先住民族であると認め、権利の保護強化するよう日本政府に勧告しました。政府は撤回の執行停止を申し立て、琉球・沖縄の民意を踏みにじる政治姿勢を改める様子は見られません。だが、こうした政府の姿勢に、国際社会が厳しい目を向けているのも事実です。国連の人種差別撤廃委員会は日本の人権状況と政府の取り組みをまとめ、勧告を公表しました。国連は米軍基地の問題を「琉球・沖縄への差別問題」「琉球・沖縄の人権問題」として取り上げたことになります。

先住民族世界会議（WCIP）後の琉球・沖縄の状況

2014年11月16日、沖縄県知事選挙が行われました。事実上、現職の仲井真知事と翁長前那覇市長（当時）の争いとなった。普天間基地移設を辺野古移設するか否かが大きくクローズアップされ、結果は辺野古移設反対を掲げる翁長雄志氏が、日本政府とタイアップする現職を大差で破り、当選しました。勝因は従来の保守対革新という構図から、ヤマト対琉球・沖縄、イデオロギーからアイデンティティー等に象徴されるように翁長陣営が琉球・沖縄の人びとの変化やヤマトに対する怒りにうまく対応したことにあります。

翁長氏の当選は琉球・沖縄の現状に無理解で無関心な日本政府とそこに住む日本人に疑問を突き付け、琉球・沖縄の民意に真剣に向き合えという声でもあります。さらに翁長氏は、日本政府、アメリカ政府に直接訴え、国連にも沖縄の声を届けたい、と当選後のインタビューで答えていました。国際社会に訴える手段としての国連活用の発言に私は歓迎を表します。今回の選挙は、今後、琉球・沖縄が自らの問題を解決する糸口を考える時に、従来のやり方を変えて進めなければならないということを改めて示す形となりました。

沖縄県知事の国連演説

The Huffington Post誌の記事によると、翁長雄志沖縄県知事は2015年9月21日スイスで開かれている国連人権理事会で約２分にわたって英語で

2015年9月22日ジュネーブ国連人権理事会でスピーチする翁長雄志知事

演説し、アメリカ軍普天間基地の移設計画について、沖縄に米軍基地が集中する実態を紹介し「琉球・沖縄の人々は、自己決定権や人権をないがしろにされている」などと訴えました。翁長知事の国連演説は、国連人権理事会の場で発言機会を持つNGO「市民外交センター（SGC）」が、持ち時間を提供して実現しました。国連での演説の意義について、同NGOの上村英明代表は琉球新報に、「沖縄の基地問題は安全保障、平和の問題ではなく、人権問題だということを国際社会にアピールする機会となる」と説明しました。（The Huffington Post 誌2015年9月21日号より）

琉球・沖縄のこれから

昔（1950年代頃から1970年代頃まで）、共通語励行という週訓が琉球・沖縄の小、中学校で盛んに行われていました。目的はきれいな日本語を話すことにより学力向上をという、児童生徒の為とばかりに闇雲に、共通語励行は推し進められました。明治期から昭和12（1937）年頃まではヤマトグチを「普通語」と呼び、昭和12年頃から「標準語」と名称を変えて昭和24年頃まで続きました。それ以降は「共通語」という名称が使われるようになり、共通語励行運動が行われ、その後も続いたのです。戦前、盛んに使われた琉球諸語を話すと罰則としての「方言札」も昭和40年代まで一部地域で使用されていたようです。この裏にあるヤマトが一番、琉球・沖縄はズーっとその下、優劣主義的、差別的な考えが通底していると思われ、かつての高度経済成長期の日本社会で流行ともなった、モーレツ、追いつき追い越せ、優勝劣敗の思想が見え隠れする事が琉球・沖縄の地で見られました。

琉球・沖縄のこの地に生まれ、そこで教育を受けた私は、学校教育における共通語励行に見られるように、ウチナーグチは良くない言葉、レベルの低い言葉と思わされ、よってそんな言葉を使う人々はレベルが低く、頭が悪いと思うようになり、キレイな共通語を話すヤマトの方々は私達より頭が良くて立派で、一日でも早く、少しでもいい日本人に近づきたい、なりたいと思ったものです。やがて甲子園で高校野球が活躍し全国優勝するようになり、プロボクシングの世界チャンピオンが何名も現れ、芸能界でもトップスターが次々と生まれ、沢山の琉球・沖縄の出身者が頑張っている姿を目にすることが多くなる。嬉しくなり、希望が湧き、ひょっとして、琉球・沖縄の人々はそんなに頭悪く無いのでは？体力があるのでは？そんなにレベルが低く無いのでは？と自然に思うようになる。これが自信になり、今まで下を向いていた人が、胸を張り前を見て歩く。私はこの様な事が琉球・沖縄の地に起きたのではないだろうかと想像してしまいます。

過去の教育から琉球民族はダメな民族と思わされ、少しでもヤマトに近づく事がいい事と思っていた私は、若い人たちが持っている力を否が応でも見せつけられて、少しもヤマトの人達と引けを取らない事を知るキッカケになったのではないかと想像する次第です。ダメな民族、ダメな人種、良い民族、良い人種、民族や人種に、順序や序列が無いこと、差別の排除を私が知るのは、ずっと後のことです。間違った教育は正しい教育を行う事により正されるべきであると痛感します。そして琉球・沖縄の人々がこれ迄にヤマト、或いは他の民族や人々から受けた差別や無理解により生じたマイナスを、プラスに変えていかなければなりません。私達の今後の更なる努力が、琉球・沖縄のより良い未来を作ることは、確かです。

７．先住民族の今後

冒頭に書いたことを再度申し上げます。国連が定義する先住民族は、かつての植民地政策や同化政策により否定され苦しんできた人々で、自分達の社会や文化を次世代に伝える人々と規定しています。これも冒頭に申し上げた事ですが、ユネスコは消滅危機言語に奄美語（シマユムタ）、国頭語（ヤンバルクトゥバ）、沖縄語（ウチナーグチ）、宮古語（ミャークフツ）、八重山語（ヤイマムニ）、与那国語（ドゥナンムヌイ）の６つの琉球諸語を挙げ、消滅危機の警告を発しています。私は琉球・沖縄の言葉を日本の方言ではなく琉球諸語と言ってきました。独立した言語です。言語と方言の違いは、政治的又は経済的なもので、力を持つ方言は言語と呼ばれ、力のない言語は方言と呼ばれます。同じ様に政治学の概念である先住民族が、力の強い者による同化政策によって消えることは決してあってはならず、多数民族にもその影響は必ずきます。先住民族が生きていけない社会は、その他の民族や人々も危険にさらされる社会です。世界の色んな地域に生存する先住民族が心配することなく生きていける社会こそ、全ての人々が平和で安心して生きていける社会です。

そしてSGCのHPにある次の言葉は世界中の先住民族に自信と勇気を与える言葉でもあります。

「自然と共生する文化をもつ先住民族とその権利回復への関心が国際的に高まっています。その権利を守ることは、軍事化や核汚染に反対し、地球環境と人権を守り、多様な文化をもつ国際社会を21世紀に作ることです。」

アジア地域の無形文化遺産と民族文化

国家の文化政策と少数民族のアイデンティティのはざまで

沖縄大学准教授 **須藤 義人**

序　アジア地域のフォークロアへの視線

1999年、カンボディアのバイヨン寺院を修復している日本国政府アンコール遺跡救済チーム（JSA: Japanese Government Team for Safeguarding Angkor）を筆者は訪問した。その際、神話に基づいた精神世界を建築物によって再現したアンコール遺跡群を“世界遺産”という形で「有形文化遺産」として保全している現場に触れることができたが、関心はむしろ、「フォークロア（神話、民俗芸能、祭り、慣習など）」を「無形文化遺産」として保全する方向に向けられた。というのも、有形文化遺産と比較して無形文化遺産の保全体制の確立が遅れており、事実、ユネスコ（国際連合教育科学文化機関）が近年の至上命題として懸念しているのが「無形文化遺産の保全事業の遅れである」と表明しているからである＊1。

本論では多様かつ混沌なる「アジアの基層文化＊2」にフィールドを設定し、その基層文化の表象としての「フォークロア」に焦点をあてた。その理由は、まず日本が地理的に、さらには文化的にアジアの「吹き溜まり」という位置付けにあるとされるからである。岩田慶治が綿密なフィールドワークに基づいて指摘している＊3ように、日本の基層文化の一部は東南アジアを起源とするものがあり、アジアの基層文化に目を向けることは日本文化を照射することにもなる。

では、フォークロアを無形文化遺産として保全することに対する研究が「比較基層文化論」という視点から行なわれることが、なぜ必要なのか。この問題提起に対する私的見解は本論の結語に譲るとして、まずその前に、その社会的背景について触れる必要があろう。

冷戦構造の崩壊後、世界各地で紛争が多発しているが、その一要因として民族問題がクローズアップされ始めている。今後の世界秩序を考える上で、民族問題は非常に重要なテーマとなっており、それゆえ民族的アイデンティティの基盤をとなる「民族文化」に対する総合的研究が急務となろ

修復中のバイヨン寺院（カンボディアのアンコール・トム）

う。事実、世界の多くの民族がそれぞれの伝統文化とは何か、民族性とは何かを模索する中で、民族的アイデンティティを維持するために“フォークロアを文化遺産として保存・活用すること”が積極的に利用され始めている。つまり、特定の集団・人々が「無形文化遺産の保全活動」を「民族的アイデンティティの現実化」と重ね合わせて、「自分達が何者であるか」を国際社会に対して明示し、その正統性を政治的に主張しているのである。

これらを踏まえれば、民族的アイデンティティが、政治・経済などの様々な領域におけるグローバリゼーション・リージョナリゼーションといった「表層における変化」に触発されて、基層文化の文化表象である「フォークロア」への精神的回帰を促して「無形文化遺産」概念を産み出したと捉えられまいか。なぜなら、国家という枠組みが希薄化して民族集団の存在感は増してはいるものの、民族的アイデンティティを支える“民族的連帯感”とは基本的に、ラフカディオ・ハーンの言うような「何か“スピリチュアルな”もの」、つまりは集合的無意識のような曖昧性に裏打ちされているに過ぎず、それを民族的メモリアルとして具現化しようという指向性が「無形文化遺産の保全活動」に集中したとも言えるからである。

いずれにしても現代社会において伝統的な基層文化が失われつつあるのは事実であり、特に「フォークロア」を“無形文化遺産”として保全する体制の整備が遅れていることを強調したい。とりわけ東南アジア諸国では、経済開発が優先されて文化事業全般が後回しにされる傾向があるため、無形文化遺産としてフォークロアを保存・振興することで、これを様々なマイナス要因からこれを守り、なるべく原形のまま後世に継承していくことに意義があると考えている。そういった意味で本論は、フォークロアの有り様を過去・現在・未来という時間軸から抽出しようという試みである。まず、その伝統的形態を手掛かりにアジアの精神世界を描き出し、その上で消滅の危機に瀕している現在的展開を検討しつつ、将来的に無形文化遺産として保全していくヴィジョンを「比較基層文化論」の立場から提示していきたい。

1.「フォークロア」とは何か

「フォークロア（folklore)」とは何か……。この概念をめぐっては、特定の場所・特定の空間・特定の歴史の中で様々に定義されている。この「フォークロア」という用語は、民俗学上の定義でさえ諸説に別れるが、そのような中で多くの国家においては既に「文化政策」に取り入れられ、特に開発途上国では経済開発を目的とした観光化計画の中で頻繁に使用されている。いずれにしても、フォークロアの本質が「口頭伝承」であるという点で共通の認識を得ているのは明らかであろう。

現在、世界的に定着した見解にそえば、フォークロアとは「伝統的民衆文化ともよばれ、言語、文学、音楽、舞踏、ゲーム、儀礼、習慣、民芸、建築その他の技芸の形式をとり、主として農村の共同体が伝統的に創造したものの総体で、その規範と価値は口頭により伝達される」という立場をとる＊4。この「口頭により伝達される」ことに重点を置く見方は、1989年にユネスコの第25回総会で「無形文化遺産」の用語定義として正式に採用されるに至った。これを援用して無形文化遺産として扱われる「フォークロア」を分類し、要素体系図として作成したのが右の図である。なお本論で取り上げられる“フォークロア”は、この分類方法に基づいて考察を行なっていることを付記しておく。

フォークロアの要素体系図

影絵芝居の影響が強い宮廷舞踊Fon Uay Phone（ラオス） ©ACCU

2．フォークロアの現在的展開

アジア諸国のフォークロアは、経済的グローバリゼーションの中において歪曲・消滅の度合いが激しく、さらに経済開発が優先される社会的環境もあって文化保存がままならぬ情況にある。そのような趨勢に対する国際社会の焦燥感もあって、口頭伝承であるフォークロアを「無形文化遺産」として保全対象と捉える見方がユネスコで支持され、1989年には第25回ユネスコ総会で「民間伝承の保全に関する勧告」が採択されるに至った*5。この国際会議を契機として「無形文化遺産」という概念が世界的に認知されたのは確かであるが、フォークロアを保存・振興する具体的な対処策についてはユネスコを中心に議論され始めたのである。

フォークロアに対する国際文化協力の現状―無形文化遺産としての保全

では、フォークロアが“人類全体の文化遺産”として保全される意義はいかなる処にあるのだろうか。すなわち特定民族のフォークロアを人類全体の遺産とするために「無形文化遺産」という概念を適用し、それを創造した民族だけの占有物ではないとする理念的立場は本当に必要なのだろうか。

近代化によってフォークロアが現実の生活と切り離され、個人の力で維持できなくなった状況の中で、「無形文化遺産」として保全する責務を国家が負うことで法制度による保護的措置をしようという動向が1950年以降に本格化してきた。実例として日本の文化政策が挙げられるが、1950年に「文化財保護法」が成立されたのを機に、歴史的かつ文化的な文化遺産を法制度によって保存するという「文化保全システム」を拡充してきた。とりわけ「無形文化財」に関しては、“人間国宝”の指定でも知られるようにユネスコの文化政策よりも先行しており、後に「無形文化遺産(Intangible Cultural Heritage)」という用語の世界的定着に影響を及ぼすに至った*6。このケース・スタディは国家主導型の「文化政策」によって文化保全活動を促進し、「文化行政」によって文化遺産を保全するための社会制度を法的に整備した成功例であると考えてもよかろう。

しかしながら国家が掲げる「伝統的な国民文化」という視点に立てば、その国内では、“再創造された伝統文化”を構成する各民族文化の間に「中心」と「周辺」といった政治的な序列が生じよう。過去の事例を見るに、国際交流基金（Japan　Foundation）が主催した長期プロジェクト「アジア伝統芸能の交流（ATPA: Asia Traditional Performing Arts）」では、アジア各国の音楽家・音楽学者を日本に招聘して相互理解を深めることを目標としていたが、その芸能の選択基準をめぐってヴェトナム政府と摩擦を引き起したという現実がある*7。ヴェトナム政府側は「ヴェトナム宮廷音楽」を“国内最大の民族であるキン族に伝わる古典音楽である”として推薦したのだが、仮にこれが国際的に賛同を得て「国民文化」として厚遇される文化政策が施行されたならば、他の少数民族がもつ伝統音楽を保全しようする気運を阻害する可能性も否めない。それゆえ、「ヴェトナム宮廷音楽」という伝統文化の選定基準はヴェトナム政府の見解だけではなく、“世界各国の文化遺産でもある”という立場をとるべきであると主張しているのである。

結局のところ、文化協力活動を続ける各行為体は「保全すべき伝統文化」の受け止め方がそれぞれ異なり、その伝統文化という枠組みの中に、どの民族の「フォークロア」を採り入れるかで、無形文化遺産事業への取り組み方が変わってくる。したがって本章では、各行為体*8の保全活動に着目して“フォークロアを保全するために如何なる活動を行っているか”について比較検討した上で、理想的な文化保全システムを提示したい。

国家主導型の国際文化協力―東南アジア大陸部地域の文化保全事例（1）

域外国家が主導する文化協力活動では、東南アジア大陸部地域への支援国として日本国政府が先進国の中でも大きな役割を果たしていると言えよう。日本国政府の基本的な立場としては、域外の文化協力国として国際機関であるユネスコと連携して文化保全活動を行うことで、当事国への内政干渉にならないような外交的配慮をしている。過去の実績としては、ミャンマーのパガン朝の都城址・仏塔寺院遺跡、タイのスコータイ遺跡、ヴェトナムのフエ遺跡など有形文化遺産への文化保存協力を財政面・修復活動面を中心に行ってきた点は評価できるものの、全体的にみて無形文化遺産に対する保全事業を軽んじてきた姿勢は否定できまい。

1993年になって無形文化遺産の保全事業を対象とした「ユネスコ無形文化財保存信託基金」*9が創設され、これによってヴェトナムの少数民族の無形文化財の保存、カンボディアの伝統舞踊「ロンコール」の復興などへの出資が実施されるに至った。また文化庁も独自事業という位置付けで、アジア諸国の無形文化遺産の保存と継承に関する研究をはじめとして、民族芸能の研究者の人物招聘・育成なども行っており、今後の展開が期待できよう。しかしながら文化協力事業の全体図を念頭に入れれば、人材育成者や専門家の派遣など“人的貢献”という側面が制度的にも遅れており、今後の財政面の拡充と平行して人的交流事業が一層強化されることが望まれる。

さらに日本国内には政府主導の文化協力をサポートする専門機関として、複数の特殊法人、財団法人が関与していることも見過ごしてはならない。その筆頭格にある国際交流基金は、文化交流事業を推進することを目的とした外務省所管の特殊法人であり、政府支出金の運用を委託されている。特に国際交流基金内のアジアセンターは、ヴェトナムの雅楽（ニャーニャック）の復興への出資や、クメール伝統織物の専門家の育成など、財政面で無形文化遺産の保全へ携わっている。一方でユネスコ・アジア文化センター（ACCU: Asia/Pacific Cultural Centre for UNESCO）は文部省・外務省共管の公益法人であり、長年にわたって世界遺産の広報・救済活動に大きく貢献してきたが、2000年代に入ってからは無形文化遺産の広報・データベース化に力を入れている*10。このように文化保全事業を各専門機関に分散することで、日本政府は木目細かい国際文化協力を志向していると言えないだろうか。

国家主導型の文化政策—東南アジア大陸部地域の文化保全事例(2)

域内の当事国家が行う文化保全活動は、それぞれ各国内のフォークロアに対する「文化政策」に顕著に現れていると言えよう。タイ国政府は「文化（watthanatham）」を生活や行動様式のより洗練された「高尚な文化」とし、保全すべき伝統文化の概念を規定している。それを受けて、伝統的な慣習行為の一部を「近代化」の妨げとして排斥し、お歯黒の一種であるキンマを噛むことや伝統楽器の演奏を禁止するなど、伝統文化をすべて肯定する訳ではなく、その「近代化」の視点に立脚したものを選択している*11。またミャンマー政府も「国家の文化的遺産と国民性を保ち守っていく」と掲げ、文化政策の焦点を国内多数派であるビルマ民族の伝統文化に置いている。そして伝統文化保全事業の基本方針において、「文化（injimu）」とは、王宮を中心とする都市で醸成された伝統文化であり、仏教信仰を基盤としていると提示したのである。それゆえ政府は土着祭礼を観光産業資源として捉え、文化保全政策の対象としては指定していない＊12。ラオス政府もまた、ナショナリズムの高揚という政治的意図を基軸に置き、国内の中心民族であるラオ族を国民文化の核に据えてラオス文化保存のキャンペーンを実施している。

このようにアジア諸国の中には国家の開発近代化のために、支配民族に有利な政治性の高い文化保護政策を推進して国民意識を統合しようとする傾向があり、マイノリティのフォークロアが消滅することに拍車をかけていることが指摘できよう。

国際機関の文化協力活動―東南アジア大陸部地域の文化保全事例(3)

国際機関レヴェルの文化活動で言えば、ユネスコの文化遺産保全事業が国際協力としては最も包括的であり、世界各国に与えた理念的な影響力も大きいと言えよう。理念としての「人類文化」とは“共有すべき一つの世界文化”ではなく、“多様な個々の文化の集合体”を指しており、それゆえ各基層文化の精神性が具体化されたのが「文化遺産」に他ならないという立場をとる＊13。

1993年にパリで開催された「無形文化財保存に関する国際会議」＊14では、フォークロアを無形文化遺産として保存する活動に向け、ユネスコの役割や今後の指針について各国の専門家が意見交換し大きな成果を挙げたが、いまだ法的整備の遅れに対する具体的な処置が出来ないでいる。2001年の「世界無形文化遺産宣言」において厳選されたフォークロアは“人類の傑作（Masterpieces of Humanity)”＊15に指定されたが、さらに保全体制の整備を拡充することが期待された＊16。またフォークロアの法制度を整備するにあたっては、WIPO（World Intellectual Property Organization:世界知的所有権機関）が中心的な役割を果たしており、ユネスコと連携しつつ、フォークロアに対し著作権の発展的適用することが模索されている。

地域協力機構の文化協力―東南アジア大陸部地域の文化保全事例(4)

アジア地域における「地域協力機構」の事例として、東南アジア諸国が“地域内共同体の結成”を目標として発足させた準国際機関があり、ＳＥAMEO(South East Asian Ministers of Education Organization:東南アジア文部大臣機構）とASEAN（Association of South East Asian Nations:東南アジア諸国連合）の二大組織が活発に文化保全事業を推進していると言えよう。

前者のSEAMEOは文化事業の中心を“中堅層の人材研修”に置いており、無形文化遺産に関連する事業では、音楽・舞踊の記録法、美術工芸や資料の保存法などを研修するコースを設けている。他方、後者のASEANは“文化振興・交流事業”を中心に行っており、無形文化遺産の関連事業としては、文学・民話・伝統ゲーム・日常儀礼などを対象とした研究や、造形芸術の祭典を開催することによる国際交流などが挙げられる。

ASEANとSPAFAの両機関は意識的に文化事業が重複するのを避けて補完関係を緊密にしつつ、国際社会に対しては、東南アジアの「地域的抵抗力」と「地域的アイデンティティ」を強化することを表明している*17。このような状況を踏まえれば、この二機関は“東南アジア”という地域内全体のバランスを考えた上で国際文化協力を実施していると言え、参加国が対等の立場で相互扶助を行う「地域主義の文化協力モデル」になり得ると考える。

国際NGO・NPOの文化協力活動
—東南アジア大陸部地域の文化保全事例(5)

国際NGO（Non-Governmental Organization:非政府組織）・NPO（Non-Profit Organization:非営利組織）レヴェルでは多数の非営利団体が世界的ネットワークを構築しており、これらの団体群を総体として評価すれば、国家という枠組みに捕われないバランスのとれた文化協力活動を推進していると言えよう。世界各地に拠点を持つ国際NGOであるC.I.O.F.F.（Conseil International des Organisations de Festivals de Folklore et d'Arts Traditionnels:国際芸能組織委員会）は、ワールドフォクロリーダーをはじめとした国際フェスティバルの運営や国際会議の主催を行っており、“無形文化遺産の国際理解”を推進するのを目的として広報・普及活動を続けている。また日本国内のNPOであるシャンティ国際ボランティア会（SVA: Shantih Volunteer Association）は、ラオス・タイ・カンボディアにおいて教育や文化の分野での国際協力を行っている民間団体であり、「アジア子ども文化祭」を主催することで伝統舞踊の後継者育成に対し支援をしている*18。

上述した国際NGO・NPOは、政府機関や国際機関などの大規模な組織ではカバーしきれない文化保全事業を、対象地域に密着した形で行うことで“草の根レヴェル”の文化協力を実現している。そして前述したような小規模な非営利団体が情報ネットワークや人的ネットワークで世界的に繋がることで、結果として国際NGO・NPOの無数に分散した文化協力活動が総体として集束され、国際社会において大きな影響力を発揮しつつあるとは言えないだろうか。

小結—理想的な文化保全システム

以上、様々な行為体が携わっている文化保全活動の諸相について検討してきたが、アジア地域の基層文化は開発途上にある国家の近代化政策に翻弄され、さらに支配民族に有利な政治性の高い文化保護政策が横行する中で、マイノリティの諸民族が紡いできたフォークロアは消滅するがままに放置されていると指摘できよう。また、そのような状況下で国連やユネスコに代表されるような国際機関サイドにとっても、各国家に対する内政不干渉の立場から容易に動きがとれなく、対象とする無形文化遺産によっては積極的な保全協力活動が停滞しているという一面も記述してきた。

ここで見過ごしてならないのが、国家主導で推進される“文化政策”に基づいた保全活動が、国際機関や地域協力機関、村落共同体、国際NGO・NPOなどの各行為体の中でも影響力が大きいことであろう。確かに国家の“文化政策”は教育などを通して意識的に「国民文化」を再創造し、国家の統合や支配のために用いてきたのは紛れもない事実である*19。だが文化保全事業においては、方向性次第で最大の効果を挙げる可能性が高いことを強調したい。つまり国家が何を基準にして「保全すべき伝統文化」を選び取っていくかを監視し続け、その“文化政策”が少数民族などのマイノリティ・カルチャーに悪影響を与えている場合は、国際NGO・NPOからの倫理的圧力によって文化政策自体を修正させることでバランスを保持できると言えないだろうか。

いずれにしても、国家が推進する文化政策、国際機関による法制度の確立、国際NGO・NPOの補助的活動など、複合的に文化協力を結集することによって、「文化遺産保全システム」を国際社会全体で形成していくことが今後の文化保全体制の理想形態であるのは間違いないであろう。特に東南アジア諸国における文化保全システムは、現地の村落共同体と国際NGO・NPOが草の根レヴェルで共働することで「国家主導型の文化政策」の偏りを少なからず補完できると思われる。

註釈解説

＊1 ユネスコの松浦事務局長へのインタビュー記事を参照（国際協力推進協会、2000年10月、「特集　ユネスコの最近の取り組み―教育文化の分野で一層の成果を求める―」、『国際協力プラザ』vol.76)。

＊2「基層文化」の定義については諸説あるが、川田によれば、「歴史的に先行し、新しい層に覆われながらも様々な形で『近代』にまで意味を持ちつづけていると思われる『古層』」としている。従って、それは個人の意志や表層の変化によって短期間に全面的変化を受けにくく、逆に表層の文化にしばしば意識されないような形で働きかける傾向を持つとされる（川田順造、1995年、「ヨーロッパ、近代、基層文化」、『ヨーロッパの基層文化』、岩波書店、44～45頁)。また、「東南アジア」の定義については、地理的に大きく「大陸部」と「島嶼部」の二つに分けて認識する立場をとる。すなわち、本論の対象フィールドとなる「大陸部」を構成する国々は、東からベトナム・カンボジア・ラオス・タイ・ミャンマーの５ヶ国を指す。ちなみに「島嶼部」は、フィリピン・ブルネイ・インドネシア・シンガポール・マレーシアの５ヶ国であるとしている（矢野暢、1984年、『東南アジア世界の構図』、NHKブックス、16頁)。

＊3 岩田慶治、1991年、『日本文化のふるさと―東南アジアの民族を訪ねて―』、角川選書、11～17頁

＊4 河野靖、1995年、『文化遺産の保存と国際協力』、風響社、204～205頁

＊5 河野靖、前掲載、231～234頁

＊6 河野靖、前掲載、205頁

＊7 徳丸吉彦、1998年、「開発と音楽文化のゆくえ」、『人類の未来と開発』岩波講座　開発と文化７、岩波書店、253～255頁

＊8 ここで使用している「行為体」とは、「自立的に自己の目標・利益を決定し、その目標・利益の実現の為に人・資源を動員する能力を持ち、更に、その行動が国際関係あるいは他の行為主体の行動に影響を及ぼす存在である」という一般論の立場をとる。特に近年の国際関係においては、主権国家では十分に対処しきれないゆえに非国家的行為体が関わるといった相互補完が注目されている（大芝亮、1998年、「序　国際関係における行為主体の再検討」、『国際政治』第119号、日本国際政治学会編)。

＊9 正式名称は「ユネスコ無形文化遺財保存振興日本信託基金」で、1993年に伝統芸能・工芸、口承文芸、少数言語などの保存や振興に対する協力を目的として設立された。アジア太平洋地域を中心に優れた無形文化遺産の記録保存や継承者育成などを行っており、1999年末までに211万8000ドルを拠出。３件の国際会議を開催したほか、「アジア民族衣装作成技能の継承ワークショップ」、「カンボディアの伝統舞踊復興」など、７カ国で18件のプロジェクトを実施している。

(国際協力推進協会、2000年10月、「特集　ユネスコの最近の取り組み―教育文化の分野で一層の成果を求める―」、『国際協力プラザ』vol.76)

＊10 150に上る無形文化遺産をアジア地域の19カ国から収集し、情報データベースとして「Data Bank on Traditional/Folk Performing Arts in Asia and the Pacific ― A Basic Model」を2000年10月に刊行した。その後の展開として、データベースのデジタル化やインターネット公開が実施された。

＊11 田村克巳、1998年、「政治の中の文化」、『文化という課題』岩波講座文化人類学第13巻、岩波書店 112～113頁

＊12 田村がミャンマー政府文化省施設局長と議論した際の内容に基づくとされる（田村克巳、前掲載、110～111頁）。

＊13 河野靖、前掲載、530、550頁

＊14 ACCU（ユネスコ・アジア文化センター）文化事業課職員　滝本めぐみ氏へのインタビューより(2000年12月12日)。
参考資料：愛川紀子、1998年、「ユネスコの文化事業―無形文化財保存振興プログラム」、『季刊　国連』、日本国際連合協会

＊15 正式名称は「人類の口承及び無形遺産の傑作（Masterpieces of the Oral and Intangible Heritage of Humanity)」であり、無形文化遺産に国際的な栄誉を与えるために、1997年のユネスコ総会で制度的創設が決まった。ユネスコ加盟の188カ国が二年に一件ずつ推薦する候補の中からユネスコの国内委員会が「傑作」を選び、事務局長が宣言する。「傑作」が決まれば、継承発展のためにユネスコから資金援助を受けられる。2000年5月には第一回の「傑作」が宣言された。(朝日新聞、2000年11月18日、日刊３面記事「世界遺産　無形文化遺産版『人類の傑作』能楽推薦へ」を参照)

＊16 ユネスコの松浦事務局長がACCU（ユネスコ・アジア文化センター）を2000年8月8日に訪問した際に、当センターの事業説明を評価して、「無形文化遺産については、本部で来春に世界的に優れたものを選定するので、制度の主旨の普及に協力してくれるのは有難い。」というコメントを残している。(ACCU、2000年8月15日、『ユネスコ・アジア文化ニュース』No.314)

＊17 河野靖、前掲載、79～82頁

＊18 朝日新聞、2000年10月21日、日刊８面記事「舞台やり遂げスラムっ子輝く」を参照

＊19 河野靖、前掲載、79～82頁

迎接第44届世遗大会 福州文庙更新陈列展陈

林　立杰

孔庙是祭祀伟大教育家、儒学创始人孔子的场所，是中国历代王朝尊孔崇儒的礼制建筑，也是封建社会培养文化人才的教育基地。它是古代每座城池中最常见的建筑，也是最醒目的儒家文化标志。孔庙的称谓，随着时代的变迁和地域的不同，名称不一。孔庙除称文庙外，还有儒学庙、学宫、黉学、县学、府学、文宣王庙、先圣庙、夫子庙、先师庙等称呼。但是无论怎么称呼，都与祭祀孔子有关。因此凡是供奉孔子的庙堂，都可以称作孔庙。孔庙分为三种家庙、国庙和学庙。其中学庙又称之为文庙，主要分布在地方，建筑的规模大小是根据行政区划等级来区分，可分为府、州、县三级文庙。如果在一个城市中，府州的治所在县中，就会有府庙、州庙、县庙之分。古代福州属福州府，所以当地文庙叫福州府文庙。

现存建筑建于清咸丰元年(1851)至四年（1854)，坐北朝南，南北中轴线长约116米，东西长约65米，总占地面积约为7552平方米，总建筑面积约4000平方米。它以大成殿为核心，南北依次二进院落，采用沿中轴线左右对称的传统建筑布局方式，由南往北依次有棂星门、前埕、大成门、庭院、月台和大成殿；两侧则有廊庑、乡贤祠、名宦祠和东西两庑等，其建筑充分体现清代官式建筑的风格。2006年5月被公布为全国重点文物保护单位。作为福州市区现存最大清晚期官式建筑，福州府文庙主体建筑大成殿具有清代古朴典雅的特点，建筑用材硕大，保存完好；大成殿、藻井、月台体现当地特色，富有很高艺术价值。

福州府文庙的形成可分为几个阶段：始建于唐初，初期只是一庙一殿；至唐中期，李椅兴学，从城西北迁至今址，规模扩大，迎来第一次大发展；宋代是福州府文庙快速发展时期，北宋初期重修文庙，实行庙学合一，规模不断扩大；南宋是福州府文庙发展最鼎盛阶段，规模达到顶峰，号称“东南最盛”；明清时期文庙规模虽有所缩小，但已经形成基本格局；1949年后，曾被改作学校，红卫商场，少年宫等场所。21世纪初，少年宫搬出，文物部门对文庙进行了修缮，恢复旧有格局。

为了做好福州府文庙修复工作，市文物部门在认真调研文庙历史的基础上，对文庙现状进行勘察、测绘和摄影，先后完成勘察报告、现状测绘图、复原设计图、规划设计图、修复总体方案报告等。又多次邀请省、市的文物、建筑、考古专家，对修复现状测绘和总体修复方案设计进行多次论证，确定文庙具体修复方案。修复方案按照“修旧如旧”的原则，以原构为依据，以史料为佐证，遵循传统营造法则，坚持“拆除有理、保存有据”，严格依据《文物法》，切实保留原建筑的总体布局、工艺特色和艺术风格。根据文庙实际情况，1999年到2002年，文物部门通过三期修复工作工程，基本恢复文庙现在的风貌，并取得良好的社会反响。

2020年为了迎接第44届世界遗产大会在福州召开，福州府文庙进行一系列展陈工程提升。新的展陈包括《邹鲁名邦 文脉流芳-福州古代教育史展》、《科举鳌首 大魁天下-福州历代状元展》、《识礼明仁 闻乐知德-礼乐文化展》，在古厝保护的基础上，用现代的展陈语言激活深沉厚重的历史，让观众在现代展陈艺术语言的音韵中浸游历史，品读文化。

福州历史悠久、人文荟萃、科举兴盛，在1300多年的科举考试中共出16位文状元和12位武状元，且出现了“一榜三鼎甲”“三科三状元”等科举盛况。状元们不仅凭借锲而不舍的求学精神，得以金榜题名，给自己的家族和地域带来无上荣光，还以儒家“修身、齐家、治国、平天下”为理想追求，在不同的领域施展抱负，为国家和民族贡献聪明才智，将自己的名字镌刻在历史丰碑上。

此展览共分为三跃龙门折桂枝独占鳌头状元郎--状元的源流；闽中首府英才出地灵人杰鼎甲盛--闽都的状元；朝为田舍郎暮登天子堂--状元的产生；名登龙虎黄金榜人在烟霄白玉京--状元的荣耀等四个部分内容。展览以实物和图文为载体，辅以滑轨屏、创作画、多媒体等展示手段，旨在为福州建设文化强市梳理传统文化资源，以期启迪和教化当代学人。

林鸿年（1804-1886），字勿村，侯官（今福州）人，清嘉庆九年（1804年），道光十六年状元及第，是福建省清朝时期的第一个状元。道光十八年被册封琉球国之正使，出使琉球，而后历任广东琼州府知府、云南临安府知府、云南巡抚等职。同治五年被以“畏寇逗留”等罪名革职，返回福州后担任正谊书院（现福州第一中学前身）山长。正谊书院在林鸿年十几年如一日的精心掌教下，培养出的栋梁之才多达百余人，其中就包括陈宝琛、林纾、陈衍、吴曾祺等人。

福州府文庙在“518国际博物馆日”对外试开放后，迎来各行各业的游客参观，并受到各方的好评。同时福州市博物馆根据各界的参观反馈，继续对文庙展陈进行一系列完善。首先在文庙内部实现中英文导览图的全覆盖，让游客全方位的了解文庙各个建筑名称和来历。其次，统一设计文庙中英双语标示牌，使其具有更强识别度，并与周围环境相融洽。最后是对文庙展陈内容进一步提升，使其更贴合三大陈列展览的主题，主要体现在：

第一，增加内容篇幅，使主题更加突出饱满，例如在礼乐文化展增加历代帝王祭孔图和碑记实物陈设，在教育展中更换私塾的笔画等；第二，提高复制品的质量，对于供参观游览的书本和试卷，进行全面更换，使其更符合历史事实；第三，对于在展览中出现的历史事实表述不够准确文字，进行全面梳理，全部换成客观中立的语言。经过上述陈列提升，达到各界预期，现今于 7 月某日全面对外开放，欢迎各地公众参观。

进入新时代，文庙虽被赋予新的内容，但核心价值还是“尊师劝学”。周代的官学中有释奠先圣先师的礼仪，最初,只是入学的仪式,当时所祭奠的先圣先师,没有确指。这充分说明中国自古以来就有尊师重教的传统。后来随着孔子影响力扩大，释奠礼被专门用来指祭祀孔子最高等级仪式。如今，文庙除了作为文物保护单位对外开放，还时刻提醒我们要“尊师劝学”，这也是保护文庙，利用文庙的初心。

和　訳

第44回世界遺産大会を迎え、福州文廟リニューアル展示

「孔廟」とは、儒教の偉大な教育者、創始者である孔子を祭る場所であり、中国歴代の王朝は孔子を尊敬し儒教を崇拝し、儀式を行う建物であり、封建社会で人材を育成するための教育拠点でもあった。「孔廟」は古代の都市で最も一般的な建物で、儒教文化の最も代表的なシンボルでもある。「孔廟」の称号は、時代の変化や地域によって異なる。「文廟」と呼ばれる以外に、「儒学廟」、「学宮」、「黌学」、「県学」、「府学」、「文宣王廟」、「先聖廟」、「夫子廟」、「先師廟」などの呼び方もある。いずれの呼び方にせよ、すべて孔子を祭ることと関係がある。従って、孔子を祀る寺院は、すべて「孔廟」と呼ぶことができる。「孔廟」は家族廟、国立廟及び学問廟の三種類に分けられている。その中で、学廟は「文廟」とも呼ばれ、主に地方に分布しており、建物の規模は行政区分のレベルによって区別され、府、州、県の３つのレベルに分けられる。古代の福州は福州府に属していたため、地元の分廟は「福州府文廟」と呼ばれていた。

既存の建物は清王朝の咸豊元年（1851年）から咸豊4年（1854年）に建てられたもので、南向きで、南北軸は長さ約116メートル、東西は長さ約65メートルである。総面積は約7552平方メートル、総建設面積は約4000平方メートルである。 大成殿を中心に、南から北に向かって順番に中庭に入り、中心軸に沿って対称的な伝統的な建築レイアウトを採用している。南から北に、欞星門、石階段、大成門、中庭、プラットホーム、及び大成殿がある。両側には、廊下、郷賢祠、名宦祠及び東西両殿などがあり、建物は清王朝の公式建築風になっている。2006年5月に国の重要文化財に指定された。 福州市で現存する最大の清王朝後期の公式建物として、福州府文廟の本館である大成殿は、清王朝の建築の特徴としてのシンプルさと優雅さの特徴を備えている。建築材料は巨大で、保存状態が良く、大成殿、格天井、プラットホームは地元の特徴を反映しており、芸術的価値が極めて高い。

福州府文廟の形成はいくつかの段階に分けられる：唐王朝初期に初めて建てられ、当初は一廟一殿にすぎなかった。唐王朝の中期になると、福州府刺史李椅は教育事業を振興させる為、文廟を府の北西から現在の場所に移動し、規模を拡大した。 宋王朝は福州府の文廟が急速に発展した時期であった。北宋王朝の初期に文廟が再建され、寺院と学校が統合され、規模は拡大し続けた。南宋王朝は福州府の文廟の最も繁栄した時期で、 その規模はピークに達した。明王朝と清王朝では、文廟の規模は縮小されたが、既に基本的な構造が定着した。1949年以降、学校、紅衛ショッピングセンター、チルドレンズパレスなどに改築された。21世紀の初めに、チルドレンズパレスが移転され、文化遺産管理部門は文廟を修復し、元の姿に復元した。

福州府文廟の修復を成功させるために、市立文化遺産管理部門は、文廟の歴史を調査し、文廟の現状を調査・測量・製図・撮影し、調査報告書・現状測量図・修復設計図・計画設計図・全体修復案などを次々と完成させた。福建省及び福州市の文化遺産、建築、考古学の専門家が招集され、修復状況の調査・測量・製図、および全体的な修復計画の設計について複数の論証を行い、文廟についての具体的な修復案を決定した。修復案は、「元の姿に修復する」という原則に基づき、元の構造に従い、過去のデータを根拠に、伝統的な建築手法に従い、「適切に解体し、保存をする」。更に、『文物法』をしっかりと守り、建物のもともとの構造、全体的なレイアウト、及び芸術的な特徴とスタイルをそのまま再現した。1999年から2002年にかけて、文化遺産管理部門は３段階の修復プロジェクトを通して、文廟を復元し、よい反響を得た。

2020年に福州で開催される第44回世界遺産大会を迎え（註／開催は延期された）、福州府文廟は一連の展示プロジェクトとアップグレードを実施した。 新しい展示には、「鄒魯名邦　文脈流芳―福州古代教育史展」、「科挙鼇首　大魁天下―福州歴代状元展」及び「識礼明仁　聞楽知徳―礼楽文化展」が含まれる。 古代の建築物を保護しながら、現代の展示用語を用い、歴史を語り、人々は歴史、文化を鑑賞することができた。

福州は長い歴史があり、優秀な人材が集まり、科挙制度で官僚登用試験が盛んに行われた。1300年以上の官僚登用試験で、16人は第一位の文状元が授与され、12人は第一位の武状元が授与された。さらに、「解元、会元及び状元の三つの第一位を取った」、「三つの科目の中で三つの第一位を取った」という官僚登用試験の快挙もあった。 第一位になった人は不屈の精神で最高の栄誉を得て、家庭や地域に大きな栄光をもたらしただけでなく、儒教の理想である「人格を修め、家庭を整え、国を治め、世を治める」ことを追求し、各分野で志を発揮し、国や国家に貢献し、歴史的な記念碑に名前を刻んだのである。

この展示は、「状元の源流」、「福州の状元」、「状元の誕生」及び「状元の栄誉」という四つの部分から構成される。展示には、実物、グラフィックス及びマルチメディアを利用して、皆さんに福州の伝統文化を紹介し、現代の学者を啓発し教育することを目指す。

福州府文廟にある特別模造した清王朝の福建省最初の状元である林鴻年の大金榜(金文字で書かれた扁額)

林鴻年（1804年～1886年）は、字・勿村、侯官（現在の福州）の出身で、清王朝嘉慶9年（1804年）に生まれ、清王朝道光16年（1836年）に状元が授与され、福建省最初の状元であった。清王朝道光18年（1838年）に、琉球王国の正使に任命され、琉球に赴き、その後、広東省瓊州府知事、雲南省林安府知事、雲南省知事などを歴任した。清王朝同治5年（1866年）には「盗賊を恐れ前に進まず」という理由で解任され、福州に戻った後、正誼書院（現在の福州第一中学校の前身）の先生となった。林鴻年の十数年にわたる丁寧な指導の下、正誼書院は陳宝琛、林紓、陳衍、、呉曾旗など百人以上の重任を担う人材を輩出した。

福州古代教育史展

福州古代教育史展

礼楽文化展

礼楽文化展

福州歴代状元展

「518国際博物館の日」に福州府文廟がオープンした後、あらゆる分野の観光客が訪れ、好評を博した。同時に、福州市博物館では来館者からのフィードバックをもとに、文廟展示の改善を続けていた。まずは文廟の中で、中国語と英語のガイドマップの完全なカバレッジを実現し、来場者が文廟の各建物の名前と起源を完全に理解できるようにする。次に、文廟の中の中国語と英語のバイリンガルサインをより認識しやすく、周囲の環境と調和させるように設計された。最後に、文廟の展示内容をさらにグレードアップし、三大展示のテーマに沿った内容にしている。第一、展示内容を増やし、テーマをより際立たせ、充実させること。例えば、礼楽文化展に歴代皇帝が孔子を祀る絵や碑文の実物展示を追加し、古代教育史展に私塾の書法や絵を入れ替えることなど。第二、来場者に展示する書籍や解答用紙をすべて新しく替え、より歴史的事実に忠実にしたものにし、複製の質を向上させること。第三、展示に歴史事実に忠実でない言葉遣いを整理し、客観的で中立的な言葉遣いに置き換えた。 前述の努力を経て、7月某日に一般公開され、世界中からの来場者を迎えている。

新しい時代を迎え、文廟に新しいコンテンツが与えられたが、核心的な価値観は依然として「教師を敬い、学習を助言する」ことである。周王朝の公立学校には、先師生聖を祀る儀式がある。当初は入学式だけで、その時に祀られていた先師生聖は特定されていなかった。これは、中国が古来より教師を尊重し、教育を大事にする伝統があることを意味する。その後、孔子の影響力の拡大に伴い、孔子を祀るための最高レベルの儀式のことを「釈奠礼」と呼ぶようになった。 現在、文廟は文化財保護施設として公開されていることに加え、常に「教師を敬い、学習を助言する」ことを私たちに忘れさせない。これは文廟を保存し、利用するという本来の初心でもある。

（王志英　訳）

❖ 東アジア共同体研究所
琉球・沖縄センターの活動報告

「ウィークリー沖縄」配信の記録

琉球・沖縄センターは４月から毎日曜日の電子メールマガジン「東アジア共同体研究所(EACI)News Weekly」で、You Tube 動画「ウイークリー沖縄」の発信をスタートした。放映時間は10分～15分程度。沖縄戦の米軍上陸、集団自決（強制集団死）の記録、米軍機の低空飛行・騒音問題、泡消火剤（PFOS）汚染、米兵の新型コロナウイルス感染、自衛隊の南西シフトなどのニュース、ヤンバル（本島北部）の自然、文化などの話題を伝えた。

◎ウィークリー沖縄（2020年4月～9月）一覧

1	4/ 5	「4月1日。アメリカ軍上陸そして沖縄戦」
2	4/12	「防衛省 約303億円支出の辺野古新基地工事　業者との契約終了へ」
3	4/19	「普天間基地から発がん性物質PFOS（ピーフォス）流出」
4	4/26	「嘉手納基地 ～ 逃れられぬ騒音」
5	5/ 3	「首里城消失から半年」
6	5/10	「普天間基地 ～ 落下物と隣り合わせの住民たち」
7	5/17	「シュガーローフ」
8	5/24	「未だ眠る不発弾」
9	6/ 9	「首里城の陰 ～ 旧日本軍司令部壕」
10	6/14	「忘れじの戦没者名」
11	6/21	「首里城一般公開始まる」
12	6/28	「令和2年　沖縄全戦没者追悼式」
13	7/ 5	「宮森小学校 米軍ジェット機墜落事件」
14	7/12	「沖縄の縮図　伊江島の記録と記憶」
15	7/19	「やんばるの生物とのろし」（ヤンバルクイナ貴重映像）
16	7/26	「急増する米軍コロナ感染」
17	8/ 2	「ヘイトに立ち向かう市民達」
18	8/ 9	「コロナ感染割合ワースト1」
19	8/16	「『シムクガマ』と『チビチリガマ』～避難民の命運を分けたもの」
20	8/23	「首里城と国頭さばくい」
21	8/30	「石垣島 陸自ミサイル部隊配備住民投票訴訟判決」
22	9/ 6	「『不屈館』でミサイル基地化写真・資料展始まる」
23	9/13	「防衛局の辺野古設計変更を読み解く」
24	9/20	「突きつけられる那覇軍港移設問題」
25	9/27	「古酒泡盛を育てる極意「仕次(しつ)ぎ」とは　泡盛古酒仙人・島袋正敏」

◎ウィークリー沖縄（2020年4月～9月）ヘッドライン

1．4月5日「4月1日。アメリカ軍上陸そして沖縄戦」

“1945年4月1日、アメリカ軍は沖縄本島へ空襲や艦砲射撃を加えた後、本島中部西海岸に上陸。この日から日本軍完全降伏調印に至る9月7日まで、日米双方あわせて20万人以上が死亡する戦闘が始まった。”

2．4月12日「防衛省 約303億円支出の辺野古新基地工事　業者との契約終了へ」

“名護市辺野古で進められている新基地建設で、防衛省は6件の護岸・岸壁工事を年度内に終えられぬまま業者との契約を終了した。大浦湾側に存在する軟弱地盤の問題をクリア出来なかったものとみられる。防衛省側は、今月4月にも軟弱地盤改良のための工事計画変更を沖縄県へ申請するとしているが、埋め立てに反対する県は申請を認めない姿勢を崩しておらず、今後の見通しは立っていない。”

3．4月19日「普天間基地から発がん性物質PFOS（ピーフォス）流出」

“2020年4月10日午後4時過ぎ、米軍普天間飛行場から発がん性が指摘される有機フッ素化合物「PFOS（ピーフォス）」を含んだ泡消火剤が、排水路を通って宜野湾市の人口密集地に流出した。防衛省は、米軍側の情報として「約14万3830リットルが基地外へ流出した」と説明。米軍基地からのPFOS流出はこれまでも指摘されてきたが、米軍側は沖縄県の立ち入り調査を拒否し続けている。”

4．4月26日「嘉手納基地 ～ 逃れられぬ騒音」

“「極東最大」とよばれる米軍嘉手納基地。そこから発生する騒音は、昼夜を問わず周辺住民を悩ませる。近年、騒音に起因する慢性疾患が指摘されはじめているが、米軍・日本政府の対応は進んでいない。”

5．5月3日「首里城消失から半年」

“「沖縄のシンボル」として長く愛されてきた首里城。中国と日本の築城文化を併せ持った建築様に価値があるとされ、2000年には世界遺産にも登録された。その首里城の正殿が、昨年10月31日未明、突如として炎に包まれた。”

首里城炎上から半年

6．5月10日「普天間基地 ～ 落下物と隣り合わせの住民たち」

“1945年の沖縄戦時下、住民達から土地を奪い、日本本土攻撃の前線基地として建設された米軍普天間飛行場。2020年現在も、返還はほとんど進んでいない。住宅密集地の真ん中に位置するこの飛行場は、これまで墜落事故や部品の落下、土壌汚染を繰り返し引き起こしてきた。「辺野古新基地が出来れば普天間飛行場は撤去・移設されて安全になる」との主張も、根拠に乏しいままだ。”

米軍機が低空飛行する普天間基地

7．5月17日「シュガーローフ」

“アメリカの菓子パン「シュガーローフ」に似ていることから、沖縄戦時下、米軍によって名付けられたこの丘は、日米両軍、そして沖縄の民間人を巻き込んだ「地獄を集めた戦場」とのちに語り継がれる極めて悲惨な戦場となった。米軍側の死者2,662名、1,289名の極度精神疲労者。日本側に至っては、死者・不明者数すらいまだ判明していない。”

8．5月24日「未だ眠る不発弾」

“那覇空港第1滑走路への接続道路工事現場で2020年4月17日、23日、29日の三日間に渡り、沖縄戦当時のものとみられる米国製250キロ爆弾、合計3発が見つかった。太平洋戦争時、激しい艦砲射撃と空襲におそわれた沖縄には、いまだ2,012トンの不発弾が埋没していると推定されており、全て処理するには今後70年を必要とする見通しだ。まだ終わりを見ない沖縄の「戦後」を、地中に眠る不発弾を通して考える。”

9．6月9日「首里城の陰～旧日本軍司令部壕」

“2019年10月、火災にみまわれた首里城。その首里城の地下には、戦時中に造られた旧日本軍第32軍司令部壕がひそかに眠っている。沖縄県側は崩落の危険性を指摘しており、現在も一般公開は見合わせたままだが、識者からは歴史的場所であるこの壕を整備し、「戦争が残した負の遺産」として保存・公開しようとの声が上がりはじめた。”

首里城日本軍司令部壕の保全を訴える垣花豊順さん

10．6月14日「忘れじの戦没者名」

“沖縄戦で亡くなった、全ての方々の名前が刻まれている沖縄「平和の礎」。その戦没者名簿を読み上げ、日・米・英・朝鮮の全犠牲者に祈りを捧げる取り組みを行っている教会がある。北谷諸魂教会。ここは戦後、沖縄戦犠牲者の魂が安らかに眠るように建てられた教会だという。”

11. 6月21日「首里城一般公開始まる」
“2019年10月、とつじょ火災に見舞われた首里城。これまで一般の入場が禁じられていた首里城公園有料区域が、6月12日から公開された。焼け残った龍柱や、正殿地下にある15～17世紀の遺構などを見ることが出来る。一般公開開始日となった6月12日の「開門儀式」を取り上げる。”

12. 6月28日　令和2年　沖縄全戦没者追悼式
今回のウィークリー沖縄では、悲惨な沖縄戦から75年目の「慰霊の日」となる6月23日に開催された沖縄全戦没者追悼式を取材した。

13. 7月5日「宮森小学校 米軍ジェット機墜落事件」
“1965年6月30日午前10時40分。嘉手納基地を飛び立った米軍ジェット機が、沖縄・石川市（現うるま市）の宮森小学校に墜落。死者18名（児童12名、住民ら6名）、重軽傷者210名（児童156名、住民ら54名）という大惨事となった。”

宮森小ジェット機墜落現場から搬送される児童

14. 7月12日「沖縄の縮図　伊江島の記録と記憶」
離島で唯一。米軍基地を抱える伊江島は沖縄戦・戦後を通し、その苛酷な歴史から「沖縄の縮図」と呼ばれてきた。沖縄戦では、疎開せず残った島民の約3分の1が亡くなり、島ごと米軍に占領され、さらに1965年からは米軍の非人道的な強制収用、いわゆる「銃剣とブルドーザー」で米軍基地が拡張されていった。

15. 7月19日「やんばるの生物とのろし」（ヤンバルクイナ貴重映像）
“今週のウィークリー沖縄は、やんばるの貴重な生物について特集します。国の天然記念物に指定されているヤンバルクイナが木に登る貴重な姿も登場します。”

16. 7月26日「急増する米軍コロナ感染」
“7月11日、沖縄県内にある複数の米軍基地内で、コロナウィルスのクラスターが発生している事が明らかとなった。この背景には、7月4日「アメリカ独立記念日」という国家的祝日、それに付随するイベントの開催、そして軍組織内の人事異動シーズンという、アメリカ側の事情が強く反映されていた。”

17. 8月2日 「ヘイトに立ち向かう市民達」

“多くの市民、観光客が行きかう沖縄・那覇市役所前。沖縄の玄関口ともいえるこの場所で、2014年頃、外国人に向けたヘイト（差別）街宣を繰り返す団体が現れ、すでに5年以上も野放しにされてきた。今年5月、この状況に危機感を頂いた市民達は、反ヘイトチームを結成。非暴力でヘイト街宣を阻止し続けている。”

---

18. 8月9日 「コロナ感染割合ワースト1」

“新型コロナウィルスの第二波とみられる感染拡大は、沖縄県にさらなる深刻な影響を及ぼし始めた。沖縄県内の新型コロナ新規感染割合が、7月25日～31日の時点で、人口10万人あたり15.31人となり、東京14.38人、大阪12.95人を抜き、全国ワースト1の事態に入った事が判明。さらに8月1日～8月6日の期間では、その割合が29.9人に跳ね上がった。”

---

19. 8月16日 「『シムクガマ』と『チビチリガマ』～ 避難民の命運を分けたもの」

83人が犠牲となったチビチリガマ

“1945年4月1日。米軍は沖縄本島に上陸。米軍の主要上陸ポイントとなった読谷村には「シムクガマ」「チビチリガマ」という二つの自然壕があり、そこに住民らは身を寄せ合い、息を潜めて避難していた。しかし「シムクガマ」と「チビチリガマ」では、その後の運命が大きく異なる結果となってしまう。「チビチリガマ」では、避難民約140人のうち、83人が集団自決で命を落とした。いっぽうの「シムクガマ」では当時、約1,000人の避難民がいたが、驚くことに避難民は犠牲を出す事なく米軍に保護され、収容所で食料等の配給を受けた。”

---

20. 8月23日 「首里城と国頭さばくい」

“琉球王朝時代の首里城正殿改修の際には国頭地方の山から建築用材が献上された。首里城が作られたのは14世紀中頃、幾度となく焼失、再建を繰り返し昨年10月31日に5度目の焼失に見舞われた。2026年に再建目標だが、国頭村は地元木材の使用を沖縄県に要請。「国頭さばくい」は沖縄を代表する木遣り歌で、木材を運ぶ様子が謳われている。”

---

21. 8月30日 「石垣島 陸自ミサイル部隊配備住民投票訴訟判決」

“石垣市への陸上自衛隊ミサイル部隊配備計画に対し、その賛否を問う住民投票実施を市長に求めた訴訟の判決が2020年8月27日、那覇地裁で下された。結果は請求却下、いわば「門前払い」である。石垣市における住民投票請求の要件は、市の自治基本条例で定められた「有権者の4分の1の連署（署名）」であり、原告側が集めた連署は、その要件を大幅に上回る「有権者の3分の1」に達している。それにも関わらず、中山義隆石垣市長は未だに住民投票を実施していない。”

石垣市の自衛隊配備住民投票訴訟で住民敗訴判決

22. 9月6日 「『不屈館』写真・資料展始まる」

“「不屈館」。沖縄の祖国復帰と平和な社会の実現を目指して、命がけで闘った 瀬長亀次郎（元衆議院議員）が残した膨大な資料を中心に　沖縄の民衆の戦いを後世に伝えようと設立された資料館である。東アジア共同体研究所　琉球・沖縄センターでは、ここ不屈館にて「南西諸島（与那国・宮古・石垣・沖縄本島・奄美）ミサイル基地化の危機　写真・資料展」を2020年9月2日（水）～10月31日（土）に渡り、開催した。”

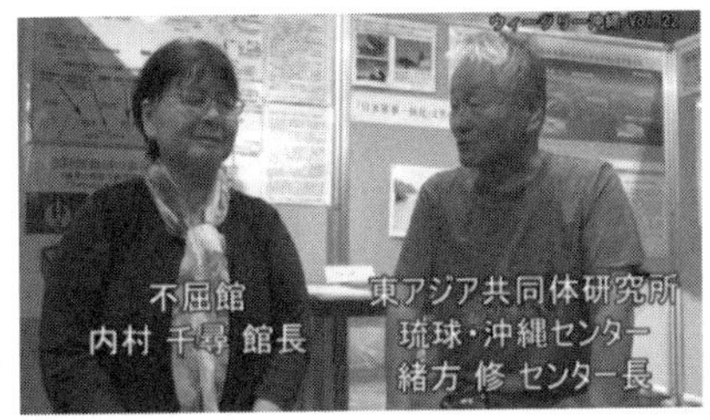

自衛隊南西シフト展「不屈館」の
内村千尋館長（左）

23. 9月13日 「防衛局の辺野古設計変更を読み解く」

“2020年9月8日より、沖縄県は、沖縄防衛局が提出した辺野古新基地建設工事に関する設計変更承認申請書の告示・縦覧を開始した。沖縄防衛局が変更したポイント、そして新たに見つかった問題点は何か。”

24. 9月20日 「突きつけられる那覇軍港移設問題」

“1974年、移設を条件に日米間で全面返還が決まった那覇軍港。その後、長らく棚上げ状態が続いていたが、2020年8月、沖縄県、那覇市、浦添市の三者間で合意がなされ、移設先を浦添市沿岸とする事が決まった。しかしその場所は、リゾート開発から免れ、自然がまだ残る浜であった。そもそも46年前と現在とでは、米軍側の事情も変わっているのではないか。”

米軍那覇軍港の移設に反対の声

25.　9月27日「古酒泡盛を育てる極意『仕次ぎ』とは　泡盛古酒仙人・島袋正敏」
“今回のウィクリー沖縄では、名護市天仁屋にある『黙々100年塾蔓草庵』主宰、元名護博物館館長であり、山原島酒之会元会長などもされていました、ヤンバルを知り尽くした人物「島袋正敏」さんを紹介。泡盛は「寝かせる」だけではいい泡盛には育たない。もちろん『瓶熟成』も可能ではあるが、ある程度までしか育たないという。いい古酒泡盛を育てるには、仕次ぎという作業が必要です。古酒を熟成させるための極意を紹介。”

泡盛古酒仙人・島袋正敏さん（左）

編集協力／川上豊・池原修

映像コンテンツと動画サイトによる基地問題等の情報発信活動
QRコードとURLで動画をご覧になれます

❦ Sea Still Shivering : The Big Problems Of Henoko New Military Base Construction　「海は怒りに震えている―辺野古新軍事基地建設の大きな問題」
〈辺野古新基地問題：鳩山友紀夫理事長メッセージと奥間政則氏の現状報告〉
青い海は埋め立てられ、青い空にはオスプレイが飛び回っています。辺野古・大浦湾では新基地建設が進められています。しかし海底は軟弱地盤、陸上には活断層が走り、建設は不可能です。

https://youtu.be/tDXKOJFMvsk
2020/09/13　（9分1秒）

❦ Pray For All The Battle Of Okinawa Dead　「沖縄戦犠牲者への祈り」
〈沖縄戦「慰霊の日」に向けた教会の取り組みと具志堅隆松氏の活動〉
沖縄大虐殺とも呼ばれる地上戦では敵味方合わせて20万人以上の死者を出しました。ある教会では、全戦没者一人一人の名前を読み上げて祈り続けています。米兵の遺品を遺族に返そうという人もいます。戦後75年、いまだに地獄の戦の記憶は消えることはありません。

https://youtu.be/t1Bn9ARdaY4
2020/09/13　（13分27秒）

Pray for the victims in the Battle of Okinawa
（沖縄戦犠牲者への祈り）

東アジア共同体研究所 琉球・沖縄センター

米軍撮影による戦時下の「震える少女」（写真提供／沖縄戦記録フィルム1フィート運動の会）

Over 75 years have passed since the end of the Pacific War. Memories of the war have been gradually fading out of people's minds. But there are some people who are trying to revive memories of war as means of peace education.

The Battle of Okinawa started in March 1945. The Japanese army was engaged in a fierce battle for almost three months, forcing civilian to become involved in. So not only American and Japanese soldiers but also innocent civilians became victims of the war. The names of each person who died in the Battle of Okinawa, regardless of nationality, the friend and foe status, or military or civilian status, have been inscribed on the Peace Monument called *Heiwa-no-ishiji*. All together over 240,000 names have been inscribed there.

The Okinawan Sector of the Nippon Sei Ko Kai or the Anglican Episcopal Church in Japan located in Chatan, Okinawa has a unique memorial service for the war dead. They read each individual name of 241,560 people inscribed on the Peace Monument in Mabuni, Itoman City of Okinawa. This prayer service was started by Timothy Makoto Nakayama who served as Officiating Priest of the church when the Peace Monument was declared open in 1995.

平和の礎

教会内のアイリーンさん

メイさんの飯盒（右）を持って平和の礎の前に立つ具志堅隆松氏

We interviewed the present priest of the church in Chatan, Rev. Aileen Watanabe.

Peace activist Mr. Takamatsu Gushiken has a special message to the American families of the war dead.

"Look at this lid of a mess kit. It has four marks of bullet shots. And it bears the name May Helen on it. If you look at the peace monument, you can see several names with May, but no name as May Helen. I am appealing to the members of American families of the war dead. Please come forward, if you know somebody by the name of May Helen who has been associated with the same period. I want to return this lid to her as a memory of war. Helen is a woman's name. I imagine the U.S. soldier wrote the name of his beloved wife or of his mother. I heard that there were many U.S. soldiers who did that."

"If I cannot find the person, still I will keep it and use it as a tool of peace education. I often give talks to the children of Okinawa when it gets closer to the Memorial Day for the War Dead, the 23rd June. Some of these children have American fathers. Many people, including Japanese and Americans, lost their lives under the shower of artillery fire during the brutal battle that took place at Maeda Escarpment, called Hacksaw Ridge by Americans, in Urasoe, Okinawa. When it comes to war, it does not matter whether you are enemies or allies. The war itself is dreadful."

（琉球・沖縄センターが映像収録し、SNS動画とCD-ROMで情報発信を行った「沖縄戦犠牲者への祈り」の内容です）

哀しきメモリアルデー「6.23」

東アジア共同体研究所琉球・沖縄センター地域研究員　**奥住 英二**

わたしは、おきなわの戦中、戦後における哀しい歴史と現実を生み出した出来事を、その日付によってアイコン化し、“おきなわの哀しきメモリアルデー”と名付けた。

その哀しきメモリアルデーは

「4.28」「5.15」「6.23」

の３つである。

「4.28」は、1952（昭和27）年4月28日。サンフランシスコ講和条約が発効した日であり、日本がおきなわを捨てた日である。

「5.15」は、1972（昭和47）年、5月15日。おきなわが再び日本国の１県となった日である。

「6.23」は、1945（昭和20）年6月23日。沖縄戦における組織的戦闘が終わったとされる日で、おきなわの“慰霊の日”となった日である。

2020（令和２）年の慰霊の日は、コロナ禍の中でどのように「沖縄全戦没者追悼式」（おきなわでは“慰霊祭”と呼んでいる）を執り行うかということについて、主催する沖縄県は、従来開催されてきた「平和の礎（いしじ）」に隣接する広場ではなく、規模を縮小して「国立沖縄戦没者墓苑」で行うという決定をした。これに対して市民団体等が異議を申し立て、県内２紙の紙面でも議論が展開され、その結果、県は開催場所を従来の広場とすることで落着した。

慰霊の日は、ウチナーンチュにとっては極めて重要な日となっており、おきなわで平和を語る原点だとわたしは考え、慰霊祭には毎年参列している。今回の慰霊祭の開催場所が問題となったこととも相まって、わたしは以前から自らの内部に抱えていた問題意識－「6.23」を含め、おきなわの戦中、戦後史の中で、その後のおきなわの命運に大きな影響を与えることになった出来事を、この際あらためて検証してみたいと考え、東アジア共同体研究所が毎週日曜日にインターネットの YouTube で発信するＵＩチャンネルの企画として「おきなわ　哀しきメモリアルデー」というタイトルで提案し了承された。

筆者（左）と具志堅隆松氏（右）

ネット番組の形式としては対談方式とし、ゲストに沖縄戦遺骨収集ボランティア“ガマフヤー”代表の具志堅隆松氏を迎え、私が進行役を務めることとなった。

番組冒頭では、おきなわは近年、リゾートの島として県外国外から注目されるが、実は戦中戦後と現在に至るまで哀しい出来事（メモリアルデー）があることを訴えるために、おきなわの代表的な美しい海の写真、普天間飛行場と辺野古の海、今回行われた6月23日の慰霊祭、そして沖縄戦の記録映像“１フィート”の一部等を６分程度に編集した VTR を流してから対談を始めた。

番組では、はじめに「6.23」について語り合い、その後「4.28」、最後に「5.15」について語ったが、紙面の関係上ここでは「6.23」についてのみ原稿化した。以下は、その番組で語られたことに加え、わたしの想いや考え方を記述したものである。

「慰霊祭」をめぐる“騒動”

6月23日の慰霊祭（沖縄戦全戦没者追悼式）は、沖縄では最も大事な行事だといえる。悲惨な地上戦が繰り広げられた沖縄戦の組織的な戦闘が終わったのが1945年6月23日といわれ、その後も散発的な戦闘はあったものの、沖縄戦終結の日として、犠牲となった24万人余りの方々を慰霊する追悼式が行われるようになった。（沖縄戦終結の日についてはさまざまな意見がある。）

今回の慰霊祭は、前述のとおり新型コロナウィルスの感染拡大防止のために招待者を限定して規模を縮小し、例年と同じく沖縄本島南部の摩文仁の丘にある平和記念公園で開催された。この丘には、一般住民、日本軍人、台湾人、朝鮮半島出身者、米国人、イギリス人など沖縄戦で亡くなったすべての方々、およそ24万人の名前が刻まれている「平和の礎」がある。

例年の慰霊祭は、総理大臣など三権の長が参列するためものものしい雰囲気で執り行われるが、今回は首相や国会議員などは招待せず遺族関係者を中心に厳かに行われた。一方、会場周辺には例年通りたくさんの人々がつめかけ式典を見守った。式典の前後には例年と同じく家族連れで平和の礎で祈りを捧げる姿が多く見られた。主催する県が規模縮小を唱えても、縮小したのは招待者が入るテント内だけで、“慰霊の日には必ず摩文仁の丘を訪ねて手を合わさなければ”という人々がいかに多いかを示す情景であった。

今回の開催場所をめぐる一連の“騒動”をあらためて振り返ってみよう。

2020年5月15日、玉城知事は令和２年度の「沖縄全戦没者追悼式」は、新型コロナウィルス感染拡大防止の観点から、開催場所を従来の平和祈念公園内式典広場ではなく、参列者を絞って国立沖縄戦没者墓苑に変更すると発表した。それに対して初めに声を挙げたのが「沖縄全戦没者追悼式のあり方を考える県民の会」（以下「県民の会」）で、公開の勉強会を開催したり、知事に直接会って従来の場所で開催するよう要請したりした。また、県内２紙もシリーズで「県民の会」や沖縄戦研究者らの声を連日掲載し、問題提起を行った。それら論調の多くは、国の施設での追悼式開催は「殉国死」の肯定に結びつくことになるので、従来の公園で開催すべきというものであった。

その結果、6月12日になって玉城知事は定例記者会見で、当初の計画を見直し、追悼式を例年通り、平和祈念公園の式典広場で開催すると発表した。そして「コロナの拡大も抑えられ、さまざまな要望を踏まえた上で、私の気持ちとしてはどこでお祈りをしても思いは必ずみ霊に届くと思うが、多くの方々が希望されることも踏まえて従来の場所での開催になった」と述べた。

このコメントの中には国の施設で開催することの問題点については触れられておらず、しかも「どこでお祈りをしても思いは必ずみ霊に届くと思う」というフレーズがわたしとしては気になったが、従来の場所で開催することになったことで、「県民の会」や研究者らがさらに問題視することはなかった。

ちなみに、玉城知事が記者会見で従来の場所で開催すると発表したその日、県平和祈念財団のホームページの国立沖縄戦没者墓苑に関する説明で、それまであった「国難に殉じた戦没者の遺骨を永遠におまつりする」という表現が削除され、「悲惨な戦争により犠牲になった人々」と変更された。同財団の常務理事は「『国難』という意味の深さをあまり考えていなかった」と話した（2020年6月13日、琉球新報）。

今回の騒動は「場所」の問題から始まったが、慰霊祭というのは単に場所の問題ではなく、おきなわにとっては非常に奥深いものがあることを際立たせることとなった。

今回の慰霊祭式典会場

式典会場周辺で黙祷する人々

沖縄戦の意味するものについて

対談ではじめに、沖縄戦とは何だったのかについて議論した。

―具志堅さん、あれだけの多大な犠牲を払った沖縄戦ですが、あれは一体何だったと思いますか、なぜあんなにも犠牲者が多く出たのだと思いますか。

具志堅「日本本土を守るための軍事的な防波堤としての役割を担わされていた戦争であったということです。当時の日本軍も言ってるが、今の自衛隊も実は『沖縄戦は成功だった。』と言っているんです。成功だったというのは、米軍を想定より長く留めることができたということです。」

つまりは、「本土決戦を引き延ばすために多くの人々が犠牲になった」ということである。それでは、兵隊よりおきなわの住民が、なぜあんなに多く犠牲になったのだろうか。

直接的には、第32軍（奄美群島から先島諸島までを守備範囲とした日本陸軍の組織の一つ。司令官は牛島満）の司令部が置かれた首里城地下壕から日本軍が撤退する際、本来ならそこで降伏すべきであったが、戦闘引き延ばしのため本島南部へ移動したことで、多くの住民が巻き込まれることになったことが挙げられる。

さらには、戦前から徹底した皇民化教育が行われたため、住民の多くは米国との戦争を「聖戦」と捉え、身も心も国家、天皇に捧げていたと言えるであろう。特に、米軍の捕虜になったら殺される、女性なら暴行されるという話を信じていたから、投降したりせず日本軍に協力したり、あるいは集団自決したりという結果につながった。皇民化教育による洗脳が悲惨な結果を招いたといえる。（1959年にジャーナリストの大宅壮一は沖縄戦の戦跡を回って取材し、戦時中の沖縄県民の行動を「動物的忠誠心」「家畜化された盲従」と表現し、当時、おきなわでは抗議の声が巻き起こったことが思い起こされる。）

もうひとつ、沖縄戦で実証された大事なことがある。それは、「軍隊は住民を守らない」ということである。このことに関しては、生き延びた住民の貴重な証言が数多くある。

首里城の地下に構築した司令部を放棄して南部に撤退して以降の戦闘で、日本兵による食料強奪、壕からの住民追い出しや壕内で泣く子の殺害、住民をスパイ視しての殺害が相次いだ。日本軍は機密が漏れるのを防ぐため、住民が米軍に保護されることを許さなかった。そのため戦場で日本軍による命令や強制、誘導によって親子、親類、友人、知人同士が殺し合う惨劇が発生した。

「軍隊は住民を守らない」－わたしたちは過酷な地上戦から導かれたこの教訓をしっかり継承していく必要がある。

慰霊祭のあり方について

今回の慰霊祭は会場をどこにするかで議論が巻き起こった。これを契機に慰霊祭とは何なのか、どういうかたちで執り行うことが望ましいのかを考えてみる。

—慰霊祭のあり方、場所も含めて具志堅さんはどのように考えていますか。

具志堅「これまで行われきた平和の礎の側の大きな広場での慰霊祭、それがコロナウィルス感染防止のためにということで、国立沖縄戦没者墓苑で行うという報道が出た時に、わたし、これはマズイなと思った。なぜそう思ったかというと、国による戦没者の慰霊、それとウチナーンチュによる戦争被害者の慰霊、これ実は全く違うんです。

国の慰霊というのは戦没者を国難に殉じた尊い犠牲者、いわゆる英霊という見方で慰霊を行っています。わたしは戦争の犠牲者ひとりひとりを問いただせば、兵隊であれば一家の働き手である父親あるいは成人に達した息子たち、そういう人たちなんですが、沖縄においては兵隊どころか住民の方が多く犠牲になっている。そういう人たちを国難に殉じたと言うのは無理がある。たとえば沖縄の場合にはむしろ戦争に巻き込まれたというのが正しいと思います。それを国難に殉じた犠牲者を祀るという言い方をされると、ちょっと待って、それ違いますよということになるんです。それが今回の国立沖縄戦没者墓苑でやることに対して、それ違いますから元に戻してくださいという行動を起こさせた原因です。」

これまでの慰霊祭（追悼式）の経緯を調べてみると、牛島司令官夫人（第１回追悼式参列）や靖国神社宮司（第６回追悼式参列）等が追悼式に参列している事実がある。そこからみえることは、国に殉じた犠牲者を慰霊するという考え方で当初追悼式が始まり、その後も住民を巻き込んだ沖縄戦とは何だったのかというような根本的な問題が問われずにこれまできてしまったのではないだろうか。だから、今回の慰霊祭も何の問題も感じずに県の担当者は国立沖縄戦没者墓苑でやることにしたのではないだろうか。

—国に殉じた犠牲者を慰霊するというかたちで始まった慰霊祭が、これまでなぜ根本的なことが問われずに来てしまったと思いますか。

具志堅「慰霊祭を主催する側というのが、その時々の有力者というのか、そういう人たちの意向を反映するようなところがあって、沖縄においても戦争に協力した方々が生き残って、戦後もその方たちが社会に影響を及ぼし続けていた時代であったということです。それを沖縄戦研究者らが、沖縄戦とは何だったんだろう、なぜわれわれ県民が巻き込まれなくてはならなかったのだろうというような研究が進んでいくにしたがって、やはりこれは私たちも戦争を受け入れてしまったということを反省しなければいけないということで、そこから戦争を受け入れるのではなく戦争を否定するような感覚が徐々に市民権を得ていくようになっていったと思います。」

ここで、あらためて「沖縄全戦没者追悼式」が行われてきた経緯を見てみよう。

表1　沖縄全戦没者追悼式の経緯

年　月　日	主な経緯、動向
1952年8月19日	琉球政府主催「第1回全琉戦没者追悼式」(琉球大学広場にて)(牛島司令官夫人、太田中将夫人参列)
1958年1月25日	識名の戦没中央納骨除幕式とあわせて第6回目の全琉戦没者追悼式開催(靖国神社宮司参列)
1961年7月24日	琉球政府「住民の祝祭日に関する立法」で6月22日を「慰霊の日」と定める
同年11月25日	全琉戦没者追悼式
1964年6月22日	摩文仁で追悼式
1965年4月21日	琉球立法院で「慰霊の日」を6月23日に改める
同年6月23日	「全琉戦没者追悼式」を挙行、以来今日に至る
1972年6月23日	復帰後初の全戦没者追悼式に日本政府代表参列
1977年6月23日(33回忌)	平良幸市知事(当時)が名称を「沖縄全戦没者追悼式並びに平和祈念式」として初めて「平和宣言」を行い、「沖縄が世界平和の中心となる」と発信
1990年6月23日	海部俊樹首相が総理として初めて参列
1995年6月23日(戦後50年)	全戦没者刻銘碑「平和の礎」除幕式及び「沖縄全戦没者追悼式」挙行　首相、衆参両院議長、最高裁判所長官　三権の長が参列、以後恒例となる

戦没者の遺骨はどこで祀ることが望ましいのか

今回の慰霊祭の場所について大きな問題となった今、それでは戦没者の遺骨はどこで祀ることが望ましいのだろうか。

―具志堅さんは、戦没者の遺骨はどこで祀るのが望ましいとお考えですか。

具志堅「わたしは戦争被害者の遺骨は、家族に返すべきだと思っています。なぜそう言うかというと、自分の母親とかいろんな人の話を聞くと、人が亡くなる間際の言葉というのがほとんどの人が“おかあさん”、“おかあさん”と言っているんです。亡くなる人というのはおかあさんのもとに帰りたいんだなーって。それを自分たちに置き換えてもそうですよね。二十歳くらいの若者たちが亡くなるときにやはり思い浮かべるのは母親ではないでしょうか。それであれば両親のお墓に一緒に入れてあげたいと、それを目的に遺骨収集をやってきました。

わたしは戦没者というときふたつの面でとらえています。ひとつは亡くなった方の“遺骨”、もうひとつは“魂”。遺骨というのは墓苑とか納骨堂に入るが、魂というのが実は祀る対象になってしまっている。慰霊祭の時、たとえば武道館で行われる「全国戦没者追悼式」、あのときにも遺骨に対してではなく魂がそこにいるということで、魂に対して頭を下げて追悼の言葉を述べるわけです。魂に向かって慰霊をしているときに、わたしは魂も家族に返して欲しいと思う。要するに国がやったことというのは、戦争が始まって全国の家庭の、一家の働き手である父親を、成人に達した息子たちを召集令状で呼び出す。そして戦地へ送って戦死させた。その遺体を返してないのが現状です。遺骨は返してあげるべきです。そして魂も家族のもとへ返してあげるべきです。それを国が祀るということは、国の戦没者に対して行った罪を正当化しようとしている、家族の怒りを誇りにすり替えようとする行為が慰霊祭だと思います。」

長年ボランティアで遺骨収集を行ってきた具志堅氏だが、氏の働きかけで、国によって遺骨のDNA鑑定が行われるようになり、さらにはこれまで厚生労働省職員が行っていた遺骨、遺品等からの部位選別の作業を、このほどようやく法医学の専門家によって検体採取が行われるようになった。これも具志堅氏の長年にわたる働きかけでようやく実現したことである。

国立戦没者墓苑を「県立国際平和墓苑」に

沖縄戦直後から現在まで収集された沖縄戦戦没者の遺骨は、国立沖縄戦没者墓苑に納められているが、納骨の場所について考えてみる。

—沖縄戦で亡くなった方々の遺骨は、これまですべて国立の墓苑に収められていますが、このことについて具志堅さんはどうお考えですか。

具志堅「沖縄の国立戦没者墓苑にいま遺骨が納められています。でもこれは当初からそうだったというわけではないんです。沖縄戦が終了して、収容所に入れられていた方たちが解放されて自分の部落に帰ってきます。そして最初に行ったのが遺骨収集だったのです。部落内の道路にも屋敷内にも畑にもたくさんの人たちが死んで白骨化、ミイラ化している。そういう遺骨を収集しないことには生活が始められなかった。集められた遺骨を部落のはずれの崖下の引っ込んだところに集めて、そこに石垣を組んで小さな慰霊の塔を建てて、部落の人たちは毎年祀っていた。それを国の方から遺骨を集めなさいということで集めさせられて、それが最終的に国立戦没者墓苑という形になって収められていくんですが、わたしは国立墓苑というのは国が言うモノサシからずれているのではないかと思う。国立墓苑は国内に二つある。ひとつは東京の千鳥が淵にある。あそこには東京大空襲や全国の空襲の被害者、身元不明の住民の遺骨は入れてもらえてないんです。それに対して沖縄は、兵隊どころか住民の方が多い。しかも日本人だけではない。朝鮮半島から連れて来られた方たち約3000名が行方不明と言われています。それからアメリカ兵は地上戦で100名近くが行方不明になっています。そういう方たちも入っているはずなんです。戦争で行方不明というのは死んだということを指しています。そうなると沖縄にある戦没者墓苑を国立というのはそぐわないんではないか。それよりも沖縄県が管理運営する県立の国際平和墓苑というように位置付けて、外国からの方たちも行きやすくすべきではないかと思います。」

国立戦没者墓苑
（沖縄県平和祈念財団HPより）

32軍壕跡公開と首里城再建について

いま、おきなわでは、首里城地下にある32軍壕の公開を求める声が高まっていることに注目したい。

「沖縄全戦没者追悼式」はどうあるべきかがこれまであまり問われなかったことと、首里城が1992年に本土復帰20周年事業として復元される際、地下の第32軍壕跡をどうするかについてほとんど議論されなかったことは根っこでつながっているのではないだろうか。

―首里城地下の32軍壕跡の公開についての考えを聞かせてください。

具志堅「32軍壕は公開すべきだと思っています。そこは沖縄戦における日本軍の拠点であり、そこで作戦が決められた。どういうことが決められたかというと、たとえばウチナーグチを話すものはスパイとみなすということとか、あるいは軍・官・民共生共死、軍も役所も住民もともにこの戦争を戦って、ともに死ぬんだという指示が軍から出された。そういうことが決められていった場所であるということ。それを考えるときに、どういうことがあったのかということをハッキリさせるべきだと思います。

従軍慰安婦と言われている方もいたということも証言されています。そういうことも含めてわれわれが知らなければいけないこと、次の世代が知らなければいけないこと、そのことがわたしたちの祖父やさらにその前の世代の方にとって決して名誉ではないことであっても、間違っていたという事実を次の世代に知らせる必要があると思います。

地上にあるのはかつての琉球の繁栄の象徴である首里城、そしてその地下にあるのが沖縄を未曾有の戦火に巻き込んだ32軍壕、それらを外から沖縄に来る人々に見せることによって、沖縄の歴史の移り変わり、そしてそれらを現在に照射して考えた時に、この沖縄戦を戦ったアメリカ軍がどうして出て行ってくれなかったの、どうしてそのまま居座っているの、これはハーグ条約違反ではないのということ、そしてあろうことか米軍に駆逐されて追い出された日本軍が自衛隊という名に変ってまた沖縄にやってきてしまった。これ、戦争終わってないですよね。戦争終わったと言わせるためには、アメリカ軍も日本軍も出て行ってもらって、それからわれわれがどうしたいのかということを我々に決めさせてくれ、軍隊が本当に必要なのか。わたしはそういう議論に結び付けていくことができるのではないかと思っています。」

2019（令和元）年10月31日に首里城が焼失し、多くの県民、他府県や海外在住のウチナーンチュをはじめ、日本及び世界各国から焼失を惜しむ声と再建復興への支援が寄せられている。しかし、それらは、1日も早く元の姿を見たいという単に正殿等の建築物や公園の復元、いわば器の復元、ハードの整備だけが語られ、肝心なことが語られていない。それはまず、何のために再建するのかという大きな問題に正面から向き合うことが必要だろう。首里城とは一体何なのか、どのような役割（「正」もあれば「負」

もある）をこれまで果たしてきたのかなどを総括することから始める必要があるだろう。「正」の遺産としては“万国津梁”の精神で軍隊を持たず周辺地域との中継貿易によって経済と平和的な外交を駆使して独立国家（朝貢国ではあるが）としての立場を保ってきたことや、工芸や芸能など琉球独自の文化芸術を生み出してきたことがあげられる。また「負」の遺産としては、所詮士族が人民を支配する封建国家であり、人民の犠牲の上に成り立っていた王朝であること－特に、宮古・八重山において過酷な人頭税を課して、先島の住民を長い間苦しめてきたことなどがあげられる。（独自の工芸を生み出したと書いたが、たとえば王族士族が身にまとっていた美しく上質な着物は、地方の女性たちの血のにじむような暮らしの中で生まれてきた。）

第32軍壕（沖縄県HPより）

沖縄の島々は、首里を頂点にして階層的差別が存在していた。沖縄島（本島）と宮古・八重山、さらにそれらの周辺の島々との間に階層的差別と収奪関係があった。

このように琉球の歴史から見えてくる首里城と琉球王朝そのものが一体どういうものであったのかをきちんと総括し、消失した首里城の何を復元するのか、そして復元後にはこれから沖縄を代表するであろう一大公園として、どのような思想、理念を込め、未来に向けてどのようなメッセージを発信していくべきなのかを議論すべきではないだろうか。そうした議論の中で当然32軍壕のあり方も検討されるべきであろう。

単に首里城という「器」の復元だけが先に進んではならないし、また、32軍壕も公開すればよしというわけではない。両者を一体としてとらえ、未来に向けてどうすることが望ましいのかを議論すべきと考える。

こうした議論によって望ましい成果（理念、思想）が生み出されれば、新たな首里城は32軍壕を含めて、摩文仁にある「平和の礎」と同様に、“ウチナーンチュの精神の基盤”としてアジアや世界に向けて、おきなわにふさわしい「平和」を発信する拠点になる可能性を秘めていると思われる。

首里城再建とは「何を再建」するのか、また、再建によって何が得られ

礎に手を合わせる家族

るのか（何を得ようとしているのか）。歴史と未来を根源的に問う機会が、いま、おきなわに与えられており、言葉をかえれば「試されている」ともいえる。

おきなわの平和行政への提案

ちなみに、今回の慰霊祭の会場をどこにするかの議論においては、「平和の礎」の横にある広場で行うことが望ましいという意見がほとんどであった。その理由について極めて的確な言葉を紹介する。

「平和の礎は沖縄の人々にとって魂のよりどころである。」「そこで行われる追悼式は今まで沖縄の人々が心の底から魂のよりどころを求めてきた祭祀空間である。」「追悼式を開く場所は単に物理的な象徴ではなく、いわばウチナーンチュの精神の基盤でもある」（2020年6月4日、琉球新報、比屋根照夫琉大名誉教授談）

これを読むと、おきなわはやはり“魂”や“精神性”というどこまでも深いスピリチュアル、それがひとびとの生きる原点にあるということをあらためて痛感させられる。

今回、この原稿を執筆するにあたって、平和行政に係る県の所管課を調べてみると、いくつかの課に分散されていることが分かった。まず、慰霊祭の企画運営に関する所管課は子ども生活福祉部「保護・援護課」で、今回問題となった慰霊祭の場所の検討はこの課で行われた。また、当日、県知事が読み上げる平和宣言は同部の「女性力・平和推進課」が所管課となっており、さらにこの課では、『平和行政に関する施策の総合的企画、調整及び推進に関すること』、『平和祈念資料館に関すること』、『平和の礎に関すること』、『沖縄平和賞』、『第32軍司令部壕』などを担当している。そして、米軍基地に係ることは知事公室「基地対策課」の所管となっている。

表2　県の平和関連業務の所管課別事務分掌

子ども生活福祉部		知事公室
保護・援護課 （援護班）	女性力・平和推進課 （平和推進班）	基地対策課
・戦没者遺族、戦傷病者、未帰還者留守家族及び引揚者の援護に関すること。 ・未帰還者の調査及び身分等に関すること。 ・旧軍人軍属の死没者の公報、遺骨及び遺留品に関すること。 ・旧軍人軍属及びその遺族の恩給に関すること。 ※以下戦没者に係る事柄が列記されている ※沖縄全戦没者追悼式については所掌事務としては記載がないが、この課で担当している。	平和行政に関する施策の総合的企画、調整及び推進に関すること。 ・平和の礎 ・沖縄平和賞 ・ちゅらうちなー草の根平和貢献賞 ・うまんちゅぴーすふるアクション（沖縄平和啓発プロモーション事業） ・沖縄県平和祈念資料館 ・第32軍司令部壕 ・平和宣言 ・非核・平和沖縄県宣言 ほか	※事務分掌としての記載はないが、以下の項目が取り組みとして記載されている ・知事の発言、要請等 ・地位協定ポータルサイト ・平成29年度沖縄県主催シンポジウム in ワシントンD.C. ・米軍基地問題に関する万国津梁会議

出所：沖縄県庁ホームページを基に作成

平和の礎が完成して以降、慰霊祭は「慰霊から平和発信」へと変わったはずである。今回、コロナ禍における慰霊祭の場所を検討する際、本来はあらためて慰霊祭の理念などを確認しながら令和２年度の慰霊祭の場所や形態を検討すべきであるが、担当した保護・援護課の事務分掌を見るかぎりにおいては、慰霊祭の意味や理念、平和発信のあるべき姿などを検討できるセクションではない。たまたま従来、慰霊祭を所管するに過ぎなかった課だからこそ、深く考え検討することなく規模を縮小したかたちで国立沖縄戦没者墓苑での開催という案を上層部に上げ、その途中でも何の疑問もなく通過・決定して知事の発表へと流れてしまったと考えられる。担当課長から知事の間には何人もの幹部の決済が必要と思われるが、誰も疑問と思わなかったことが驚きであるとともに、国立戦没者墓苑から従来の広場に場所を戻したとはいえ、「県民の会」や沖縄戦研究者らから出された問題提起をどの程度県庁内で議論し、どこに問題があったのかをきちんと整理したのか甚だ疑問である。

悲惨な沖縄戦を体験し、その後も多くの基地に苦しめられてきたおきなわにとって“平和行政”は極めて重要なテーマである。したがって、いかに多岐にわたるとはいえ平和に関する業務を複数の課に分散するのは問題であろう。そうでなくても行政は縦割りで、横の連携はほとんどない。しかもどの課の職員も数年で移動してしまい、知見やノウハウも残らない。そこでそうした弊害を取り除くためにも、平和行政を一元化し、一つの部に匹敵する「平和推進局」のような平和に特化した専門の部局を創設すべきではないだろうか。そして沖縄戦研究者や有識者、ジャーナリスト等を嘱託に迎えて、様々な課題に向き合いながら、将来に向かって、基地のないおきなわを取り戻し、東アジアにおける平和の拠点づくりを創造するような平和行政を推進すべきではないだろうか。

《追記》

本稿においてわたしは、「沖縄」でもなく、「オキナワ」でもなく、「OKINAWA」でもなく、“おきなわ”と表記した。その理由は、「琉球」というロマンあふれる美しい（わたしはそう思っている）名称が琉球処分の際に「沖縄」と変えられてしまったことからはじまり、「大和世」、「アメリカ世」、そしてまた「大和世」と、国家の都合で時代の波を漂っていたウチナーが、今後自らの意思でビジョンを掲げて自治・自立を目指すときまで、“おきなわ”という表記を使っていきたいと考えている。

辺野古埋め立てに関する沖縄県への意見表明

辺野古新基地建設事業・公有水面埋立変更承認申請に係る意見書

沖縄県知事　玉城 デニー 殿

2020年9月12日

（提出者）住　所　千葉県船橋市

氏　名　渋沢信幸

利害関係の内容

辺野古新基地建設に関する問題は、根源的には日本の防衛及び財政負担の問題です。そもそもアメリカ軍が自国のように日本を守ってくれるということは考えられません。他国からの軍事攻撃に対し、自国防衛の恩恵を受ける、その代わり国防の財政的負担を負うというのが基本です。戦後は敗戦国として実質戦勝国アメリカの支配下に入り、防衛上はアメリカの傘のもとアメリカに依存して、日本の再生、経済復興ができたとことは事実ですが、日本は今やGDP大国、アメリカの“支配下”から脱し、現在の日米安保条約を破棄し、平等の日米安保条約を結ぶ。そのためには自衛隊が自国防衛（憲法上は専守防衛）に当たり、費用は国民が負担する。普天間基地返還から始まり、代替の辺野古基地建設は、単に沖縄の問題ではなく、日本全体の問題です。

現在強行している辺野古新基地建設は、自然環境面、防衛政策上、財政上沖縄県民にとってはもちろん、日本国民にとって何のメリットもありません。

安倍政権は、アメリカから17機のオスプレイを購入、配置予定の佐賀県が反対しているので、千葉県木更津に配置予定で、近く２機先行配置予定です。木更津に配置されたオスプレイは、木更津から自衛隊習志野演習場で訓練することが分かり、調査の結果、騒音、危険性など多くに問題があることがわかり、まともに影響を受ける船橋市、習志野市、八千代市の自衛隊習志野演習場周辺市民から抗議運動が起きています。また、オスプレイそのものの購入、配置も問題視されています。これも、辺野古新基地建設問題と根源は一緒です。

意 見

沖縄県知事は、今回の公有水面埋立変更承認申請を不承認としてください。

理 由

特に本土に住んでいると、辺野古基地問題は沖縄の問題であるという安易な認識が一般的です。その前提に、米軍が日本を守ってくれているという漠然とした甘い認識があります。しかし、日本政府は、先に述べた基本的問題には触れず、しかもオール沖縄も、日米安保条約を前提とした上での、沖縄の基地負担軽減、辺野古新基地建設反対です。これまで政府は、日米安保条約（アメリカが日本を防衛するので、日本は相応の法律上、財政上の負担の義務がある）を前提に、しかも日米地位協定を前提に、政府主導で“世界一危険な基地”普天間基地の１日も早い返還のため、代替として辺野古にキャンプシュワブ基地を拡張して普天間代替基地を建設するということでなく、実質新基地を建設するという方針のもと、辺野古新基地建設が始まりました。 本土国民はもちろん、沖縄県民も殆ど知らないと思いますが、辺野古新基地計画は、1960年代後半に既に米軍により米軍在沖基地編成計画の一環として計画され、設計図もできていました。しかし再編費用はもちろんアメリカ負担でしたので、当時はベトナム戦争最中で、米軍の案はアメリカ議会で軍の主張は認められず、議案としても採用されませんでした。従ってキャンプシュワブの弾薬庫を含む辺野古新基地建設設計図は既に用意されていたのです。米軍の計画設定にあたり、一番課題の軍艦が寄港できる港は、西海岸には適地がなく無く、東海岸の大浦湾が一番適地と判断した経緯があります。
辺野古新基地建設設計図は、沖縄県立図書館にも保管されています。

辺野古新基地建設は初めから紆余曲折、問題がありましたが、結局当時裏で政府と通じていた当時の仲井眞知事による埋立承認があり、同時に翁長次期知事をリーダーとする辺野古新基地建設反対オール沖縄会議を中心に沖縄県民の抗議運動が活発化しました。翁長知事は就任後、前知事の埋立承認を取り消し、沖縄防衛局が、翁長知事の埋立承認取消の取消しの訴訟を提起しました。以降様々な訴訟が続きましたが、既に安倍内閣で裁判官の人事まで権力が及んでおり、時間稼ぎにはなるものの、県側の勝訴は期待できないのが現状です。

沖縄県民の現場での抗議運動も続きながら、工事は遅々として進みましたが、国の事前調査、工事手法も杜撰で、大浦湾の軟弱地盤問題が発覚、国も認めて大浦湾の埋立工事は実質ストップした状態となっています。当初国の建設工事見積も3,000億円、完成2022年予定であったが、その後完成までに12年、見積額9, 300億円となっています。但し県の専門家の見積もりでは、2兆5500億円となっています。軟弱地盤工事そのものも技術的に問題視されだけでなく、埋立土砂の調達、ケーソンの建設等難工事山積みです。仮に工事を強行して、10年先に完成するとしても、その時は対米関係、東アジア環境、日本防衛政策もどうなっているか不透明です。政府は相変わらず、対米従属スタンス、日本防衛戦略について展望を持っているわけでもなく、また日本防衛の環境は多きく変わっているでしょう。日本財政も実質破綻状態です。なんのために工事を強行するのか、あたかも工事を進めること自体が目的のようで、メリットを受けるのは工事業者だけです。

更に、世界でも貴重な海中生物が存在する自然破壊も重大な問題です。

｛利害関係の内容｝で記載したように、対米関係、日本の防衛を長期的視点で展望し、取り組むべきと思いますが、政府は現状に目をつぶり、ひたすら沖縄県民の意思を無視し、先行き展望もない工事を進めています。とりあえずは、あらゆる取れる手段を講じて、沖縄県民のため、日本国民のため１日でも早く工事を中止し、無駄な税金投入を止めるべきです。せめて大浦湾に埋立軍港を整備するという計画は中止すべきです。

［追記］

沖縄県民の民意を裏切って埋立承認をした仲井眞弘多元知事は、その後の知事選に立候補、オール沖縄の翁長知事（仲井眞知事当選の知事選の時は、当時自民党幹事長の翁長氏は仲井眞候補の後援会長）に圧倒的票差で敗北したが、その後マスコミ向けやネットで当時の翁長知事、その後の玉城知事についても批判（悪口）を公言し、ネットでも頻繁に表示されている。2020年1月の自民党沖縄県連新年会で、最高顧問として挨拶「……沖縄は、オール何とかという得体のしれな集団が牛耳っている……」と玉城知事を痛烈に批判している。その後の2月の辺野古新基地建設の是非を問う県民投票では、県民の７割が反対の意思表示をしたにもかかわらず、「辺野古新基地問題はとっくに決着している。県知事はちゃんと県の政治をやれ」という批判は止めていない。このことは、「辺野古基地建設は国防問題であり、沖縄がとやかく口を出すべきでないし、基地反対運動は沖縄の問題である」という本土国民多数の誤った理解に貢献している。

今日のニュースでは、自民党の総裁選で、沖縄県地方党員投票の結果、各都道府県代表３票はほとんど菅と報告されていました。国家観が無い、露骨に沖縄に嫌悪感を表す菅官房長官を支持するとは、本土在住の国民にとっても違和感があります。

埋立地用途変更（普天間飛行場代替施設建設事業）に係る利害関係人の意見書

2020年9月28日

沖縄県知事　玉城 康裕　様

出者　住所：沖縄県那覇市

団体：平和を求める元軍人の会　琉球・沖縄国際支部

（略称　VFP-ROCK）

代表：ダグラス・ラミス

利害関係の内容

本会は、米国を中心とする「平和を求める元軍人の会（略称：VFP）」の「琉球・沖縄国際支部（略称:ROCK）」として沖縄の平和を求めて2016年に設立した団体である。辺野古を埋めて米海兵隊飛行場と軍港を作ることは、本会の活動方針に反する。

意 見

玉城康裕 沖縄県知事は、沖縄の平和と環境と人権を守るために、本件変更を不承認とすること。

理 由

この基地建設は戦争を防ぐものではなく、戦争を呼び起こすものです。そして環境を既に壊しています。沖縄の民意に反して工事を続けていることは、人権の問題です。

もちろん平和、環境、人権だけで日米両政府を説得することは出来ないのは分かっています。両政府が考える「利益」にはならないと説得しなければなりません。以下の話には説得力があるでしょう。

工事が強行されているこの飛行場は、米国国防総省が定めている「飛行場とヘリポートの統一施設基準 UNIFIED FACILITIES CRITERIA(UFC) AIRFIELD AND HELIPORT PLANNING AND DESIGN」に合わない危険な飛行場であることを記していく。

危険の第一、飛行場周辺の高さ制限の水平表面を超える高さの構造物がたくさん存在すること。

危険の第二、滑走路が不同沈下することだ。

これらの事実は、沖縄県民が危険なだけでなく、米国のパイロットも危険と隣り合う。これらを米国民に伝え、米国がこの飛行場の建設工事を中止するよう働きかけが必要だと当会では考えている。

統一施設基準はネット上に公開されておりキーワード UFC3-260-01 で入手できる。この統一施設基準2008年版の関係するページの抜書きも添付した(添付資料-1 略)。

<u>危険の第一・制限表面より高い構造物がある危険な飛行場</u>

統一施設基準 UFC 3-260-01 は、軍事空港周辺区域の高さ制限も設定している。基準の46頁にある鳥観図を右に示す。図のEの部分が水平表面（原文は INNER HORIZONTAL SURFACE）とされている。

この基準では滑走路の中心から2,286mの範囲は、滑走路の表面から高さ45.72mを水平表面として、それより高い構造物があってはならないことになっている。

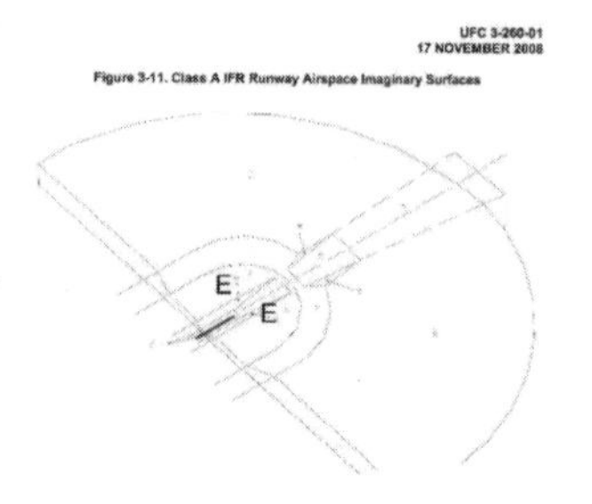

辺野古新基地の滑走路の高さが海抜8.8mとされているので、海抜54.52m以上の構造物は存在してはいけないとこの基準では定めている。

右の概念図にも示したが、水平表面から上にはみ出している高い構造物は、国立高専、高圧線の鉄塔、弾薬庫、小学校と中学校の校舎、住宅などがある。

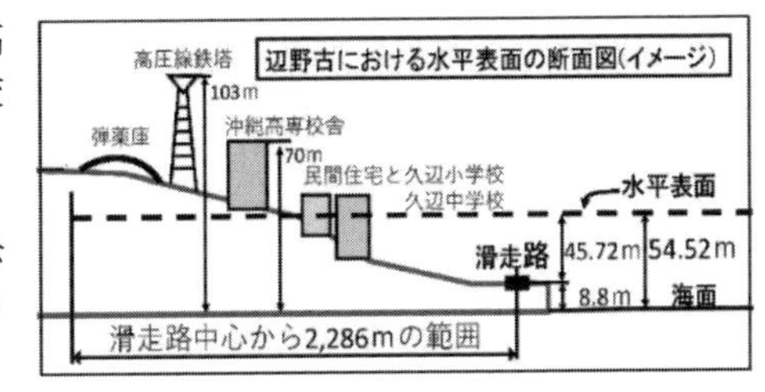

このような飛行場建設計画は、公有水面埋立法で認められるだろうか？この点を考える。

埋立法第4条第1項第3号

小見出しの条文を書き写す。「埋立地ノ用途ガ土地利用又ハ環境保全ニ関スル国又ハ地方公共団体（港務局ヲ含ム）ノ法律ニ基ク計画ニ違背セザルコト」を考察するために名護市の都市計画での豊原の位置付けを検証する。

軍事空港建設は、名護市の都市計画法での豊原周辺の位置付けに反する

名護市は都市計画法に基づき、平成18年（2006年）8月に「都市計画マスタープラン」を出した。その100頁で豊原区を「水とみどりと産業文化を育む丘のまちとよはら」と位置付けて、(目指すべき方向性）として、次の四点を記している。

①情報通信・金融関連産業拠点の形成、

②自然環境との共生によるまちづくり、

③新たなコミュニティを構築するまちづくり、

④住民管理による持続的、段階的なまちづくり、

「埋立地ノ用途」は、米海兵隊のためのＶ字型の軍事空港であり、軍港である。したがって名護市が目指す豊原地区の計画に反することは明白。公有水面埋立法第4条第1項第3号を参照して、「豊原の都市計画による姿に違背する」ので、2013年12月に県知事は埋立を不承認とすべきであった。

国防総省の統一施設基準 UFC3-260-01 に合わない危険な飛行場計画だ。選挙や県民投票で沖縄県民が辺野古計画に反対していることを、米国国民、さらには国防総省に働きかけて、この危険な飛行場計画を撤回させる活動も私達 VFP-ROCK は微力ながら着手している。

危険の第二・滑走路が不同沈下して危険なこと

辺野古に計画されている滑走路の長さは1800ｍだから、CLASS A RUNWAY となり、統一施設基準 UFC3-260-01 の38頁の図を右に示す。

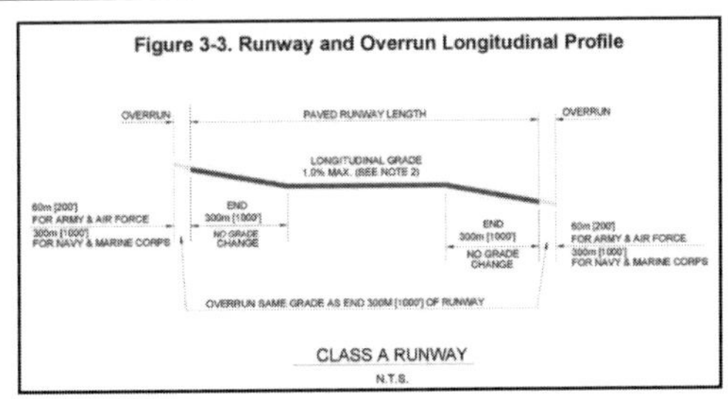

滑走路の端から300ｍは NO GRADE CHANGE と記されてお

り、滑走路の勾配に「変化があってはいけない」とされている。

辺野古の地盤は柔らかいので、沈下の予測はどうなっているか、日本政府の予測結果を見る。

日本政府は、８名の大学教授らで、「普天間飛行場代替施設事業に係る技術検討会」を開いている。2019年12月25日に開かれた第３回技術検討会の配布資料から抜粋したのが「添付資料-2」（略）である。

辺野古の飛行場はＶ字型に二つの滑走路が計画され、北側（図の上方）を北滑走路、南側を南滑走路と呼ぶことにする。76頁に北滑走路の沈下量を示しており、20年目に沈下量が14cm程ある。

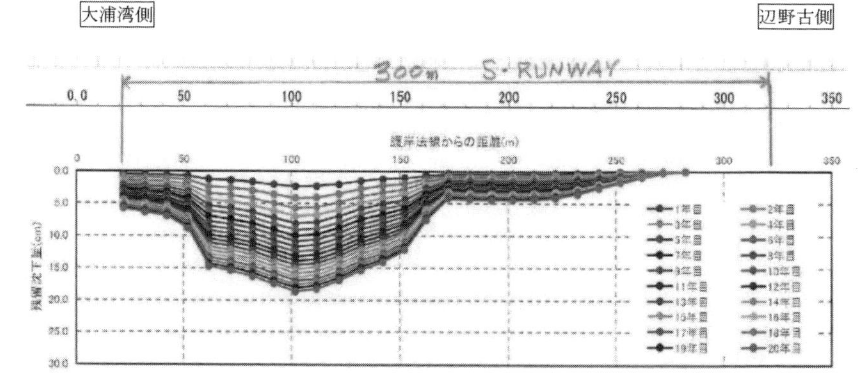

添付資料-2の77頁、南滑走路の沈下量の図を上に引用した。20年目に沈下量が19cm程ある。滑走路の端から300mの範囲に沈下が集中している。

米国防総省の統一施設基準で、滑走路の端から300m（1000feets）はNO GRADE CHANGE（勾配の変化はない）と定めていた基準は守られていない。若いパイロットたちが危険にさらされることになる。南北の滑走路共に滑走路の大浦湾側に勾配の変化がある。離着陸に失敗した航空機は地域住民も脅威だ。

結論として

沖縄防衛局が沖縄県に提出した「普天間飛行場代替施設建設事業公有水面埋立変更承認申請書」の書面本文や、「設計概要の変更」においても「水とみどりと産業文化を育む丘のまち　とよはら」が目指す方向、これに違背する基地建設による危険性の除去についての記述はありません。

したがって、玉城康裕知事におかれましては、「公有水面埋立変更承認申請」を不承認とするようお願い申し上げます。

書評

小林よしのり、ケネス・ルオフ著

『天皇論「日米激突」』

緒方　修

漫画家と学者の対談である。小林よしのりは「ゴーマニズム宣言」で話題を呼び、『天皇論』は25万部のベストセラーとなった。ケネス・ルオフは米国における近現代天皇制研究の第一人者。『国民の天皇』で大佛次郎論壇賞受賞。

タイトルは「日米激突」だが、内容は激突ではない。帯にあるように、まったく新しい「天皇論」が誕生！、日米論客がタブーなしの大激論！、がふさわしい。

小林は「一斉にみんなで一方向に流れるのが、わしは気に入らない。」戦前はみんな「戦争賛成！」、戦後はみんな「戦争反対！」……なんだこれは、と怒る。

ルオフは、「政治的に中道左派」であり、「日本社会の複雑性を理解するために（右派の運動を）研究している」。

二人とも女性天皇を支持しているし、天皇が弱者に注目してきたことにも注目している。

以下、印象に残った言葉を拾い出してみる。

第１章「そもそも神武天皇は存在しない」

ルオフ「しかし幕末に王政復古運動が活発になると、幕府はまったく証拠がないのに神武天皇の存在を認めました」、「もっと問題なのは、神武天皇の神話を戦前、戦中の軍国主義イデオロギーのために利用したことではないでしょうか」。

これは政府が進めたとばかりは言えない。1940年の紀元二千六百年には「神武東征は近代日本が帝国領土を広げる手本でもあり、それを正当化する根拠ともなっていた」。半官半民の行事が日本帝国で開催される。

1940年には「帝国1億500万臣民（うち内地は7300万人）の多くが、紀元二千六百年を祝う1万2000以上の行事に参加した」(『紀元二千六百年』朝日新聞出版)。

第２章「外国人労働者と天皇」

日本政府は日系人を日本の宣伝に使おうとしている。あくまで「血」を重んじているのだ。

ルオフ「移民に対する寛容の心を育てるためには、いまの日本人の先祖も移民だったことを覚えておいたほうがいいでしょう」。

第50代の桓武天皇の生母が朝鮮半島の百済系渡来人であることは、現在の上皇も明言している。右翼の一部は「チョーセン嫌い」と叫んでいるが、天皇家のルーツも自らの祖先がどこから来たのかも分かっていない。

小林は皇室だってどんな性的指向を持っているのか分からない、と指摘する。

小林「悠仁さまがゲイだと聞いたら、日本の保守派は全員自殺しちゃうかもしれん。」

というのは、(彼らは天皇の子孫が続く)「そこだけに自分の『希望』をかけているんだから、大変なことになってしまうよ」。

こうしたタブーのない対談は日本では珍しい。

3章から8章までは章名だけ挙げる。「右も左もロボット天皇論」、「天皇が韓国に行ったならば」、「昭和天皇に戦争責任はあるか」、「令和の靖国問題」、「大嘗祭は国費でやるべきか」、「天皇に人権はあるか」。最後は9章「ハーフの天皇」。

小林「悠仁さまが学習院ではなくお茶の水女子大附属小学校に行ったのも、将来の天皇として育てるつもりがないからでしょう。(略) だから天皇家の意思としては、女帝OKで次は愛子さまなんですよ」。

天皇は日本人の男系の純血種だけ、とこだわる頑迷固陋な「クソジジイ」たちに対してルオフは疑問を持つ。

ルオフ「彼らは結局、日本をどうしたいのでしょうか。」

そうだ、ナチスのように、KKKのように、ユダヤの血が、黒人の血が一滴でも入ってはいけない、と追及するのならば自らのムラの中で近親結婚を繰り返して滅びれば良い。

皇室はその落とし穴を避けるために大正天皇までは側室制度を利用し、平成天皇は民間から夫人を選んだ。これからは天皇制を廃止することまで含めて選択肢を増やした方が良さそうだ。

右翼のハラキリはあるか?

以下は私の右翼に対する勝手な「期待」が裏切られた体験を記す。

昭和天皇が亡くなる前、ワシントンに出張で出かけたことがある。知人の奥さんが国務省に勤めていた。ランチに誘われた。天皇没後の情勢についていろいろと話した。

「右翼が何人くらい自殺するだろうか?」という質問を受けた。

明治天皇の葬儀の後、殉死した乃木大将、森鷗外の「阿部一族」などを思い浮かべた。昭和天皇に対する右翼の思い入れは深いに違いない。十数人が「殉」死するのではないか、と推測した。眼鏡をかけた聡明そうな国務省職員はメモを取っていた。「日本の放送記者によれば、日本各地で右翼がハラキリ」とでも書いていたのだろう。まったく私の「期待」は外れた。

昭和天皇の亡くなる前の日本のメディア状況は無残なものだった。テレビは特にひどかった。全局が「自粛」ムードに覆われ、お笑いや歌などの娯楽番組はなし。唯一NHKの教育テレビだけが子供向けの番組などを元気に放送していた。毎日毎日、天皇の輸血量だの下血が何回と放送していた。これしか話題はないのか。まったく。テレビ局としては自殺行為だ。日本のジャーナリズムで次のような記事を載せたところは無い。

あのころのヒロヒトを忘れるな。

地獄は悪人「天皇」を待っている—イギリス大衆紙『ザ・サン』(1988年9月21日付)

「天皇ヒロヒトが死の床に横たわっている今、悲しむべき理由は二つある。第一は、彼がこれまで生き永らえてきたことだ。二番目には、20世紀の最も愚かしい罪業の数々に対して、彼が罰せられることなく死ぬことである。1941年、日本が戦争を始めたとき、ヒロヒトはその手を一振りすることで止めることができた。国民の目には彼は神と映っていたのだから。しかし彼は何もしなかった。天皇の野蛮な兵士たちが、何百万人という中国人を強姦、殺害したとしても、彼は何もしようとしなかった。勝っている間、ヒロヒトは誇らしげに振る舞い、気取ってみせていた。敗戦が確定的になると、自分のつまらぬ首を守るため、彼は『神格』をかなぐり捨て

た。」（鶴見俊輔・中川六平『天皇百話』上・下、ちくま文庫）

ちなみに第二次世界大戦後、ナチスも日本も高級軍人の自殺は約700人だったそうだ。欧米では、ヒトラーの自殺は当然、日本の天皇がなぜ絞首刑にならないのか、と感じていた。

エリオット・ソープ准将は次のような感想を述べている。

「天皇の退位は混乱以外の何ももたらさないからだ。宗教もなく、政府もない。天皇だけが統制の象徴だったのである。もちろん天皇は悪に手をそめた。彼が無邪気な子供などでないことも明らかだ。しかし天皇はわれわれにとって大変役に立つ存在だった。これが私が天皇を支えるよう、あの老人（マッカーサー）に勧めた理由だ。」（ジョン・ダワー『敗北を抱きしめて』上・下、　岩波書店）

昭和天皇の死に際し、「ヒロヒトラー」と呼ぶ一部の新聞もあった。戦時中、日本でこんなことを言ったら間違いなく、憲兵が来て逮捕され、拷問され、良くて長期拘留、悪ければ獄死。天皇陛下について少しでも「不敬」なことを言うとたちまち検挙された。

不敬、反戦、反軍其の他不穏言動の概要　　内務省警保局

「昭和18年9月より昭和19年3月に至る内務省警保局の不穏言動調査」

「こんなに骨を折って子供を育てても大きくなると天皇陛下の子だと言って持っていかれて仕舞うのだもの嫌になってしまう、子供を育てても別に天皇陛下から金を貰う訳でないのに大きく育ててから持って行くなんでことをするのだもの天皇陛下にだって罰が当たるよ（検挙）（無職女　栃木）」

「長男を昭和12年12月西安にて、次男を昭和17年ソロモン方面にて失いたる母親、次男戦死の公報に接するや『二児を失いたるは天皇陛下のためなり』とて畏くも陛下の御肖像及掛軸を取外し、之を足蹴にす、（検挙）（戦死者母　秋田）」（鶴見俊輔・中川六平『天皇百話』上・下、ちくま文庫）

戦中を過ごした作家は当時の雰囲気を振り返る。

「昭和20年8月15日までの日本人は、天皇にかこつけて言ひがかりをつけられることを、極端に警戒しながら生きなければならなかった。」（丸谷才一『桜もさよならも日本語』新潮社）

昭和の終わりは、そこまでひどくはなかったが、メディアが率先してお笑いや歌などの「不敬」なイベントをチェックしているような逼塞感があった。

天皇と言えば、私にとって生まれた時から空気のような存在で、特に意識したことはない。子供の時から年号は昭和に決まっているし、天皇は妙なアクセントでしゃべるおじさん、野球や相撲の観戦に現れれば「天覧試合」としてテレビが有難がって放映するが、姿が見えるだけでなかなか妙な抑揚の日本語を聞く機会がないのが残念だった。母親は日曜日（だったか）午前中放送のテレビ番組「皇室アルバム」を毎週食い入るように見ていた。

そもそも我が家がテレビを購入したのは皇太子の結婚祝賀パレードを見るのが目的だった。町内ではテレビを持っているのはほかにもう一軒しかなかった。今でいえば高級外車を買うくらいの値段だったろう。しかし「天皇ファン」の母はこの時、日頃の吝嗇ぶりとは打って変わった「大富豪」ぶりを発揮した。パレード当日は我が家に近所の人たちが座敷や縁側まで何十人もつめかけテレビを見ていた。私はまだ中学生だった。

皇太子妃の正田美智子は製粉会社の社長の娘だった。民間人から皇族へ、そして皇后へと上り詰めるシンデレラ物語がこうして始まった。1959年の馬車による成婚パレード、大々的に報じたテレビ、ラジオ、新聞。特に週刊誌はその前からミッチーブームを盛り上げた。

一部では「チビ天」と（半分は揶揄、半分は親しみをこめて？）呼ばれた皇太子明仁は、29年後、天皇を継ぐころには妻と共に安定した人気を保っていた。皇室は民間の血を入れることで存在感が増したようだ。

平成時代は、ミッチー盛り上げのあの手この手で皇室は生き延びた。令和の天皇は、自らの意見発表を封じているようにみえる。小林・ケネス両氏には再び「激突」討論を期待したい。

（小学館新書、2019年、本体840円）

執筆者紹介　（執筆順）

❄ **鳩山友紀夫（由紀夫）**（はとやま ゆきお）
1947年東京生まれ。東京大学工学部計数工学科卒業、米国スタンフォード大学工学部博士課程修了。1986年総選挙で初当選。2009年民主党代表。民主党政権初の第93代内閣総理大臣に就任。2013年一般財団法人東アジア共同体研究所を設立、理事長に就任。公益財団法人友愛理事長、国際アジア共同体学会名誉顧問、日本・ロシア協会最高顧問。

❄ **ヨハン・ガルトゥング**　Johan Galtung
1930年ノルウェー生まれ。「平和学の父」と呼ばれ、戦争のない状態の「消極的平和」に対し、貧困、抑圧など「構造的暴力」のない状態を「積極的平和」とする概念を提唱。1959年にオスロ国際平和研究所（PRIO）創設。200以上の国家間、宗教間紛争を調停。1987年、第２のノーベル賞「ライト・ライブリフッド賞」受賞。著書、共著に『平和を創る発想術』、『構造的暴力と平和』、『日本人のための平和論』など多数。

❄ **木村　朗**（きむら あきら）
1954年北九州市小倉出身。鹿児島大学名誉教授。日本平和学会理事。『危機の時代の平和学』（法律文化社）ほか著書多数。インターネット・ニュースの現代ビジネスに論評を連載中。

❄ **ブルース・カミングス**　Bruce Cumings
1943年生まれ。コロンビア大学で政治学を学び、同大学よりPh.D.取得。シアトルのワシントン大学国際関係学部助教授を経て1987 年からシカゴ大学歴史学部教授。2014年現在同大学スウィフト冠教授。朝鮮戦争研究の第一人者。1967年から1968年には徴兵を忌避して平和部隊に参加し、韓国で英語教師として働いた経験もある。1999 年にアメリカ芸術科学アカデミーの会員に選ばれる。著書に、『朝鮮戦争の起源　１・２』、『現代朝鮮の歴史』、『北朝鮮とアメリカ―確執の半世紀』など多数。

❄ **孫崎　享**（まごさき うける）
1943年生まれ。東京大学法学部を中退し外務省入省。駐ウズベキスタン大使、国際情報局長、駐イラン大使を歴任。2009年まで防衛大学校教授。『日米外交　現場からの証言』（中公新書）で山本七平賞。『戦後史の正体』、『日米開戦の正体』、『日本国の正体』、近著『朝鮮戦争の正体』など多数。ツイッターのフォロワー14万人。ソーシャル・メディアにも注力。

❄ **北上田　毅**（きたうえだ つよし）
沖縄平和市民連絡会会員　元土木技術者

❄ **桜井国俊**（さくらい くにとし）
1943年静岡県生まれ。東京大学客員教授を経て沖縄大学教授、同学長、現在同名誉教授。専攻は環境学。沖縄環境ネットワーク世話人。

❄ **吉川秀樹**（よしかわ ひでき）
琉球大学、名桜大学、沖縄県立芸術大学非常勤講師、Okinawa　Environmental

Justice Project 代表。ジュゴン保護キャンペーンセンター国際担当

❄ **高野　孟**（たかの はじめ）

東アジア共同体研究所理事。ザ・ジャーナル主幹。早稲田大学卒。通信社など勤務後にフリージャーナリスト。2008年、ブログサイト「ザ・ジャーナル」創設。

❄ **城村典文**（じょうむら のりふみ）

戦争のための自衛隊配備に反対する奄美ネット代表

❄ **下地　茜**（しもじ あかね）

ミサイル弾薬庫配備反対！住民の会

❄ **藤井幸子**（ふじい さちこ）

石垣島に軍事基地をつくらせない市民連絡会事務局

❄ **猪股　哲**（いのまた てつ）

南西諸島ピースネット共同代表

❄ **江上能義**（えがみ たかよし）

佐賀県出身。1977～2003年、琉球大学法文学部に勤務。2003～2017年早稲田大学大学院教授。現在、琉球大学・早稲田大学名誉教授。専門は政治学。

❄ **渡辺武達**（わたなべ たけさと）

1944年、愛知県生まれ。京都産業大学教授をへて同志社大学社会学部教授、現在同名誉教授。専攻は市民外交論、平和学。

❄ **西原和久**（にしはら かずひさ）

成城大学教授、名古屋大学名誉教授。著書は『トランスナショナリズム論序説―移民・沖縄・国家』（新泉社）ほか多数。

❄ **当真嗣清**（とうま しせい）

1949年生まれ。東京都主税局勤務後、米国留学。帰国後、読谷村助役。琉球弧の先住民族会（AIPR）前代表。現在、アジア先住民族機構（AIPP）理事。

❄ **須藤 義人**（すどう よしひと）

1976年神奈川県生まれ。現在、沖縄大学准教授。専攻は宗教哲学、映像民俗学。ドキュメンタリー映像作家、テーラワーダ仏教僧。東アジア共同体研究所・琉球沖縄研究センター紀要編集委員。

❄ **林 立 杰**（リン リージエ）　lin li jie

福建師範大学歴史系卒業。福州市博物館文廟保管所所長。

❄ **王　志英**（ワン チーイン）　Wang Zhiying

中国西安出身。京都大学大学院人間・環境学博士。沖縄大学人文学部教授。

❄ **奥住 英二**（おくずみ えいじ）

1944年東京生まれ。沖縄復帰運動に関わり1972年、沖縄移住。石垣ケーブルテレビ勤務、協同組合沖縄産業計画で事務局長・研究主幹。東アジア共同体研究所琉球・沖縄センター運営委員。沖縄シンクタンク協議会幹事。

❄ **緒方　修**（おがた おさむ）

1946年熊本生まれ。文化放送から沖縄大学教授、同地域研究センター所長を経て現在、東アジア共同体研究所琉球・沖縄センター所長。。NPOアジアクラブ理事長。『シルクロードの未知国』で日本地方新聞協会特別賞。

編集後記

緒方　修（東アジア共同体研究所 琉球・沖縄センター長）

「沖縄を平和の要石に」

新雑誌のタイトルである。東アジア共同体研究所琉球・沖縄センター発行の紀要の表紙に使っていた。研究所のめざす目的と一致した言葉だ。今回からは全国販売となる。ぜひ広く読まれてほしい。

沖縄が日本全体の矛盾の象徴であることはほとんどの人が承知している。日本の米軍基地の７割を小さな島が抱えさせられたままだ。沖縄を（沖縄から）考え、矛盾の解決を図ることは日本全体の問題解決にもつながる。最大の問題は辺野古の新基地建設以外にもある。沖縄はコロナ感染率が全国ワースト上位に入る。沖縄を取り巻く状況は中も外も悪化している。南西諸島におけるミサイル危機はニュースでもあまり報じられない。「不屈館―瀬長亀次郎と民衆資料」において２カ月間の写真展およびミニ講演会を連続開催出来たことは小さな希望となった。本誌でも現地からの報告を載せたが、単行本として特集し同時刊行した。『虚構の新冷戦』として書店に並ぶのでぜひご覧頂きたい。

平和を創り出すのは、首相官邸でも外務省、防衛省の「専管事項」でもない。平和学のガルトゥング博士は、病気の治療だけでなく原因を解決する予防医学や公衆衛生の手法で紛争を解決してきた。地域同士の連合が平和への道筋を開く可能性がある。特集で先住民や小国の動きも取り上げた。

アメリカにおけるコロナの死者が20万人を超え、やがて第二次世界大戦の29万に達するだろう。異常な事態だ。最新鋭兵器の販売に血道をあげている場合ではない。狂った大国に隷従していてはこの国は滅ぶ。

男としてなすべきこと。①木を植えること、②子供を作ること、③本を出すこと。キューバの革命家、ホセ・マルティの言葉だそうだ。人間は、自然を破壊するな、家族・同胞を大事に、知識を貯え実践せよ。②、③は出来たが、まだ地球に何も貢献していない。これからだ。

私が沖縄に住み着いたのは1999年、沖縄大学で教鞭をとることになって以来だ。その時に初めて「**publish or perish**」という言葉を聞いた。「出版か、さもなくば消滅」では直訳すぎる。「世に問うものを出さなければ、（大学の先生なんか）辞めちまえ」と解釈した。

研究所も同じことだ。琉球・沖縄センターはこれまで５年（５回）にわたって紀要を発刊してきた。新雑誌創刊を期にさらにPUBLICに問いたい。

東アジア共同体研究所 琉球・沖縄センター

一般財団東アジア共同体研究所（EACI）は、鳩山由紀夫元首相が政界引退後、日本と他のアジア諸国、より広くはアジア・太平洋諸国相互の間に「友愛」の絆を作り上げることを目的に2013年3月に設立。翌年5月に、同研究所琉球・沖縄センターが沖縄県那覇市に設立され、活動を始めた。その目的は、歴史的にも東アジアの様々な文化が融合してきた過去を有し、東アジアの結節点である沖縄から共同体を構想することによって、鳩山政権で掲げられた「東アジア共同体研究所構想」を将来につなぎ、アジア諸国の日本に対する信頼を蘇らせることである。具体的には、辺野古を含めた米軍基地問題や沖縄の未来構築に対して政策研究提言や県民運動支援の活動を行っている。例えば、2020年度は4月から毎週、「ウイークリー沖縄」でニュース情報を発信。6月に東京で「自衛隊南西シフトと新冷戦」シンポを開催し、『虚構の新冷戦　日米軍事一体化と敵基地攻撃論』を刊行（芙蓉書房出版）。また、本書『沖縄を平和の要石に』を年刊ジャーナルとして創刊。

沖縄（おきなわ）を平和（へいわ）の要石（かなめいし）に 1
地域連合が国境を拓く

2020年12月10日　第1刷発行

編　者
東アジア共同体研究所 琉球・沖縄センター

発行所
㈱芙蓉書房出版
（代表 平澤公裕）
〒113-0033東京都文京区本郷3-3-13
TEL 03-3813-4466　FAX 03-3813-4615
http://www.fuyoshobo.co.jp

印刷・製本／モリモト印刷

ISBN978-4-8295-0804-6

【芙蓉書房出版の本】

虚構の新冷戦

日米軍事一体化と敵基地攻撃論

東アジア共同体研究所 琉球・沖縄センター編

本体 2,500円

「敵基地攻撃論」の破滅的な危険性と、米中軍事対決を煽る米国の「新冷戦」プロパガンダの虚構性を15人の論客が暴く。米軍の対中・アジア戦略、それに呼応する日本・自衛隊の対応、中国の軍事・外交戦略、北朝鮮、韓国、台湾の動向に論及。

✺はじめに—本書の内容と刊行の目的〔新垣邦雄〕

第一章❖“新冷戦”と敵基地攻撃論で高まる「熱戦」の危機

✺絶滅戦争を回避する対抗構想を—「敵基地攻撃＝“抑止の罠”」に陥る恐れ〔前田哲男〕／✺米軍指揮による日米一体の海外出動態勢—自衛隊はどこで、だれのために戦うのか？〔末浪靖司〕／✺国民の命を脅かす「ミサイル防衛」—「敵基地攻撃」論の危険性〔菅沼幹夫〕／✺新冷戦と日本の安全保障—ＩＮＦ廃棄条約破棄と中距離ミサイル配備を巡って〔新垣　毅〕／✺宇宙の軍備拡張とポストミサイル戦争—南西諸島防衛を口実にした超音速兵器の開発〔前田佐和子〕

第二章❖米国発「新冷戦」の“わな”を暴く

✺米軍新戦略がもたらす激震—日本列島は米中ミサイル戦争の最前線となるのか？〔須川清司〕／✺「新冷戦論」の落とし穴にはまるな—「民主か独裁か」の二分思考の危険〔岡田　充〕／✺米国の中国敵視・包囲戦略に、中国の対応と戦略—香港・台湾・日中の背後にある巨大な影〔朱　建榮〕

第三章❖熱戦の発火点「朝鮮」「台湾」「南西諸島ミサイル要塞化・辺野古・嘉手納」

✺ミサイル戦争の要塞化が進む南西諸島—遂に動き始めた米軍ミサイル部隊の南西諸島配備〔小西　誠〕／✺沖縄周辺での日米軍事一体化について—米軍に吸収される目下の同盟軍〔大久保康裕〕／✺米中の軍事衝突はあるか—台湾海峡有事の可能性〔岡田　充〕／✺新冷戦と朝鮮有事—戦争回避につながる終戦宣言〔五味洋治〕／

第四章❖奪われた日本の主権—首都東京「横田」の戦争準備訓練

✺横田空域と日米合同委員会の密約—米軍優位の不平等な日米地位協定の構造〔吉田敏浩〕／✺横田基地の米軍訓練の激化—現場リポート「基地いらないの声あげよう！」〔高橋美枝子〕

第五章❖戦争回避のためにできること

✺〈敵のいない日本〉を創る—沖縄を「不戦・東アジア共同体」の要に〔鳩山友紀夫〕